序 中国道路与混合所有制经济

厉以宁

一、支持并鼓励混合所有制经济的建立和发展是中国社会主义经济理论重大创新

长期以来,在社会主义经济理论中存在着简单的两分法,即非公即私、非国有即私有、非国营即民营的划分。这样,就把处于两端之间的中间地带忽视了。经济实际上是多元的。就以两分法所提到的公有制和私有制这两端来说,其实无论是公有领域还是私有领域,都存在着不同类型的公有经济

或私有经济，不宜笼统而言。而在公有和私有之间的中间地带，同样存在不同类型的混合所有制经济。这是客观存在，不容我们忽视。

混合所有制这个名词，在1997年召开的中共第十五次代表大会时的官方文件就已出现。中共十六届三中全会通过的《中共中央关于完善社会主义市场经济体制若干问题的决定》中对混合所有制经济有明确的论述，强调要大力发展国有资本、集体资本和非公有资本等参股的混合所有制经济，实现投资主体的多元化，使股份制成为公有制的主要实现形式。这些论述是以往社会主义经济理论中所没有的。

2013年中共十八届三中全会的决定，对社会主义经济理论中有关混合所有制经济的地位、性质和作用做出了更加明确的表述，即把发展混合所有制经济作为我国基本经济制度的重要实现形式，既鼓励国有经济走向混合所有制经济，又鼓励非公有经济走向混合所有制经济。具体的做法将体现于改革之中，使国有资本和民间资本都能因参与混合所有制经济的建立和发展而增加活力，提高效率，增加收益，从而切切实实地使中国经济登上新的台阶。

从这个意义上说，中共十八届三中全会有关建立和发展混合所有制经济的决定确实是中国特色社会主义经济理论的重大创新。

二、建立和发展混合所有制经济的理论基础

首先从经济学中有关效率概念的发展谈起。

在经济学中，生产效率一直是人们关注的重点。生产效率指的是投入产出之间的关系。有投入，才有产出。如果投入减少，产出能维持原状，或者，如果产出增加，而投入能维持原状，都表明生产效率提高了。因此，人们关注生产效率的提高或下降，是合理的，生产效率是必须重视的。但自从20世纪30年代以后，尤其是第二次

世界大战结束以后，经济学中出现了第二种效率概念，即资源配置效率。

资源配置效率是指：如果投入为既定，以 A 方式配置资源，能有 N 产出，而以 B 方式配置资源，则有 N + 1 产出，那就表明资源配置效率提高了；如果以 C 方式配置资源，有 N + 2 产出，那就说明资源配置效率提高。因此，资源配置效率实际上比生产效率更重要。生产效率主要是从微观经济的角度进行分析。一个企业、一个生产单位无疑需要走技术创新和加强管理之路，以便不断提高生产效率。但从社会的角度、从宏观经济的角度进行分析，资源配置效率的提高无疑更为重要。关键在于：只有从宏观经济的层面把资本盘活，使资源配置得更合理、更有效，资源配置效率才能不断上升。重视生产效率是对的，但如果忽视资源配置效率，物不能尽其用，人不能尽其才，土地不能尽其利，货币不能畅其流，那就谈不上经济运行是有效的。这是因为，资源配置效率低下，实际上是资源的最大闲置与最大浪费。

三、建立和发展混合所有制经济的现实意义

就当前中国经济体制改革和经济发展而言，没有比提高资源配置效率更为迫切的了。

为什么中共十八届三中全会的决定中强调市场调节在资源配置中起决定性作用？这正是为了大幅度减少政府对资源的直接配置，充分发挥市场的调节作用，大大提高市场在资源配置中的作用。因此，政府和市场的界限就显得十分重要。政府做自己该做的事情，而且一定要做好。市场做自己可以做的事情，也应该做好。凡是政府可以做、市场也可以做的事情，只要市场愿意做，就交给市场去做。政府只做市场做不了或做不好的事情，如公共产品（国防、司法、治安、义务教育、社会保障等）的提供、地区收入差距的缩小、个

人收入分配的协调、公益性重大工程的建设、稀缺资源的开发和分配、宏观经济调控等。

政府干预市场对资源的配置，或政府未把自己该做的事情做好，都有损于资源配置效率的提高，这是力求避免的。

（一）有利于消除各方阻力，确定市场调节在资源配置中的决定性作用

需要指出的是，即使市场调节在资源配置中起决定性作用的方针已定，并不等于在实现这一方针时不会遇到较大的阻力。较大的阻力主要来自以下四个方面。

一是消除利益集团的干扰。

利益集团已存在多年，具体表现于它们在特定的行业或地区形成了行业垄断或区域垄断，从而获取特殊利益。一旦贯彻市场调节在资源配置中的决定性作用，利益集团的行业垄断或区域垄断行为或迟或早会被打破，所以它们会阻挠市场化改革的推进，即使认识到市场化改革已是大势所趋，不可阻挡，但总希望能拖延多久就拖延多久。

二是消除制度惯性的作用。

在经济学中，制度惯性又称“路径依赖”。这是指：一个人或一群人在旧制度下生活久了，在旧道路上走惯了，觉得自己已经适应了，不想改，不愿改，并未感到旧制度和旧生活方式有何不妥，甚至还认为，一切按旧的方式行事，是最安全、最保险的行为。这样，改革遭到的无形阻力就会大大增加。

三是独立市场主体大量存在。

市场要想充分发挥在资源配置中的决定性作用，要有大量独立的市场主体，它们产权清晰，自主经营，自负投资的盈亏，能够认真考虑投资的可行性和未来的经济效益，而不受行政部门的指使或受到行政部门的干扰。就中国现阶段的国有企业而论，如果在体制上

没有实质性的改革，很难符合和适应市场化的要求。大多数民营企业也与国有企业相似，同样受到行政部门的干扰，有待行政部门审批的环节太多，即使目前已经有所减少，但距离目标模式还有一定距离。

四是加强信用体系的建设。

市场建设中不能置信用体系于不顾，这是世界上许多已经工业化、市场化的国家的普遍经验。社会必须讲诚信，包括企业、个人、社会团体，也包括政府在内。要打击违法、违信的企业、个人等。社会失去了诚信，市场秩序就乱了，市场预期也就紊乱不堪。西方谚语说："他骗了所有的人，最后他发现，他被所有的人骗了。"那么，怎样建立诚信社会呢？一靠法律法规，二靠道德建设，而道德建设中包括每个人、每个企事业单位的自律。尽管信用体系的建设非一朝一夕之功，但从现在起，全社会应当把信用体系建设和道德建设放在重要的位置上。

（二）有利于盘活资本，将国有资源开发和使用列入规划，纳入中国经济建设中

基于上述分析，转入第二个问题的讨论，即为什么中共十八届三中全会的决定中强调建立和发展混合所有制经济的必要性。前文已经谈到提高资源配置效率的重要意义。据保守估计，目前的国有资本存量约有若干万亿人民币，如果把尚未资本化的国有资源（如土地资源、森林资源、矿产资源、水力资源、海洋资源、风力资源、太阳能资源）加以计算，那么国家资源也有若干万亿人民币之多。资本不用，资源闲置，都是损失。资本低效率使用，资源不断浪费、不断流失，同样是损失。由此可见提高国有资本、国有资源的资源配置效率的迫切性与重要性。也就是说，不仅要把国有资本盘活，让国有资本有效地发挥作用，而且要把国有资源的开发和使用列入规划之中，使它们参加中国经济的建设，发挥其应有的作用。

在这里,建立独立的、完善的市场主体起着至关重要的作用,而建立和发展混合所有制经济正是建立独立的、完善的市场主体的不可忽略的一步。

四、建立和发展混合所有制经济的途径

十八届三中全会把混合所有制经济作为我国基本经济制度的重要实现形式,这表明对建立和发展混合所有制经济极为重视。建立和发展混合所有制经济的途径很多,但基本上可以归纳为以下四个途径:

(一)鼓励现有的国有企业走向混合所有制

鼓励现有的国有企业走向混合所有制,包括容许非国有资本参股国有企业,使国有企业由国有全资转为多种所有制合营。

(二)鼓励发展非公有资本控股或参股的混合所有制企业

在鼓励发展非公有资本控股或参股的混合所有制企业方面,应采取自愿原则,即民营企业或民间资本是否参股于国有企业,是否愿意同国有资本共建一个混合所有制企业,完全听其自愿,不采取硬性规定,不摊派,不强制。

(三)加强员工持股的规范化

无论是国有企业还是民营企业,如果愿意实行员工持股制,由它们自行决定,政府有政策,对员工持股制的实行有政策可依,但应当规范化,这样才能避免出现后遗症。

(四)界定不同行业的国有企业功能,以及针对不同行业特点提出改革措施

比如说,城市供电、供水、供气、公共交通、垃圾处理、廉租房建

设和管理等保障民生为目标的公益性国有企业，国有资本可以控股，但也可以发行一定比例的股票，供民间投资购买。这样，可以促进这类企业在提供公共产品方面发挥更大作用。又如，石油、天然气、电信、电网、铁路、稀有金属开采与分配等具有自然垄断性的行业，仍需国家控股，但这不排除国有企业股权设置的多元化，也不影响规范地实行员工持股制（包括产权激励制）。在这里需要说明的是：国有资本的实力不在于资本存量本身，而在于国有资本的控制力大小。如果某家国有企业的资本存量是1 000亿元，100%由国家控股，那么国有资本的控制力仅仅是1 000亿元。如果国家以50%的股权就能控股，那么国有资本的控制力将是2 000亿元。如果在股权分散的条件下，国家以25%的股权就可以相对控股，那么国有资本的控制力将增加到4 000亿元。可见，资本的控制力比资本存量更能说明问题。

五、建立和发展混合所有制经济的五大好处

通过以上分析，可以清楚地了解到，建立和发展混合所有制经济至少有下列五个好处：

第一，把国有资本盘活了，通过国有资本的合理、有效配置，资源配置效率将大大提高，有利于经济的持续增长。

第二，建立适合市场调节在资源配置中起决定性作用的机制，减少行政部门对资源配置的干预，切实做到政企分开、政资分开；在完善的法人治理结构充分发挥作用的前提下，经营管理水平将不断提高。

第三，有利于各种所有制取长补短，发挥各种所有制的长处，参与市场竞争，企业的活力将增加。

第四，通过员工持股制的推行，有利于调动员工的积极性，包括实行产权激励制度对高管、高级技术人员的积极性的提高。

第五,市场调节的作用将在不断资产重组的过程中显现出来。资产重组是生产力发展的新起点。混合所有制经济的效率也正是在不断的资产重组过程中涌现出来的。市场调节下的资产重组活动将把每一个企业(包括混合所有制企业)推到前沿,不进即退,不进即停,每一个企业在市场和资产重组的压力下,都将求实创新,增加收益。这样,中国未来的企业界必然是生机勃勃的市场主体的组合。

六、澄清关于混合所有制经济的偏颇认识

关于混合所有制经济,社会上讨论很多,最近笔者在某些省市做了一些调查,发现对混合所有制经济存在或多或少的误解,所以感到有澄清的必要。

(一) 投资主体多元化是否等同于混合所有制企业的建成?

有些人认为,到目前为止,许多国有企业已经改制成为股份有限公司或有限责任公司了,股份制改革在这些国有企业中已经实现了,有些国有企业甚至已经成为上市公司。这表明混合所有制经济的建立和发展已经取得了巨大成就,今后基本上沿着现在的路子走下去就可以了。

这种说法是不准确的,甚至是错误的。要知道,建立混合所有制企业,绝不是简单的投资主体多元化问题。一家国有企业要成为名副其实的混合所有制企业,关键在于建立完善的法人治理结构,形成现代企业制度。投资主体多元化只是最初的一步,这一步必须跨出,但这与建立完善法人治理结构并不是一回事,比如,完善的法人治理结构包括股东会、董事会、监事会、总经理聘任制和任期制等制度的依法产生,并依法发挥各自的职能。试问,国有企业改为股份制企业或上市公司后,股东会开过没有?股东会是否按时召开,

如何行使权力？董事会是如何产生的，董事长是上级行政管理部门委派的，还是股东会选出来的？监事会是否存在？是否起作用？总经理一职是否是上级行政管理部门委派的？如果这些问题根本没有解决，那就不符合现代企业制度的基本要求。因此，要让国有企业成为现代企业式的混合所有制企业，一定要有完善的法人治理结构，这才是实质所在。怎么能认为照现在的国有企业股份制的路子走下去，就可以建立混合所有制经济呢？

（二）国有资本减持是否等同于国有企业实力的减弱？

还有人说，现在国有经济、国有资本已经退到不能再退的地步了，再退就要越过底线了。

这种说法也是一种误解、误导。前面已经指出，国有资本的实力不在于国有资本的存量，而在于国有资本的控制力。也就是说，在一些现阶段仍有必要由国有资本控股的行业和企业，在股权相当分散的条件下，国有股减持到相对控股的程度，实际上意味着国有资本的控制力增大了。这并不会影响国家控股经济在经济中的地位。

再说，在一些竞争性的行业和企业中，国家是不是一定要控股是可以讨论的。如果说在这些行业和企业中，国家已经控股了，甚至已经绝对控股了，为什么不能减持国有股呢？减持国有股并不是国有股的消失或流失，而恰恰是国有资本重新组合的一个步骤，国有资本减持后可以被用于其他方面，包括投资到高新科技产业、新兴产业，从而提高国有资本的资源配置效率。

进一步说，在某些经营不善、管理不善而亏损累累的国家控股的企业中，如果不采取国有股减持或让民间资本参股甚至控股，而使这些企业继续亏损下去，直到破产清理，将使国有资本蒙受更大损失。从这个意义上说，采取国有股减持或让民间资本参股甚至控股的做法，是拯救国有资本、使国有资本得以新生的途径，而不能认为是国有资本的消失或流失之路。

最后应当算清楚的是:国有资本的底线在哪里?什么叫作国有企业已无退路了?这是需要澄清的大问题。的确,现有的国有企业和国有资本控股的企业,是多年以来通过国家投资和企业积累,辛辛苦苦创办和发展而形成的。然而处于当前市场激烈竞争的形势下,不融资、筹资,不转亏为盈,不增加新的资本,不改善经营管理,怎样才能使竞争性行业的国有企业、国家控股企业走出困境?人们并不是没有想过办法。但经验表明,通过国有股的减持,吸收民间资本参股,包括欢迎民营企业前来控股,不失为一种可行的做法。因此,竞争性行业的混合所有制经济的发展,不仅不是国有企业的灾难,反而是国有企业、国有控股企业的新生之路。

还有人说,“这又是一场国退民进的活动”,这种看法也是不准确的。“民进”是对的,“国退”却不符合实际。因为我们的视线并不死死盯着某一个竞争性行业中的具体企业,而是以国有经济的资源配置效率提高为着眼点,这样看来,从宏观经济的角度分析,应当是“国进”而不是“国退”,应当是“国进民也进”,而不是“国退民进”。把国有资本的减持看成是“国退”,显然不正确。

(三)国有资本减持、国有企业重组是否等同于国有资产私有化?

国有企业改制为混合所有制企业的过程中,或国有股减持的过程中,很可能成为不法分子攫取国有资产的机会,结果会形成国有资本的大流失,使国家遭受严重损失。

这种说法并不是没有道理的。有些人以俄罗斯和某些东欧国家在20世纪90年代的改制转型过程中国有资产的私有化为例,认为必须严禁这种廉价出售国有资产或容许某些有权势的国企负责人把国有资产化为个人私有的行为。这的确值得我们警惕。

难道因为俄罗斯和某些东欧国家发生过这些情形,我们就不允许国有资本的减持和国有企业的重组吗？难道因此就不再考虑建立和发展混合所有制经济吗？当然不应如此。从中国的实际出发，我们该如何推进改革，应按中央的决定和部署施行。我们该如何建立和发展混合所有制经济，该如何防范国有资产的流失，如何杜绝私人对国有资产的侵吞，一切必须按法律法规、规章制度执行，这是必须遵循的原则。

规范、有序、公开，这六个字是每一个主管国有资产和国有资本的机构和每一个从事国有资产和国有资本工作的人员务必牢记的。不规范、不公开，不仅以后会发生各种后遗症，而且会导致国有资产和国有资本的流失，包括使国有资产落入私人腰包。有序进行，是指成熟一个，改革一个，切不可一哄而起，表面上轰轰烈烈，但弊端丛生，后患无穷。

七、民营企业或民间资本参股、控股混合所有制企业应遵循的原则和努力方向

民营企业或民间资本参股甚至控股混合所有制企业将遇到一些问题，应遵循的原则与努力方向如下：

（一）应遵循的原则

当前，民营企业和民间资本是否愿意参与国有企业的资产重组或改制为混合所有制企业的活动，首先应当遵循自愿原则，不摊派，也不强制。但问题并非仅限于此。在国有企业管理者与民营企业家座谈如何建立混合所有制经济时，不少民营企业家有如下的担心，即认为在国有企业控股的情况下，民营企业一旦参股进去了，很可能等于把钱白白送给了国有企业，受到名为混合所有制企业，实际上仍然是国家控股企业的摆布，重大决策都由国有资本决定。那么，如果民营企业投入的资本数多，成为民营企业控股的企业，会发

生什么状况呢？民营企业家仍然很不放心。他们说，国家控股企业本身做不了主，它们受上级行政部门控制，由行政部门说了算，这不是同样置参股甚至控股的民营企业于附庸的地位吗？可见，民营企业家、民间投资者的上述担心不是没有道理的，所以必须遵守自愿原则。

（二）努力方向

怎样解除民营企业、民间资本对于参股甚至控股混合所有制企业的顾虑呢？至少应当从以下三个方向着手：

一是加快国有资本体制的改革。

国有资本体制的改革分两个层次。第一层次是国有资本配置体制的改革，以资源配置效率的升降作为主要考核指标，即国资委不再具体管辖一个个国资企业，而只管国有资本的运作。为此，在国资委下面设立国有投资基金公司体系，包括按行业划分的若干个国有投资基金公司。无论是行业性的国有投资基金公司还是综合性的国有投资基金公司，都不直接管辖国有企业，包括国有控股企业以及有国有投资的混合所有制企业，而只负责国有投资的增增减减，进进出出。其目标是用活、盘活国有资本，以提高国有资本的资源配置效率。

二是要加快国有企业管理体制的改革。

国有资本体制改革的第二层次应是国有企业管理体制改革。这里所说的国有企业，既包括因行业特殊而保留的国有独资企业，也包括国有控股企业，还包括有国有投资在内的混合所有制企业。所有这些企业都应当把完善法人治理结构放在首位，即建立股东会、董事会、监事会和总经理聘任制、任期制、责任制的体制，并使它们充分发挥作用。不管民营企业是参股于上述国有企业，还是对上述国有企业进行控股，也不管上述国有控股企业是否已成为民营企业控股企业，一律按法律、法规、规章制度办事，国有投资基金公司只管资本的进出和增减，而不干预企业的运作。这样，在上述企业中，国有资本的投资方和民间资本的投资方一律处于平等的地位，企业在法人治理结构充分发挥作用的前提下，成为自行决策、自主经营的市场主体。

三是国有股减持、退出、转让过程的规范化与公开化。

在混合所有制企业建立过程中，尤其是在国有股减持、退出、转让的过程中，一定要规范化、公开化。对于国有资产的评估，必须经过严格的审计。如果在改制过程中漏掉了必不可少的环节，或模模糊糊，将来会成为后患。国有企业负责人为什么对于组建混合所有制企业有顾虑，因为他们害怕以后说不清楚，若干年后再翻出来追究，被扣上诸如"侵吞国有资产"、"贱卖国有资产"、"受贿"、"中饱私囊"等罪名，所以往往处于"被动"状态而不热心混合所有制企业的筹划和国有股减持、转让等工作。民营企业家同样如此，他们担心以后会被指责"行贿"、"对国有资产巧取豪夺"，从而"化公为私"、"内外勾结，变国有资产为私有"等罪名一股脑儿加到自己头上。所以必须规范化、公开化、有序化，这样就可以证明自己一切按照法律、法规和规章制度办事，以示清白。

由此看来，上述三个问题的妥善解决在民营企业和民间资本参股甚至控股混合所有制企业的过程中是十分必要的。说得更确切些，这是民营企业和民间企业在建立有国有资本参与的混合所有制企业的过程中不可回避的重大问题。

八、民营企业在混合所有制经济建立和发展过程中将向现代企业转型

中国现阶段的民营企业家，大体上由三部分人构成。

第一，从个体工商户、小业主逐年积累而形成的一批民营企业家。改革开放以后，他们最早在市场中摸爬滚打而挣得一份家业，

并由此扩大生产经营规模，成为民营企业创办人、合伙人。

第二，由乡镇企业改制而兴起的一批农民企业家。其中不少人就是当初的社队企业（后改为乡镇企业）的负责人或骨干。他们有能力，有市场意识，并有创业远见。他们在发展市场方面是有贡献的。因为当时他们所在企业的产品需要自找市场，自谋销路，他们带着样品和订单，走遍城乡。在他们的共同努力下，一个处于计划经济体制之外的乡镇企业市场终于形成了，大一统的计划经济体制终于被打破了。以后，随着乡镇企业的转型、改制，乡镇企业的产权明细化并落实到个人，这些当初的乡镇企业的负责人和主要骨干也就转化为民营企业家。

第三，所谓“九二派”，也就是在邓小平 1992 年南方讲话以后，从体制内转到体制外，自行创业，逐渐发展壮大，而陆续成为企业界人士的这部分人。当然，“九二派”是一个笼统的说法，实际上 20 世纪 80 年代就已经有不少从体制内转到体制外的先行者了。他们之中有不少人曾经在政府机构和国有企业中担任过干部，有高等学校学历，又有实际部门工作的经验，并且熟悉体制内经济和管理的操作。特别是，由于他们对国外的经济状况了解较多，对世界科技进步的趋势有较深刻的认识，所以他们无论在科技界、工商界、金融界还是在新兴产业方面都有较大的潜力，于是他们一旦由体制内转到体制外，很快就在民营企业界占据优势，创办的民营企业也居于上风。他们在素质上的优势是小业主出身的民营企业家和乡镇企业负责人出身的企业家远远不及的。

以上三类不同背景、不同经历的民营企业家中，第一类民营企业家不易摆脱小业主意识，他们依然把小业主阶段的创业经验牢记在心，从而形成浓厚的家族中心观念，即使认为有必要采用股份制形式，但实质上仍然是家庭成员持股制，坚持“肥水不流外人田”。

第二类民营企业家的背景和经历中，乡镇企业的经营理念和管理理念依然牢固存在。与第一类民营企业比较接近的是：他们也形成了家庭中心的观念，所以即使也采取股份制形式，家庭成员持股制仍是基本的。如果一定要在第一类民营企业家和第二类民营企业家之间找出差异的话，也许可以这样认为，即出身于乡镇企业的民营企业家中，除了某个家庭中心以外，可能还带有乡土观念，这是指：当初走向民营企业的过程中，可能有好几个家庭都曾是乡镇企业的创业者，他们既是同村的好友，又是创业时的伙伴，现在企业做大了，于是形成了几个家庭共同主持已经壮大的民营企业，分庭抗礼，势力不相上下。这样一来，反而会出现一种意想不到的后果，即如果遇到困难，或遇到影响本企业发展前景的大事，几个不同家庭的代表会坐在一起商量对待，这就与单纯由小业主成长起来的民营企业不一样了，因为在那里只有家长一个人拍板做主，家长是权威，家长本人一言九鼎，谁都得服从他。不错，家长有经验，但经验可能是财富，也可能是包袱。而由乡镇企业演变而成的民营企业，如果不是以一个家庭为中心，而是由几个家庭共同主持，所有的重大决策由会议讨论，共同通过决策，这就比一个家族拍板，一位家长说话算数要前进了一步。当然，这也不否认另一种可能性存在，即当几个家族的代表各有看法，难以形成统一意见时，这家民营企业可能由此分裂，结果形成两家或多家民营企业。

第三类民营企业家与前面提到的两类民营企业家相比的最大特点是，他们有高学历，懂科技，了解世界经济和产业的发展趋势，再加上他们有从体制内转向体制外的经验，他们一心想把自己创办的民营企业转型为现代企业。在许多人的眼中，他们是新型的民营企业家，他们是中共十一届三中全会决定的坚定的拥护者，他们不仅同意市场调节在资源配置中起决定性作用的决议，而且也同意加快建立和发展混合所有制经济。他们对法制建设重要性的认识同样是深刻的。在法制不健全的条件下，他们一般不会轻易参股于国有企业。只有在法制健全，而且有法必依、违法必纠的情况下，才会把投资于混合所有制企业作为自己的发展途径。

同样,我们还可以设想,今后会有越来越多的以小业主为背景起家的民营企业,以及更多的以乡镇企业为背景发展起来的民营企业,从家庭制企业走向混合所有制企业。在这方面,首先要有信心,因为走向现代企业制度是大势所趋。但家庭企业仍会继续存在是无疑的;同时要有耐心,对家庭企业的转型改制要等待一个时期,因为这些家庭在实践中将会逐渐体会到现代企业制度对企业的发展更适合、更有利。

九、企业员工持股制的理论基础、基本形式及我国的实施步骤

在调查混合所有制经济的过程中,发现了一些与企业员工持股制有关的误解。

(一)对于员工持股制的误解

一是把员工持股制的好处着重放在短期效益上。比如说,认为员工持股后,企业一上市,股值一增,马上可以抛售,就可以稳赚一笔钱。

二是有人认为实行员工持股后等于增加了福利,员工人人有份,这跟企业工作是否改进没有什么关系。有了个人的股票,既可以分红,急需钱时还可以卖掉,这不是员工福利是什么?

三是有人认为,既然员工持股是一种福利,那就应当“旱涝保收”。怎样才能做到“旱涝保收”呢?有人建议采用“股票兼债券”的形式,也就是说,在企业赚钱时,持股的员工可以按股分红;在企业赔钱时,持股的员工等于持有企业债券,按固定的利率领取利息。

四是认为在实施员工持股制以后,可以在企业中设立一个组织,叫职工持股会,影响企业的决策,通过有利于员工的各种决议,这样,员工的发言权就增加了,员工对企业决策的影响力也就增

大了。

以上这些认识实际上都不准确。不能把员工持股制视为一种单纯的员工福利措施,也不能把员工的短期利益放在主要位置,更不能采取所谓"旱涝保收"的做法,破坏员工持股制的规范化。至于职工持股会之类的组织应符合企业的规章制度,保证企业法人治理结构的作用的发挥,而不要形成对企业法人治理结构的干扰。

(二) 推行员工持股制的理论基础

首先需要从经济理论上说清楚为什么要推行员工持股制。

经济学界都承认人力资本投入的意义,认为财富和利润归根到底是物质资本投入者和人力资本投入者共同创造的。只有物质资本的投入而没有人力资本的投入,不可能创造出财富和利润;同样的道理,只有人力资本的投入而没有物质资本的投入,也不可能创造出财富和利润。既然如此,那么在利润分配问题上便产生一个疑点,这就是:为什么利润只分给物质资本的投入者,而人力资本的投入者只能从成本中的工资部分取得自己的报酬?这公平吗?这合理吗?

于是就出现了"共享经济学说"。简单地说,这里所说的"共享经济"实际上就是"共享利润",即物质资本投入者和人力资本投入者分享企业的利润,也就是说,人力资本投入者不仅仍然从成本中领取自己的工资,还应当分享利润的一部分。至于人力资本投入者应当分享利润的多大比例,要根据行业的性质和人力资产在该行业或该企业利润创造中的作用大小决定。所以,员工持股制的实行是有经济理论的依据的。

(三) 实施员工持股制的基本形式

根据国内外的实践,员工持股制大体上有四种基本形式:

一是产权激励制度。

这主要适应于企业高层管理人员、高层技术开发人员以及其他被认为做出重大贡献的人员。产权激励制度的最大好处是调动这些人的积极性,并留住人才,防止他们被其他企业挖走。至于产权激励以何种方式实施,则由企业根据情况而定。从西方发达国家某些大型企业实施产权激励制度的经验来看,成效是显著的。但在国内一些城市的调查表明,民营企业在实行产权激励制度方面还较顺利,而国有独资企业、国家控股企业在实行产权激励制度方面却受限制过多,以致很难实行。因此在这方面,首要的问题依然是行政部门松绑与否,行政部门需要进一步解放思想,提高对产权激励制度的意义和作用的认识。

二是普惠性质的员工持股制。

普惠性质的员工持股制是指凡是本企业的员工都可以成为企业的持股人。好处是:“没有功劳有苦劳”;凡在这个企业工作已满一定的年限,不分职务,也不分等级,人人有份,这种形式有利于增加员工的凝聚力,调动员工的积极性,提高员工的责任感。由于这样的员工持股制具有普惠性质,所以在企业内部可以减少基层员工与高管人员之间的隔阂。在实施过程中,对于高管人员、高层技术开发人员以及其他被认为做出重大贡献的人员所实行的产权激励制,如果在实施普惠性质的员工持股制以前就已经实施了,那么,二者可以并存而不必并轨。如果产权激励制度尚未实施,也可以同普惠性质的员工持股制合并实施,既可以“一制双轨”,也可以“两制并存”。无论是“一制双轨”还是“两制并存”,都应当向全体员工说明,普惠性质的员工持股按进入企业工作的员工身份持股,产权激励制以员工为企业做出的贡献大小作为持股的依据,即使是普通员工,只要为企业做出重大贡献,也可以具备产权激励的资格而持股。

三是发行新股中规定一定比例的员工股,鼓励员工认购。

无论是混合所有制企业、民营企业还是国家控股企业,在发展过程中,由于筹资增资的需要,准备发行新股,在新股中规定一定的比例划分为员工股,鼓励员工认购。但这不是强制性的,员工可以按自愿原则,量力而行,也可以不买新股。应该认识到这不是非法筹资,而是已纳入企业的增资扩股规划之中;这也不是一种短期集资的做法,要规定一定的年限“冻结”,未到可以转让的年限,不能“解冻”,即不能转售,但可以按股分红。期满后,愿转让的可以转让,愿继续持股的可以继续持股。这是一种调动民间资本进入实体经济的做法,并不违背员工持股的本意。至于企业增资扩股的过程中,每个员工可以认股的上限是多少,则根据企业具体情况而定。

四是国有企业或国有控股公司下由群众集资建立的子公司。

在国有企业、国家控股企业之下,建立一个由群众集资的集体经济、合作经济性质的子公司。这曾经是20世纪90年代初期和中期曾经采取过的一种旨在缓解当时社会失业压力的做法,它被称作“国有企业下面的集体所有制企业”。后来,这种类型的集体所有制企业逐渐不再存在了,有的同国有企业、国家控股企业脱钩而独立了,有的因经营不善而停办了,有的转为私人承包经营了。其实,这是一种很有启发性的改革措施,但当时没有明确的混合所有制或员工持股制的概念和改革思路,也没有认真总结经验,以至于大多数不了了之。现在回想起来,这种做法是可以从不规范转向规范化的,可以让“国有企业下面的集体所有制”成为混合所有制经济的试点,向独立的、完善的市场主体转变。

(四)在原有“国有企业下的集体所有制”实践基础上进行混合所有制经济试点的实施步骤

将原来的“国有企业下的集体所有制”从不规范转向规范化,作为混合所有制经济的试点,具体说来,可以采取以下的步骤:

第一步:应当有一套着眼于中长期发展的规划。

应当有一套着眼于中长期发展的规划,包括所要建立的子企业的性质、资本多少、主管业务(最好能与母企业的主营业务配套,或者是为一线企业提供零部件,或者是为母企业服务的)、企业将来的规模多大、所需劳动力和厂房从何而来,以及近期的盈亏额估算等。这样,建立子企业时就会心中有数。

第二步:在母企业帮助之下建立子企业。

母企业提供一部分资本,以入股的方式投入,其中可以有现金,也可以包括厂房、设备、原材料,均可折股。母企业也可以派出一些有经验的管理人员、营销人员、技术人员到正在创始阶段的子企业协助工作和指导。他们如果愿意今后留在子企业,可以尊重他们的意愿,否则在一定时间以后返回母企业工作。

第三步:为新创办的子公司融资、筹资。

子企业不要采用“集体所有制”形式,因为这个概念是不清晰的,而应该采用混合所有制形式。母企业的现金投入和厂房、设备、原材料投入都折成母企业持有的股份,但持股比例应低于50%,最好在20%—30%,其余的资本或者来自母企业员工的自愿参股,或来自子企业新招收的员工的自愿参股,也可以来自其他民营企业的自愿参股。这样,股权结构是比较合理的。所有的投资方中,没有一方拥有绝对的控股权,但可以形成几方投资者相对控股的均衡状态,这将有利于子企业今后法人治理结构的运作。要知道,股权过于分散,全是小股东,容易导致企业偏重短期行为而忽略中长期发展。

第四步:混合所有制企业正常运转。

资本、技术、管理体系和营销渠道都具备以后,一个混合所有制企业就可以正常运转了。

这尽管是20世纪90年代已经有过的老办法,但经过上述各个步骤,旧形式已具有新内容,而且是规范化的新形式。笔者在一些省市考察时,听到的反应是:在国家企业、国家控股企业改制转型的过程中,为了减轻就业压力,不妨一试。

总之,中国特色的混合所有制经济之路,是我们自己走出来的。

包括体制转型、发展转型在内的中国双重转型之路，不正是一步步通过探索、试验、总结推广而闯过来的吗？

参考文献

1. 厉以宁：《厉以宁经济评论集》，经济科学出版社 2005 年版。
2. 厉以宁：《非均衡的中国经济》，中国大百科全书出版社 2009 年版。
3. 厉以宁：《厉以宁论文选：2008—2010》，中国大百科全书出版社 2011 年版。
4. 厉以宁、孟晓苏、李源潮、李克强：《走向繁荣的战略选择》，经济日报出版社 2013 年版。

目

录

理 论 篇

实　践　篇

理论篇

新形势下国有企业发展混合所有制经济研究*

程志强

自 20 世纪 90 年代国有企业改革以来，在党中央、国务院的正确领导下，国有企业取得了骄人的成绩，国有企业的赢利能力与国际化程度得以大幅度提升，为我国经济建设和社会发展做出了突出的贡献。为应对复杂多变的国内国际形势，党中央在十八届三中全会后发布的《中共中央关于全面深化改革若干重大问题的决定》中将发展混合所有制经济提上议事日程，希望通过构建公平、公正的市场平台，促进国企实力与民企

---

* 本文部分研究成果发表在程志强："积极探索国有企业发展混合经济的路径"，《人民日报》，2014 年 6 月 4 日。

活力的融合,创造中国企业的核心竞争力。混合所有制经济的实行,能够借助市场的力量,理清国有企业内部关系,强化企业监督,优化企业治理结构,为国有企业注入活力,使其更好地适应市场变化,创造属于中国的百年企业。

一、当前形势下发展混合所有制经济的意义

混合所有制经济是指在既定的经济制度条件下,为促进资源的合理配置,多种所有制结构、多种经济主体、多种配置方式、多种市场结构、多种分配方式相互融合利用的经济模式。从微观层面上看,混合所有制经济是一种处理国企与民企之间关系的手段,即国有企业与民营企业之间的混合。通过两者间的有机融合,以期达到取长补短、优势互补、改善企业效益的目的。中共中央在发掘混合所有制作用的过程中也经历了由浅入深的演变过程,表 1 列举了党中央重大政策文件中对公有制与基本经济制度实现形式的表述。

中央文件的表述表明,发展混合所有制经济对我国成功实现双重转型具有重要的推进作用。我国正处于双重转型时期,即从农业社会向工业社会转型,从计划经济体制向市场经济体制转型。传统的农业社会向现代工业社会转型的基础是产业升级和产业结构优化,国有企业有责任与义务在不同发展阶段的产业结构调整中发挥带头作用。混合所有制的方式可以实现国有资本在不同产业间有进有退,优化配置,起到优化产业结构的作用:在涉及国家安全、提供重要公共产品和服务的行业以及支柱性的原材料、高新技术产业等关键性领域,通过混合经济的方式来以更小的国有资本获取更大的行业主导力;在竞争性领域或者关键性领域的竞争性环节中,则通过混合所有制的方式引入民营资本来实现国有资本的有序退出。在由传统计划经济体制向市场经济体制转变的制度转型中,考虑到

表 1 党中央重大政策文件对公有制与基本经济制度实现形式的表述

时间	会议	表述	意义
1993	十四届三中全会	“随着产权的流动和重组,财产混合所有的经济单位越来越多,将会形成新的财产所有结构。”	提出财产混合所有
1997	十五大	“公有制实现形式可以而且应当多样化。”“要努力寻找能够极大促进生产力发展的公有制实现形式。股份制是现代企业的一种资本组织形式,有利于所有权和经营权的分离,有利于提高企业和资本的运作效率,资本主义可以用,社会主义也可以用。”	提出公有制实现形式的多样化,提出股份制可以作为公有制的实现形式
1999	十五届四中全会	“国有大中型企业尤其是优势企业,宜于实行股份制的,要通过规范上市、中外合资和企业相互参股等形式,改为股份制企业,发展混合所有制经济。”	要求优势国有企业推行股份制,提出发展混合所有制经济
2002	十六大	“除极少数必须由国家独资经营的企业外,积极推行股份制,发展混合所有制经济。”	要求大部分国有企业推行股份制
2003	十六届三中全会	“要适应经济市场化不断发展的趋势,进一步增强公有制经济的活力,大力发展国有资本、集体资本和非公有资本等参股的混合所有制经济,实现投资主体多元化,使股份制成为公有制的主要实现形式。”	要求股份制成为公有制的主要实现形式
2013	十八届三中全会	“必须毫不动摇鼓励、支持、引导非公有制经济发展,激发非公有制经济活力和创造力。”“要完善产权保护制度,积极发展混合所有制经济,推动国有企业完善现代企业制度,支持非公有制经济健康发展。”	进一步要求发展混合所有制经济,并提出与之配套的产权保护制度和现代企业制度

国有企业发展过程中存在的问题，在确保国有资产保值、增值的前提下，通过混合所有制的方式倒逼国有企业建立健全现代企业制度，完善公司治理结构，成为真正具备活力的市场主体，为市场在资源配置中发挥决定性作用提供必需的参与主体基础。

二、发展混合所有制经济对我国国有企业改革的意义

在当前我国的经济形势下，混合所有制经济事实上是配合我国经济和社会转型，在所有制领域进行改革的一种发展战略。发展混合所有制经济能够提高社会资源配置效率，推动国有企业改革，有效地解决国有企业委托代理关系的问题。

推动经济发展，最重要的是要提高社会资源的配置效率。从中国当前的经济改革形势来看，提高社会资源的配置效率的关键在于国有企业改革，而其中最亟需解决的就是国有企业的委托代理问题。

2013 年，我国国有企业累计实现利润总额 24 050.5 亿元，同比增长 5.9%。但是，通过对其他经济效益指标的考察可以发现，2013 年国有企业累计实现营业总收入 464 749.2 亿元，同比增长 10.1%，而营业总成本累计 448 969.8 亿元，同比增长 10.3%，其中销售费用、管理费用和财务费用分别同比增长 12.2%、6.9% 和 8.6%。成本费用的增长超过收入的增长。此外，国有企业资产累计 911 038.6 亿元，同比增长 12.9%，而累计负债 593 166.5 亿元，同比增长 14%。负债的增长超过资产的增长。

可以说，一方面，民营经济已经成为我国经济的重要组成部分，另一方面，尽管国有企业总体利润颇丰，但是可以看到多数国企的利润是建立在市场垄断的基础之上，与世界先进企业相比，国有企业仍存在诸多不足。具体而言，主要包括以下四个方面：

第一，国有企业公司内部治理结构不够完善。通过对406家国有上市企业进行分析可以发现，董事会平均内部控制率为67%，即内部董事人数占董事会成员总数的2/3。对于国有企业而言，由于股东未直接参与企业经营，同时董事会也未设立常驻机构，以至于股东无法及时准确了解企业运行现状。同时由于企业管理的复杂性，股东也难以监督制约经营者的决策，致使公司完全掌控于经理人手中，经理层可以根据自身利益删减甚至编造公开信息，从而直接导致企业决策与市场之间存在偏差。

第二，国有企业经营主体地位缺失。既往的国有企业股份制改革未能建立起规范的法人治理结构，部分企业仍存在“吃大锅饭”现象，未能以股份制企业的相关制度进行经营，缺少代表企业资产所有制的独立个体，致使公司治理结构的失灵问题严重。

第三，国有企业运营监督失效。国有企业缺乏有效的内部监督机制，监事会成员中除职工监事的任命名义上是由职工代表大会决定外，其余监事的任免及薪酬是由股东大会所决定，鉴于国有企业中国有股份的绝对优势，这直接导致国有股东决定监事人员，致使监事会的独立性受到严重影响，未能充分发挥其相应的监督作用。

第四，国有企业缺乏有效的激励机制。国有企业经理层是由政府直接任免，且经理人个人收益与企业价值并不对应，致使国有企业经理人行政化、官僚化现象严重。同时，经理人缺乏增强企业赢利能力的激励，而往往过多地考虑其自身政治地位和前途，未能以改善企业经营状况为努力目标。

总而言之，国有企业存在较为显著的委托代理问题，较高的代理成本导致了严重的效率低下。

从当前的制度设计来看，我国国有企业亟需解决的委托代理问题,关键是在于如何处理好作为出资方的国有资本代理人与作为经营方的国有企业经理人之间的委托代理关系。由于作为出资方的国有资本监管部门与国有企业经理人之间存在严重的信息不对称,国有企业经理人可能会产生逆向选择和道德风险问题。因此要缓解这一现状,需要作为出资方的国有资本监管部门根据企业自身的特点,主要是针对企业经理人面临的风险情况以及国有资本监管人本身与国有企业之间的信息不对称程度,设计相应的激励和监管契约制度,包括薪酬激励、职业晋升、审计监督等。此外,在目前的体制下,由于国有企业数量众多,体量巨大,国有资本监管部门本身难以设计如此众多的契约,所以只能采用较为原始、低效和随意的契约设计,从而导致国有企业经理人激励不足,代理成本极高,经营效率低下。

混合所有制经济,除了其拥有发挥国有与民营经济双重比较优势的特点外,还能在解决国有企业面临的委托代理问题上发挥重要的作用。一方面,混合所有制经济需要对国有企业的产权关系进行进一步明确,乃至建立专门的作为经济主体的国有资产控股财团,从而缓解国有企业自身所有者缺位的问题,同时可以强化所有者监督的动机。另一方面,混合所有制经济丰富了国有企业所有者和经营者的来源,能够有效地缓解国有资产监管部门作为单一监督主体的监督缺位问题。因此,发展混合所有制经济,对于解决国有企业的委托代理问题,推动国有企业改革,进而提高庞大的国有资产的利用效率,推动社会资源配置效率的提高,具有极其重要的意义。下表列举了各地方政府出台的对于混合所有制经济改革的政策措施,通过分析可以充分认识到,各地区的混合所有制经济改革目标均为解决或者缓解国有企业日常经营中的委托代理矛盾,以实现国有企业的良性发展。

表2 各地政府出台的对于混合所有制经济改革的政策措施

省/直辖市	文件	具体政策
上海	《关于进一步深化上海国资改革促进企业发展的意见》	1. 国资委系统80%的国资集中在战略性新兴产业、先进制造业与现代服务业、基础设施与民生保障等关键领域和优势产业。 2. 加快推进企业公司制股份制改革,加快整体上市或核心业务资产上市。 3. 建立公开透明规范的国资流动平台。对部分上市公司和非上市公司股权等进行统筹管理和市场化运作,实现调整优化国资布局结构。 4. 完善企业公司治理,逐步向市场化管理迈进
广东	《广东国资国企改革发展工作会议》	1. 国有资本在持有比重上不设下限;支持国有资产重新配置和优势企业进行重组;组建国有资本运营和国有资本投资公司;新增高管人员的市场化选聘以及引入职业经理人管理模式等。 2. 到2020年,混合所有制企业户数比重要超过80%,二级及以下竞争性国有企业基本成为混合所有制企业
安徽	《安徽省省属企业混合所有制经济发展座谈会》	1. 推动国有资本向重点行业和关键领域集中、向优势企业集中、向企业主业集中,在重组整合中发展混合所有制经济,同时要进一步完善国有资本有序进退机制。 2. 要注重与建立现代企业制度相结合
贵州	《监管企业产权制度改革3年行动计划启动暨推介会》	1. 产权制度改革作为新一轮国有企业改革的核心和关键,把引进战略投资者作为硬任务。 2. 形成三户功能性投资运营企业,做强两户公共服务性企业,竞争性企业全部实现产权多元化,积极发展混合所有制企业,具备条件的打造成为投资控股公司,不具备竞争优势的实现国有资本有序退出。 3. 明确茅台集团、盘江集团等28家省国资委监管企业3年时间完成产权改革。首批集中推出股权转让、增资扩股等128个项目,预计投资总额2 763亿元

续表

省/直辖市	文件	具体政策
重庆	《重庆国资大会》	1. 国企整体上市;将部分合适的国企集团转化为“巴菲特式”、“淡马锡式”或是“中投式”的投资公司;在政府公共服务、基础设施类,一些市场信号逐渐活跃起来的领域,推动公共产品价格逐步实现市场化,为非公经济的进入创造条件,实现混合发展。 2. 用5年左右时间让八成以上竞争类国企实现混合所有制
湖南	《关于进一步深化国有企业改革的意见》	1. 在投资主体多元化、国资证券化改革的基础上,在国企员工持股、企业负责人产生方式等方面推出一系列新举措。 2. 用两年左右时间,基本完成上一轮国企改革任务和遗留问题处理。目前省属监管企业层面国有资产证券化率达到了50%左右,到2020年竞争类省属国有企业资产证券化率要达到80%左右
北京	《关于全面深化市属国资国企改革的意见》	1. 市属国有企业将被分为三类:城市公共服务类、特殊功能类、竞争类。到2020年,城市公共服务类和特殊功能类企业中的国有资本应占到国有资本总量的60%以上,竞争类企业以战略支撑企业为主。 2. 加快推进市属国企与中央企业的合作,通过出资入股、收购股权和相互换股等多种形式,实现股权多元化;鼓励有诚信、有责任、有实力的民营企业参与国有资本企业改制重组;加快国有企业特别是竞争类企业上市步伐,推进具备条件的一级企业实现整体上市。到2020年,国有资本证券化率力争达到50%以上

三、混合所有制经济改革所应遵从的原则

国有企业发展混合所有制经济旨在加强对市场的适应能力，整合资源优势，从而进一步优化现代企业制度，实现自身的发展转型。在此过程中，国有企业面临着是否应该混合、如何混合等方面的问题。在探索混合所有制经济模式时，为保证国有资产的保值、升值，主要应遵从以下六点原则：

第一，遵循市场原则，减少行政干预。混合所有制经济的建立需通过市场交易手段，权衡交易成本和协同效应，由参与方作为市场主体自主决定，而不能简单地由政府使用行政命令和指标分配的方式强制完成。政府应当做好相应的制度建设，保护产权，搭建公平、公正的交易平台，降低交易成本，通过市场手段引导混合所有制经济协同效应的发挥。

第二，注重产权明晰，平等对待资本。产权保护和产权明晰是确保市场机制有效性的先决条件。在国有经济与民营经济混合的过程中，应平等对待双方资本，注意产权明晰，从而激发交易双方的积极性，保证长期、稳定地开展合作。政府则需加强对交易双方的产权保护，在严防国有资产流失的同时，也需防范国有资本代理人利用行政手段侵吞民营资产。

第三，完善治理结构、健全表决机制。混合所有制经济的进一步运行和发展，需建立完善的公司治理机制，健全外部治理机制。混合所有制企业应当充分发挥现代企业制度的作用，建立健全有效的董事会表决机制，做到政府管资产，董事会按市场原则选聘职业经理人及管理团队，降低企业运行过程中的代理成本，不断提升混合所有制企业价值。

第四，寻求外部监督，保持长效监察。良好的外部审计、分类绩效考核与跟踪调查监督是混合所有制企业良性发展的必要条件。

为保障混合所有制经济的良好运行,尤其在改革和初创期,外部治理机制的充分参与十分重要。在混合所有制经济发展过程中,政府监管部门需坚持审核和跟踪调查监督机制并用,严格查处违规违法行为,并按照行业分类,通过尽职调查和财务审计考察绩效,完全掌握企业运营信息。同时,还可以聘请独立第三方审计人核查混合所有制企业经营的绩效,防范国有资产流失。

第五,多元配比股权,制约无限权力。当前,国资委作为我国国有股份的直接所有人,将国有企业日常经营权完全委托于企业经理层。但由于国有企业资产过于庞大,同时缺乏有效的监督机制,致使国有企业经理层拥有垄断性的控制力,在日常经营中易出现一人独大的现象。因此,在混合经济体制逐步建立的过程中,各地在探索国有企业与民营企业混合模式的同时,也应该试点国有企业内部混合经济模式,即成立多家国有资产控股公司,监督企业日常经营,严控人为风险,形成完善的权力制约机制,从而有效地实现国有股权自身的优化配比。

第六,探索试点先行,成熟全面推广。在混合所有制经济发展经验有限的前提下,不能一哄而上,而应把握顶层设计方向,通过"摸着石头过河"试点个别企业,积累丰富经验,严控改革风险,优化规划方案,以实现对国有企业改革总路线的全面把握,之后再由点及面,全方位、立体化推行混合所有制经济。在此过程中,各国有企业也应因地制宜,积极探索混合所有制经济发展模式,但仍需戒急戒躁,沉稳发展。

四、国有企业混合所有制发展模式

国有企业在混合经济模式的探索中,应因地制宜,结合自身特点,通过市场化手段,发展混合经济。根据国有企业在各模式中控制力的差异,其发展混合经济大致可分为以下四种模式:

第一，国家主导型。国家主导型是指在国营资本和民营资本通过资本的融合建立的混合所有制企业中，国营资本占据绝对主导地位，掌握企业的控制权和经营权，民营资本则主要作为少数股东参与的混合模式。该模式依托国有企业实力，借助民营企业在市场机制上的优势，丰富产品种类，提升商品质量，以扩大市场、做大"蛋糕"，实现互助共赢。对国有企业而言，亦可以混合所有制公司的名义规避在国际市场上对外投资时的政治歧视。近代洋务运动中的官督商办，以及美国经济中公共事业企业的经营都属于这种模式。这种模式的控制权、经营权、处置权都属于国家资本。该模式能够较好地发挥国营资本在获取资源上的优势，但必须防范由于国营资本过于强势而出现的挫伤民营资本积极性的现象，同时还需通过完善的顶层设计防止腐败滋生与侵占民营资本。该模式需要政府自上而下，通过行政手段推行实现，主要适用于公共事业、对资源严重依赖的行业以及涉及国家安全和影响国计民生的战略性行业中的各类企业，如军工类企业。

第二，财团控股型。相对于国家主导型，财团控股型模式则更为温和。财团控股型模式是指在国营资本和民营资本通过资本的融合建立的混合所有制企业中，国营资本通过财团公司和国家投资基金的形式进行控股，掌握企业的控制权，民营资本则作为少数股东参股，并且通过聘请职业经理人管理企业经营的混合模式。波兰的混合所有制经济便属于这种模式。该模式将所有权和经营权分离，市场化聘请职业经理人，有利于发挥国营资本的资源优势，并维持国家对企业的控制和国有资产的保值、增值，同时也有利于发挥民营资本的市场机制优势，提高经营效率。这一模式可以通过资本市场和产权交易平台的市场机制实现，适用于多数行业，尤其适用于需要保持国营资本主导地位和资源优势，同时又需要发挥民营资本的市场机制优势的行业。例如，以公益为主、市场为辅的基础材料、能源等行业中的国有企业。但值得注意的是，在运行时需注意防止混合过程中出现国有资产流失及侵占民营资本的现象，保护中小股东利益。

第三，国家参与型。国家参与型模式是指在建立的混合所有制企业中，国营资本仅仅作为少数股东参股，不干预企业经营权，而由民营资本对企业进行控股并掌握经营权的混合模式。近代民族资本家发起的官商合办以及法国、德国的混合所有制经济便属于这种模式。这种模式中的控制权、经营权都归属于民营资本，能够有力地发挥民营资本的信息优势，提高企业的管理效率和市场反应能力，提升企业的竞争力。另一方面，国有企业可以通过参股在一定程度上保证国有企业的原料供应，对冲因价格上升而带来的成本风险，而民营经济也可在一定程度上利用国有企业的品牌优势招聘优秀人才，完善企业治理结构，提升企业实力。这种模式可以通过建立产权交易平台，市场化引导企业进入与退出来实现，主要适用于对国家安全影响不大，对资源要求不高，而对信息获取和信息处理要求较高的轻工业、服务业等行业。

第四，购销合作型。与前三种模式不同，购销合作型作为一种广义的混合所有制经济，并不建立混合所有制企业实体，而是通过市场交易关系发挥国营资本和民营资本各自优势。购销合作型模式是指国营资本与民营资本作为购销往来的合作方进行分工协作，往往是由民营资本负责承包生产，国营资本负责统购统销的混合经营模式。中国古代的盐铁行业的专营经济便属于这种模式。该模式的优点是较为灵活，国营资本和民营资本参与双方相互保持自身的独立性，交易效率高，能发挥各自的资源和市场优势，并容易保护交易双方的产权，有效地防范国有资产流失和对民营资产的侵吞。当然在制度设计时，由于该模式存在极大的寻租空间，需防范腐败滋生，加大行业信息的公开力度，构建公平、公开、公正的交易平台，从而保证社会福利不受损失。该模式适用于国有企业的服务外包业务及部分关系国计民生但市场化要求较高的行业。

五、发展混合所有制经济的政策建议

良好的发展环境和规范的监管体系是混合所有制经济良性发展的重要前提，这需要政府一方面提供符合市场规律的引导性政策，降低混合经济发展的交易成本，另一方面提供强有力的监管性政策，控制混合所有制经济发展过程中的违约风险。

第一，设立国家投资基金，推动混合所有制企业发展。政府可以通过建立国家投资基金，解决国有资产管理中控制权和经营权分工不清的问题，将国有资产的管理上升到资本运营层面。政府通过国家投资基金控股、持股相关混合所有制企业，并由市场公开招聘职业经理人团队承担企业日常经营管理，国家投资基金负责考核和审计经理人的绩效，从而完善现代企业制度，释放国有企业活力。

第二，加快法制建设，着重提升产权保护意识。在混合所有制企业的发展过程中，政府需注意产权交易风险，应加强法律法规建设，针对混合所有制经济发展出台专项法律法规，并加快相关的行政法规制度的实施，规范市场交易，加强国有资产与民营资产在混合时和混合后的产权保护，从而刺激交易各方的参与积极性，维持混合所有制经济的发展动力。

第三，推行分类管理，提供相关政策支持。推动混合所有制经济的发展，除了整体层面的政策支持，还需要采用分类管理的原则，对重要行业、重要地区进行试点，针对性地推出专项法律法规，提供优惠政策，并利用财政的力量予以引导扶持。各地方政府也应根据中央政策法规推出相应的配套措施，为本地区的支柱产业和新兴产业发展提供优惠政策，进而由点带面，因地制宜地建设混合所有制企业示范园区，形成混合所有制企业的产业集群。

第四，构建国家产权交易平台，推动资本间重组兼并。除了通过国家投资基金控股、参股外，政府应在国家层面建立公平、公开、公正的产权交易平台，根据市场原则进行并购重组，形成兼具资源和信息优势、公司治理完善的混合所有制企业。国家则通过交易平台为其中的交易者提供一定的政策支持和税收优惠，并引入战略投资者，以扶持混合所有制企业的发展。

第五，建立现代企业制度，完善公司治理结构。混合所有制企业的建立和发展，需要建立现代企业制度，完善公司治理，协同各方利益，发挥国有资本和民营资本各自的优势。在混合所有制企业中需建立完善的董事会和监事会机制，由董事会负责招聘经理人团队，采用期权计划等管理工具激励企业管理者，同时充分发挥董事会下设的战略委员会、薪酬委员会和审计委员会的监督作用，引入独立董事，降低所有者和经营者之间的代理成本。

第六，健全国有资产审计体系，完善代理人绩效考评办法。混合所有制经济的发展必须以国有资产的保值增值为前提，这需要政府进一步健全国有资产审计体系、完善国有资产代理人绩效考评办法，引入专业的第三方审计师和人力资源咨询公司，加强国有资产监管能力，并利用市场经济力量，引入国际化专业人才，加强国有企业间和混合所有制企业间的人才交流，提升混合所有制企业的人才队伍素质。

第七，完善激励机制，探索职工持股。针对现行国有企业激励制度不明确、职工工作涣散、效率较低的现象，国有企业在探索混合所有制经济模式时，需建立健全职工激励机制，明确甄别员工成绩，以客观指标作为职工升迁、奖励标准，严禁出现"大锅饭"现象，以此充分利用国有企业雄厚的人力资本优势，并且在顶层设计职工激励制度时，可以在混合所有制企业中探索员工股份激励模式，给予优秀员工适当股份或期权，提高企业员工积极性。

第八，实现所有权与经营权分离，促进职业经理人市场发展。混合所有制经济企业的发展，必须注意所有权与经营权的分离，通过市场化手段聘请职业经理人团队，同时政府为保证经理人团队的高效管理，甄别经理人能力，需提供职业经理人市场发展条件，完善用人机制，促进职业经理人市场的良好发展。

第九，循序渐进探索试点，慎时推动优秀模式。目前混合所有制还处于探索阶段，不管是在理论准备还是实际操作方面都不成熟。因此，在混合所有制的推进过程中不能操之过急，需要有一个两至三年的筹备期。现阶段首先应进一步优化国有企业治理结构，整合资源，然后再深入研究和探索在混合所有制推行过程中有可能出现的困难和问题，并在分析研究和经验总结的基础上，慎时推进。

总之，发展混合所有制经济不是私有化，而是国有企业在推动国家产业升级、优化产业结构、增强关键性领域控制力的良好契机，也是国有企业需建立健全良好的现代化管理制度、成为发育健康的市场主体的倒逼机制。当然混合所有制经济更不是一改就灵、一改就活、一改就好，而需根据市场原则，因地制宜，结合各国有企业自身状况，由企业决定是否混合、如何混合。在此过程中，各级政府应避免一拥而上的形式主义，需发挥市场在资源配置过程中的决定性作用，调动社会各界积极性，实现混合所有制经济的更好、更快发展。

（程志强，北京大学光华管理学院）

论混合所有制经济中的政府角色

冀岩

党的十八届三中全会《中共中央关于全面深化改革若干重大问题的决定》中提出，要“积极发展混合所有制经济，允许更多国有经济和其他所有制经济发展成为混合所有制经济。国有资本投资项目允许非国有资本参股”。2014年的《政府工作报告》则进一步提出，“优化国有经济布局和结构，加快发展混合所有制结构”。

将混合所有制写入国家战略，意味着我国的经济体制改革开始触动到企业产权和所有制的层面，这为国有企业改革提供了新方向，也为民营企业和外资企业开辟了更广阔的发展空间。此外,混合所有制的提出,也意味着政府权力边界的变化,这对政府调控经济的方式、方法,以及新经济条件下政府管制的策略,都提出了新的要求。本文的主要任务,就是分析此轮混合所有制改革背后的政府角色,以及中央政府与地方政府所应发挥的不同作用。

一、混合所有制与政府管制

(一)政府边界的调整

混合所有制在我国并不是一个新事物,早在十六届三中全会《关于完善社会主义市场经济体制若干问题的决定》中就提出,“中国经济要适应社会主义市场发展趋势,增强公有制经济活力,大力发展混合所有制经济,实现投资主体多元化,使股份制成为公有制的主要实现形式”。十七大报告中也提出,要“以现代产权制度为基础,促进混合所有制经济的发展”。之后我国相继颁布的《国务院关于鼓励支持和引导非公有制经济发展的若干意见》(俗称《非公经济 36 条》)、《国务院关于鼓励和引导民间投资健康发展的若干意见》以及《关于 2010 年深化经济体制改革重点工作的意见》等,均提出要进一步深化国有企业改革、鼓励和支持非公有制经济发展,破除制约经济结构调整和经济发展方式转变的体制机制障碍,并为非公资本参与国有企业改革、进入垄断行业,扫清了法律上的障碍。

可以说,发展混合所有制经济,一直是我国经济体制改革的重要内容,随着历次改革的推进,我国纯粹的国有企业已经越来越少,大多数已经发展成融合多种性质出资人的混合所有制企业。以国有上市企业为例,截至 2012 年年底,中央企业及其子企业控股的上市公司共 378 户,上市公司中非国有股权比例已经超过 53%。地方国有企业控股的上市公司 681 户,上市公司非国有股权比例已经超过60%。[1] 在这种背景下，中央又再次大力提倡发展混合所有制经济，有哪些不同于以往的含义呢？

首先，经过多年的改革，虽然很多国企早已完成了股份制改造，但公司治理仍然存在很多问题，未能达到现代企业管理制度的要求。而混合所有制经济是法人治理结构最有效的形式，特别是引入非公资本之后的企业股权多元化，可以促进企业进一步完善公司治理结构和内部运行机制。[2]

其次，混合所有制经济可以激发非公有资本的积极性，从而释放更多的改革红利。上文已经提到，从法律和政策的角度看，我国的非公有资本已经基本上享有和国有资本同等的"国民待遇"，但在实际中，非公有资本仍然面对很多隐形的障碍，"玻璃门"、"弹簧门"依然存在。而通过混合所有制，非公有资本可以通过参股国有企业的方式进入某些管制性行业，通过发挥非公有资本的效率，带来更多的改革收益。

第三，发展混合所有制经济，意味着政府调控经济的手段和策略的变化，也意味着政府边界的调整，这与全球政府管理体制改革的潮流是密不可分的。随着政府管理成本的上升，以及公众对高税收、高垄断价格的抵制，越来越多的国家通过民营化的策略来缓解财政危机，打破价格垄断，还利于民。有学者在考察了转型经济国家和非转型经济国家之后，提出民营化带来的财政收入占到了GDP的1.75%，有效地缓解了政府的财政危机。(Davis,2000)

此外，混合所有制的发展，也回应了当今民众"大市场、小政府"、"强势社会、有效政府"等一系列诉求。很多政府控制下的国有企业，因其效率差、服务的回应性低、价格昂贵等原因而广受诟病。从公共服务的角度看，公众越来越倾向于减少政府的作用，扩

[1] 黄淑和："国有企业改革在深化"，《求是》2014年第2期。

[2] 厉以宁："混合所有制的四大好处"，《中国企业报》，2014年3月4日。

大非公部门的作用。

(二) 国有企业与政府管制

在世界上大多数国家,国有企业仍是政府履行经济社会职能、管理社会事务的重要手段,但世界各国也普遍面临国有企业效率过低、政府补贴巨大、价格垄断等问题,因此,引入非国有资本,对国有企业实施民营化改革,一直是世界范围内的潮流。但从已有的改革来看,全面民营化只是解决国有企业问题的一种选择,多数国家的国有企业属于混合所有制结构。据 OECD 2005 年的调查数据显示,有超过一半的 OECD 国有企业是完全国有的,20% 仍是国家控股。一些公共基础设施或战略性的企业和部门虽然实行了混合所有制的改革,但政府出于国家安全的考虑,如控制关键技术和并购、价格规制、参与国际谈判等,仍然保留了各种民营化后的控制手段,如部分私有化、收回条款(即再国有化)、黄金股[1]等。

可见,实行民营化或混合所有制改造之后,政府不但不能取消管制,而且在很多方面还要加强管制。如科尔和马尔赫林(Kole & Mulherin,1997)认为,企业效率的高低与所有制及市场竞争程度的高低无关,而是与宏观经济是否稳定、政府对企业是否实行硬约束等条件相关;维克和亚罗(Vickers & Yarrow,1991)则认为,包括民营化在内的所有权改革策略可以部分提高企业的市场竞争程度,但并不意味着能改善企业的业绩水平,与所有权相比,市场竞争程度和政府管理策略对企业效率的影响更为显著。

---

〔1〕 黄金股源于 20 世纪 80 年代英国国有企业改革的实践,即为了确保国家、政府的利益,英国政府在转让国有股份的同时,发行由政府或财政部持有的“黄金股”,即特权持股权,并制定相应的章程。通过发行“黄金股”,即使在国有企业百分之百转化为民营企业的情况下,政府仍可对其行使管理控制。

至于国有股权能否在混合所有制企业中发挥正面作用，其关键也在于政府角色的发挥。如施莱佛和维什尼（Shleifer & Vishny，1994）认为，国有股权的存在，会扭曲公司的治理结构，因为政府作为国有股的股东，除了经济目标之外，还有自己的政治目标，因此国有股的存在会带来严重的政府干预，扭曲资源配置。相反，戴维·李（David Li，1998）则认为，国有股权可以为混合所有制企业带来政府监督机制，政府在混合所有制中，可以监督公司管理人员，防止内部人控制的现象出现，也可以使企业免遭政府的恶意侵犯。李涛（2002）的实证研究发现，在公司治理结构不完善、法律法规不健全的制度环境中，一定比例的国有股权可以监督公司经营管理，减少内部人控制，提高经营业绩。不同的政府角色，可以使得国有股份产生"掠夺之手"和"帮助之手"两种截然不同的效果。

可见，混合所有制的发展，一方面意味着政府权力边界的后退，市场力量的进一步强化，民间资本发展空间的扩大；另一方面，也要求政府调整以往的管理模式，改变对企业的管制方式。以下，我们就从中央政府和地方政府两个层面，论述混合所有制经济中政府的角色。

二、中央政府与混合所有制经济

众所周知，中央政府和地方政府在承担经济社会发展职能方面有截然不同的作用，中央政府的主要职责在于国家层面的民生、安全和重大战略，在于宏观经济制度的调整；而地方政府主要是为当地居民生活和企业发展提供服务，为地方经济发展提供指导。具体到混合所有制来说，央企和地方国企也应该有所不同。"我国国企改革长期以来'地'、'央'不分、改革思路趋同、与央企改革'齐步走'，在混合所有制的实施上，这方面应该有所矫正。"[1]

从混合所有制改革来看，我们认为，中央政府的角色应该主要体现在以下几个方面：

(一) 改革次序的确认

许多国家的实践证明，激进的民营化策略并不适合大多数转型经济国家。在选择混合所有制模式的时候，需要考虑企业的规模和改革前企业的效率。此时中央政府的任务，便是为不同类型企业改革的方向和次序，做通盘的考虑，作为央企和地方国有企业改革的基本参照。

在这方面，有许多不同的经验可供参考。如阿胡贾（Ahuja，1998）认为，民营化需遵循的原则之一，是企业可以在改革初期迅速提升效率，由此获得巨大的收益，为政府此后的改革扫除障碍。他还提出，在通常情况下，小而有效率的企业在改革后业绩改善较小，相反，大而无效率的企业通常能获得较大幅度的业绩提升。因此，在改革初期，应将焦点放在那些大而无效率的企业上，其次是那些规模和效率都处于中等水平的企业，最后才是小而有效率的企业。

其次，国有企业的混合所有制改造还需考虑利益相关者的因素，其中国有企业原有的管理人员是一个重要的影响因素，改革越能给企业管理人员带来实实在在的效益，改革的阻力便越小。此外，有研究发现，国有企业管理者的人力资本水平越高，越能在民营化改革中获益，因此越希望改革能实质性地发生。（Brandt，Li & Roberts，2001）

最后，除了考虑效率的改进之外，民营化的次序还需要考虑政治上的可行性，（陈凌、熊艳艳，2004）竞争性行业中的中小企业最容

[1] 蓝定香："混合所有制：地方国企与央企的改革异同"，《四川日报》，2014年3月19日。

易达成一致,比较不会引起争议;而大型国有企业进行民营化的难度比较大,须逐步推进。

从实践来看,2014 年以来,我国多个省市相继颁布发展混合所有制的《意见》,从现已出台的各种《意见》来看,分类管理是一个比较普遍的措施,各省普遍将国有企业分为竞争类、功能类和公共服务类的企业,实行差异化的管理。如湖北省提出,按照公共服务类企业、功能类企业、竞争性企业将国有企业分为三类,对公共服务类企业,保持国有资本控股地位;对其他企业,可灵活掌握国有股比例。[1]上海则规定,竞争类企业,以市场为导向,兼顾社会效益;功能类企业,以完成战略任务或政府重大专项任务为主要目标,兼顾经济效益;公共服务类企业,以实现社会效益为主要目标,引入社会评价。[2]这样的分类虽有一定的合理性,但仍然过于笼统,仅仅考虑了企业的行业性质,而对企业的效率、企业的规模、企业领导人的情况等缺乏综合的考虑,在企业改革的可行性评估上,仍然缺乏细则指导。因此,仍是一种比较单一的策略选择。

此时,需要中央政府为改革的次序和路线图确立一个基本的原则,制定综合性的可行性评估策略,作为央企和地方国企改革的参照,以防止各地"一哄而上"。

(二) 产权制度的改革

从产权改革来看,发展混合所有制经济是改革我国产权制度的一次重要转折。现代企业制度是混合所有制的题中之意,随着混合所有制的不断建立和完善,必将改变政府在产权界定、产权管理方面的作用。

---

[1] 参见湖北省《关于深化国有企业改革的意见》。

[2] 参见上海市《关于推进本市国有企业积极发展混合所有制经济的若干意见(试行)》。

从经济学的角度看,政府的主要职能在于产权界定,完成这一任务后,便可以从经济活动中退出,把自由议价的空间留给私人和市场。但在我国,由于政府发挥作用的方式有其特殊性,所以产权界定中的政府角色和常见的有所不同。在我国,产权界定和产权转移是同时进行的,而政府下放的大部分权利,如国有企业的产权、家庭联产承包责任制下农民对土地的使用权等,都是无法转移的。这样造成的后果便是:每当产权发生转移的时候,政府就要重新参与谈判的过程。[1]而混合所有制的产生,把国有企业产权纳入了一个自由交易的平台,从而使得政府在产权交易中的角色逐渐淡化。

因此,在发展混合所有制的过程中,中央政府的一个主要任务,就是完善产权交易市场,把国有企业的产权纳入自由流动的轨道,运用市场机制进行产权运营和产权交易,使买卖双方都拥有充分的选择空间,降低交易成本,提高交易质量,同时建立流转顺畅的产权市场运行机制,使投资者根据对未来投资收益的预期判断,及时、顺畅地投入或撤出资金。此外,需要实现国有产权和私有产权的一视同仁,切实保障出资人的权利,实现同权同酬。

从实践来看,2013 年国务院颁布了《关于中央企业资产转让进场交易有关事项的通知》(国资厅发产权[2013]78 号),对中央企业资产的转让管理提出了相应的要求,但仍是一个框架性的意见,缺少相应的细则,对转让方资产价值的评估、受让方资质的界定和权益的保障等,都缺乏明确的指导,仍有进一步完善的空间。

(三) 完善混合所有制的制度环境

1. 国有企业的去行政化

从人员管理的角度来看,目前我国国企领导人的主要激励来自

---

〔1〕 罗纳德·哈里·科斯、王宁著,徐尧、李哲民译:《变革中国:市场经济的中国之路》,中信出版社 2013 年版。

于晋升激励，而民营企业主没有晋升激励，他们的主要动力是利益驱动，这就产生了企业领导团队目标取向不一致的问题。其次，国有资本由于其出资人是全体公民，因此必须以追求公共性为首要的目标，不能像私人资本那样追求利润最大化，由此造成国有股份和非国有股份目标取向之间的分歧。

为了实现国有企业的去行政化，首先需要中央政府改革现有的国有企业领导人管理制度，可以将国有企业领导人员划分为两类，一类是“党政官员”的角色，有相应的级别，选用、晋升和交流都可以参照行政方法和渠道，激励约束主要采用晋升激励；一类是“职业经理人”的角色，由企业董事会进行管理，按照市场化的办法选用和激励，采用市场化的薪酬结构和水平，可以实施相应的股权激励制度。[1]

2. 抑制垄断价格，维护社会分配效率

如前所述，所有制的改革本身并不能保证效率，尤其对于垄断行业而言，非国有资本在利益的驱动下，在进入后甚至有可能与国有资本“合谋”，强化这种垄断。在这方面，就需要政府对某些垄断行业实施严格的价格管制，否则就会违背混合所有制改革的初衷。

在这方面较具借鉴意义的是英国。英国的电信产业和电力产业在引入民间资本后，生产效率都得到了很大幅度的提升，但在价格监管方面，这两个产业的监管部门却采取了截然不同的措施：英国电信管制办公室对英国电信公司实行了较为严格的价格管制，促使其不断降低价格，把企业原来依靠垄断价格而获取的高额利润，让渡给了消费者。但是，相反的是，英国电力管制办公室没有对电力产业实行价格管制，虽然企业效率得到了提高，企业利润有所增加，但消费者并没有从企业利润的增长中获益。

---

〔1〕 黄群慧：“混合所有制经济改革需‘上下结合’”，《滨海时报》，2014年6月9日。

3. 完善民营企业的发展环境

近年来,我国出台了各种促进民营经济发展的政策措施,但在实际中,民营企业很难做到和国有企业平起平坐,在各种政策待遇上,国家也往往实行差别待遇,民营企业进入垄断行业的各种"玻璃门"、"弹簧门"依然存在。发展混合所有制经济,必须切实完善民营企业的发展环境,破除非公资本发展的各种隐形障碍,明确民营企业进入垄断行业的时间表和路线图,制定参与国有企业改革的实施细则和办法。

三、地方政府与混合所有制

地方政府与国有企业的关系,是我国经济体制改革中的一个重点和难点。地方政府一直是国有企业改革的主要推动者和实施者(曹海涛、叶日松,2010)。无论是为了解决财政压力,还是为了在"地方政府锦标赛"中脱颖而出,地方政府一直都是国有企业改革的主导者。"尽管有多种经济的和社会的因素影响着企业重组的可能性,但与政治决策者的改革意愿相比,其他一切因素都处于从属地位,他们只是通过影响政治决策者的成本和收益,才能间接地影响企业重组的可能性。"[1]

自党的十八届三中全会和《2014 年政府工作报告》重申要大力发展混合所有制经济以来,我国地方政府再次表现出极大的积极性,多个省市陆续颁布国有企业改革及发展混合所有制的《意见》,表现出了极高的热情。我们认为,地方政府所表现出的积极性,反映了我国地方政府近年来的一些重要特征:

(一) 地方财务危机

中国经济增长中的一个重大隐患,在于地方政府长期大量低效

---

〔1〕 韩朝华、戴慕珍:"中国民营化的财政动因",《经济研究》2008 年第 2 期。

配置财政资源。根据国家审计署2013年年底公布的政府性债务审计结果，截至2013年年底，地方政府债务总额近18万亿元，其中，地方政府负有偿还责任的债务10.9万亿元，负有担保责任的债务2.7万亿元，可能承担一定救助责任的债务4.3万亿元。而地方国企的改革，在客观上成为地方化解债务危机的一次契机，希望通过发展混合所有制经济，引进非国有资本，从而盘活不良资产，减轻地方财政的压力。但其背后的隐患，则是地方政府将国有资产一卖了之，以解决燃眉之急。

2014年以来，地方政府相继颁布的《意见》，也凸显了化解地方财务危机的迫切性，各地纷纷定时间、定任务、定工作量，不惜"一刀切"。如江西省就提出：未来五年70%国企发展为混合所有制经济；通过五年左右的努力，实现省属国有资产总量、营业收入双超'万亿元'；到2018年，使省属国有资产证券化率提升至60%左右。[1]湖北省也提出，要"对国有独资企业全部进行规范的公司制改造，对竞争性的国有独资企业一律进行混合所有制改造"。[2]这种数量驱动下的"一刀切"，缺乏对企业的实际情况进行细致的考察，很容易造成国有资产的贱卖和流失，成为地方政府应对财政危机的权宜之计。

（二）区域竞争的驱动

大量研究表明，当外部环境转向市场化之后，地方政府为了提高本地区的经济增长速度，增加财政收入，倾向于在其辖区内推行民营化的改革。（Blanchard & Shleifer，2001；Li & Zhou，2005；周黎安，2007；曹正汉、史晋川，2009）在改革初期，这类改革主要集中在国有企业本身，如发展乡镇企业、国有企业的股份制改造等。但20

---

〔1〕 参见江西省《关于进一步深化国资国企改革的意见》。

〔2〕 参见湖北省《关于深化国有企业改革的意见》。

世纪90年代中后期以来,地方政府的增长策略发生了变化,由原来的直接掌握办企业的权力,转为牢牢抓住地区性生产要素的控制权,尤其是土地开发权,将这些资源的供给权和定价权牢牢掌握在手中。这表明,随着地区竞争的加剧,地方政府不再是单纯的公共服务政府,而是凭借其对地区性生产要素的控制,转向从整体上控制和经营地区经济。

这一轮地方政府发展混合所有制经济的热潮,同样表现出了发展地区整体经济的特点,其动机也多在促进区域经济的整体提升,因此多把地方的重点发展产业和重点项目列为优先发展混合所有制的领域。如上海市提出,要"以产权为纽带,积极推进产业与金融联合"[1];湖北省提出,要"推动资源向先进制造业、现代服务业、基础产业和战略性新兴产业聚集,打造一批品牌优、效益好、行业领先的企业集团"[2]。这种做法体现出很强的政绩驱动特征,更多地考虑了地区的综合发展战略,没有充分考虑某些行业发展混合所有制经济的适用性。

(三) 混合所有制中的地方政府角色

1. 消除负面角色

从以上的分析中可以看出,地方政府除了有直接干预地方国有企业的动机,还会出于特殊的财政压力和地区利益的考虑,对企业施加不利的影响。从有形的"干预之手"来看,实证研究发现,当地方政府出现财务困境时,地方政府有动机通过增加地方国企的投资支出,来实现增加财政收入的目的,尤其在对地方财政贡献小的企业身上,这种干预的动机和结果表现得更为强烈。(刘运国、廖歆

---

〔1〕 参见上海市《关于推进本市国有企业积极发展混合所有制经济的若干意见(试行)》。

〔2〕 参见湖北省《关于深化国有企业改革的意见》。

欣,2012)

无形的“干预之手”主要体现在以下几个方面:

一是受财政压力的驱动,盲目地对国有企业实行混合所有制改革,甚至“一卖了之”。

二是出于地区利益的考虑,设置各种贸易壁垒和制度壁垒,阻碍企业的跨区域发展,对国有资产的受让人提出各种限制。

三是控制地区性生产要素,对企业施加各种经营压力。

为了避免地方政府的区域分割政策带来的效率损失,一个解决办法是,积极推动全国性的国有企业参与地方混合所有制经济的发展,全国性的国有企业在参与区域竞争的过程中,具备一种区域整合的功能。(张小军、石明明,2011)因为全国性国有企业面向全体市场的决策,和分别面向各区域市场的决策等价,在其效率高的情况下,将迫使地方企业改进成本,或者退出市场。全国性的国有企业可以作为一种内部规制工具,对市场分割的负面效应进行一定程度的制衡。

2. 进入管制和退出管制

地方政府在混合所有制中的另一个角色,是实施具体的进入管制和退出管制。尤其是对于进入自然垄断产业的新企业,政府需要对其资质进行严格的审查,对国有企业代售资产和企业的价值进行专业性评估。评估的方式可以有很多种,如现金流贴现、清算价值、替换价值、账面价值或者比较价值等,但归根结底,最有效的方式还是通过拍卖、招标、股份公开出售等竞争性过程,确定比较公平的市场价格。

但对于进入管制来说,最为关键的是将国有企业原有的经营环境由垄断性转变为可竞争性,消除产业内原有的行政壁垒和准入障碍,以帮助新企业有序进入。

而所谓退出管制,主要体现在一些利润率较高的自然垄断产业,很多企业会盲目地进入,进行重复投资和过度竞争。在这种情况下，一些实力不佳的企业会遭到淘汰，造成一些社会公共服务提供的不稳定。在这种情况下，需要政府设定一定的退出壁垒，防止企业在无利可图或在遇到更好的投资机会时，任意退出市场。

发展混合所有制经济，为政府干预企业的方式提出了新的要求，在这方面，中央政府和地方政府各有其角色特征，需要履行不同的职能。本文从中央政府和地方政府两个角度，分析了混合所有制经济背后的政府角色以及各自履行职能的方向：中央政府应侧重宏观指导和制度环境的改善；而地方政府的主要任务，则在于消除其不利影响，同时在改革的进入管制和退出管制上发挥作用。在我国混合所有制发展的过程中，如何改变以往不良的央地关系，避免地方和中央无原则地步调趋同，制定因地制宜、因企制宜的改革策略，仍有很长的路要走。

参考文献

1. 曹海涛、叶日松："中国大陆公有企业的民营化：中央与地方关系的分析途径"，《中国大陆研究》2010 年第 4 期。
2. 曹正汉、史晋川："中国地方政府应对市场化改革的策略：抓住经济发展的主动权——理论假说与案例研究"，《社会学研究》2009 年第 4 期。
3. 陈凌、熊艳艳："从政府到市场：国外国有企业民营化文献综述"，《经济社会体制比较》2004 年第 3 期。
4. 韩朝华、戴慕珍："中国民营化的财政动因"，《经济研究》2008 年第 2 期。
5. 黄群慧："混合所有制经济改革需'上下结合'"，《滨海时报》，2014 年 6 月 9 日。
6. 黄淑和："国有企业改革在深化"，《求是》2014 年第 2 期。
7. 蓝定香："混合所有制：地方国企与央企的改革异同"，《四川日报》，2014 年 3 月 19 日。
8. 厉以宁："混合所有制的四大好处"，《中国企业报》，2014 年 3 月 4 日。
9. 刘运国、廖歆欣："地方政府的财务困境与地方国企的投资支出"，中国会计学学术年会文章，2012 年。
10. 罗纳德·哈里·科斯、王宁著，徐尧、李哲民译：《变革中国：市场经济的中国之路》，中信出版社 2013 年版。

11. 王俊豪、周小梅著:《中国自然垄断产业民营化——改革与政府管制政策》,经济管理出版社 2003 年版。
12. 杨记军、逯东、杨丹:"国有企业的政府控制权转让研究",《经济研究》2010 年第 2 期。
13. 张小军、石明明:"市场分割条件下的混合所有制经济竞争模型与规制策略",《经济评论》2011 年第 2 期。
14. 周黎安:"中国地方官员的晋升锦标赛模式研究",《经济研究》2007 年第 7 期。
15. Ahuja Gautam, "On the Sequencing of Privatization in Transition Economies," *Industrial and Corporate Change*, Vol. 7, 1998.
16. Blanchard Oliver, Andrew Shleifer, "Federalism with and without Political Centralization: China vs. Russia," IMF Staff Papers, Vol. 48, 2001.
17. Brandt Loren, Li Hongbin, Roberts Joanne, "Why Do Governments Privatize," William Davidson Institute Working Papers Series, Vol. 429, 2001.
18. David Li, "Ambiguous Property Rights in Transition Economies," *Journal of Comparative Economics*, Vol. 52, 1996.
19. Kole Stace, Mulherin Harold, "The Government as a Shareholder: A Case from the United States," *Journal of Law and Economics*, Vol. 40, 1997.
20. Li Hongbin, Zhou Li-An, "Political Turnover and Economic Performance: The Incentive Role of Personnel Control in China," *Journal of Public Economics*, Vol. 89, 2005.
21. Shleifer A., R. Vishny, "Politicians and Firms," *Quarterly Journal of Economics*, Vol. 109, 1994.
22. Vickers John, Yarrow George, "Economic Perspectives on Privatization," *The Journal of Economic Perspectives*, Vol. 5, 1991.

(冀岩,北京大学光华管理学院)

混合所有制与企业环境行为

韩秀华

混合所有制意在建立独立的市场主体，提高资源配置效率，发挥市场在资源配置中的决定性作用。混合所有制的建立过程是产权变更的过程，是厘清模糊产权的过程。环境负外部性问题根源于产权的无法清晰界定，而我国企业产权本身就有很多模糊之处，再与环境问题搅在一起，更是藤萝爬到了葡萄架上——纠缠不清。交易是缔结转让与获取权益的合约，转让什么、获取什么必须明确写进合约，这个交割的过程就是清晰产权的过程，交易完成，产权边界也就清楚了。混合所有制的建立是产权的转让，是交易，交易就要有定价机制，就要有交易平台，因此把企业的产权交易放进市场，建立公开的产权交易平台，以市场机制定价，既可使潜在交易者全面获取企业使用资源的权限信息，又可明朗化企业污染成本，抑制污染行为的投机性。即公开交易平台既解决了产权交易的市场定价问题，也为企业资源的使用边界做出了明确的界定。通过这一路径，混合所有制企业成为真正独立的市场主体，与政府建立了与以往不同的新型关系，改变了企业的环境行为。相比国有企业，免去了政府干预，也失去了政府庇护；相比民营企业，少了些寻租空间。这样，既不会使环境问题内部化，视污染与财富为理所应当的共生产品而不做处理，也不会因社会责任感的缺失而明知是恶而为之。

一、混合所有制的建立

（一）我国企业产权分析

“产权由产权人所拥有资产、从这些资产中获取收入和让渡这些资产的权利或权力构成。”[1]完整的产权三位一体不可分割，否则会被认为是产权残缺。如果每个个体都想拥有对于资产的完整产权，则意味着，产权包含着资产的使用不能损害他人，否则会损害他人产权的完整性。因此，对于资产的限制使用也是产权的题中应有之意。

混合所有制是通过不同市场主体产权的转让而缔结的契约，而“市场交易的基本前提是产权的清晰界定”[2]，产权模糊会形成高不可估的转让成本，使之难以实现，因此，混合所有制的建立必须厘

〔1〕 Y. 巴泽尔：《产权的经济分析》，上海三联出版社 2003 年版，第 2 页。

〔2〕 Ronald H. Coase, “The Nature of the Firm,” *Economica*, n. s. ,4 ,November 1973 .

清产权的模糊之处。抛开产权的其他方面，仅从资源使用角度来看，既要明确使用边界，也要明确限制使用边界，因为产权除了自己的掌控力之外还受他人（外界）行动和能力的限制，重要的是法律对资源的使用规定会影响企业的收益状况。

由于我国企业特别是国有企业受到过多行政干预，还算不上是独立的市场主体，“至多只能说是‘不完全的市场经营主体’”[1]，其产权是不完整的。这种不完整包括不能自主处理企业资产、不能自主决策企业经营事务等，还包括对资源行使权利的不明确以及禁止行为的不清晰。其结果是企业资源的可使用和不可使用边界都没有界定清楚，既有可能限制企业的正当获益，也可能给企业非正当获益提供空间。因此，对企业来说，社会承认的或有利于社会的行为不一定能践行，至少不能全部践行，社会不承认的具有负外部性的行为不一定能禁止，至少不能全部禁止。这样各方难以把握企业现有资源的各种特性，更无法判断其潜在价值，价格难以评估，风险更难确定。虽然国有企业和民营企业都存在产权不完整性，但残缺点并不重合。国有企业在拥有政策优势的同时，也负有较多的社会责任并接受更多的政府干预，企业并无自由处置资产的权力；民营企业虽然有自由处置财产权，但在资源获取及使用方面有着更多的限制。这种产权的残缺及残缺的错位，造成了不同所有制企业对于混合所有制的疑虑、惶惑以及操作层面的障碍。

（二）价格的评估

混合，就是部分产权的让渡，是付出（获取）一定数量的资本，取得（放弃）部分资产收益，因此，价格判断是交易的基础。价格虽然是建立在企业全面信息基础上的主观判断，但国企在产权转让过

---

〔1〕 厉以宁：《中国经济双重转型之路》，中国人民大学出版社2013年版，第53页。

程中，主观性的价格判断很容易招致非议，尤其是所估价格低于企业的资产净值时，即使真实反映了企业价值，也有可能被认为是低估国有资产，一旦以这种价格成交，便是国有资产流失。这种背景下，自身利益最大化的国有资产管理者，很难给出一个反映企业真实价值的价格。因为肩负国有资产保值增值的责任，国有资产流失的罪名像一把达摩利斯之剑，阻止管理者以非客观的指标对企业估值，需要较为客观、可测的定价标准，把主观估计降到最低，以避免个人的政治风险。产权交易实践中基本是以净资产值，即以"资产形成的历史投资在今天的账面记录"[1]为基准来评估产权转让是否物有所值。这样既可化解由市场风险带给操作者的个人风险，又可平抑各方争议，使交易价格变得有据可循。虽然净资产值一样的企业未来收益可能多少不同、大小不一，甚至有正有负，但低于企业净资产值的转让不是某个国企代理人或机构轻易敢做的事情，因为国有资产流失的罪名是管理者不能承受之重。

净资产值法虽然客观，但单一信息的使用无疑是管中窥豹，且与企业未来可能收入流关联不大。对收入流的分析除市场因素之外，更需要对现有资源使用边界的明确界定。对于资源的挖掘、利用以期获取最大收益是产权拥有者的权利与追求，但产权"受他人行动和能力的限制"[2]，没有对资源使用及限制使用的清晰界定及法律保护，没有对企业环境的客观分析，未来收入流难以判断，转让价格也就难以确定。

民营企业拥有较完整的财产处置权，其目标是追求利益最大化，关注焦点是未来收入流，资产净值法显然无法令其满足，需要更多的信息以估算落入公共空间的可获取财富，并以此作为是否交易

---

〔1〕 周其仁：《改革的逻辑》，中信出版社2013年版，第252页。

〔2〕 道格拉斯·W. 艾伦著，罗君丽等译："再论产权、交易成本和科斯"，《科斯经济学》，上海三联书店2007年版。

的依据，而企业现有资源及其使用边界是这一判断的基础。现有资源决定了生产可能性边界，但仅仅是可能而已。法律赋予企业使用资源的权利会增加经济权利，也会通过禁止不被社会承认的行动权利来限制使用资源降低企业创造价值的能力，因此，对资源的限制性使用或者说是对产权的约束会降低资源本身及其创造的价值，如降低产量到最优线以下，提高成本使收益减少等。通常意义上的产权"掩盖了所有权关系的多样性和复杂性。拥有的是使用资源的权利。这些权利往往总是通过禁止某种行为来确定界限的"[1]。因此，当产权边界处于模糊状态时，"由投资和管理造成的损益就不能够浮上台面，除非有更清楚的权利划分与责任承担"[2]。也就是说，除非产权清晰，否则价格无法确定，交易更是"水中月""镜中花"，可望而不可得。

我国的改革是目标导向，无论是有计划的商品经济还是社会主义市场经济，都是在确定目标的基础上寻找、探索、确定实现目标的路径。混合所有制是国企改革方向，其路径是建立公开交易平台，通过市场的信息集聚及价格发现功能，降低交易成本，完成交易，最终实现最佳资源配置。在交易过程中明晰界定产权，这是价格评估的基础，也是企业环境行为改变的起点，因为降低污染的实质是限制资源使用以减少负面效应，交易前对这点的明确界定，可使新的企业所有者在交易时就明确企业资源的使用边界，形成一以贯之的环境行为并在此基础上赢利，而不是以投机行为逃避为环境负外部性买单。

（三）公开交易平台的建立

公开市场是最有效的交易场所，双方在这里发现适意交易对象

---

〔1〕 Armen A. Alchian and Harod Demsetz, "The Property Rights Paradigm," *The Journal of Economic History*, No. 3, 1973 (Vol. 33).

〔2〕 周其仁：《改革的逻辑》，中信出版社2013年版，第253页。

的可能性最大。混合所有制是为了提高资源配置效率，发挥市场的决定性作用，市场是所有制混合过程绕不过的坎。

市场能够把散落的信息集聚起来，扩大交易范围，摆脱传统熟人间的圈子交易。没有市场，人们获取信息的半径较小，无法扩大交易范围。今天我国企业间的合作有相当部分是通过各种圈子完成的。究其原因，一是信息不畅，只有圈子内的人才有可能获取各种信息尤其是内部信息，而圈外人即使花费高成本也不一定能得到真实、有价值的信息。同时由于没有公开的、公众信任的平台，企业的信息也只能在小范围内发布，无法触及更广阔的领域，而远方的最佳交易者可能正翘首以待。二是熟人之间的信任。我国的信用体系远未建立起来，陌生人之间充满了不信任，于是交易中有了类似中国传统的婚姻要求，知根知底，人跑了还能找到庙。这样形成了恶性循环，市场发育不足导致了交易的熟人局限，圈内交易又限制了市场的发展，要打破这种僵局需要完善市场，使市场交易以更低的成本和更高的效率替代圈子内交易。

交易成本为零的一个必要条件是信息能够免费获得，我们不奢望交易成本为零，但可以为信息的释放和获取建立一个规范的平台，以低成本获取真实、有效的信息，以降低交易成本。

这就是公开交易平台，企业可在这里挂牌公开信息，产权交易信息便汇集起来。如同产品说明书一样，在所有者明确的前提下，企业一些必要的客观属性会公之于众，其结果是把潜在的交易者吸引过来。来者越多，发现适意交易者的机会就越多，得到的价格就越合理。市场的效率不仅体现在高成交率上，更体现在成交价格上。因为，同样的资源和信息对不同的交易者会有不一样的潜在收益，具有某种优势者会挖掘别人不能发现，或即使发现了也无能为力的、落入公共空间的财富，这也是改进资源配置效率的本质所在，是实际意义上的帕累托改进。在双方合意的交易中，没有人不满意暗含着有人发现了他人没有发现或不能获取的、落入公共空间的财富,这也许源于一双慧眼、一项技能或者高效的管理等因素。自愿的交易利己利他,这意味着无论交易目的如何,获取产权的一方会使企业原有资源发挥更大作用,即比原产权所有者拥有更大的使用资源的优势,但在小范围交易找到强优势者的概率要小得多,资源配置改进的程度要小得多。

公开交易平台的建立除了利用市场的信息集聚功能外,还有更为重要的价格发现功能。

通常来说,价格是由供求均衡点决定的。但对企业产权转让而言,还有更深层的含义。买者,是出让的资金量要低于所换回企业资源所产生的收益;卖者,是得到的资金量要高于,至少不低于出让的企业资源所产生的收益。价格只有一个,但不同的企业所有者会有不同的判断,其差异在于技术、管理等因素,还有与自己原有资源的结合所产生的综合效应。谁会让这些资源产生更高的收益?高到什么程度?到市场中去发现。市场是交易的场所,是自利利他的地方,但本质还是为了利己而利他,因此除非不得已,没有人会做亏本买卖,达成一致的价格对双方都有益。

将有转让意向的企业放进市场,以市场机制定价,对国有企业而言,既撇清了国有资产流失的嫌疑,又找到了收购欲望最为强烈的买家。他们能够发现别人不能发现或无力获取的落入公共空间的财富,因此在产权转让时它并不包含在价格当中,于是那些沉没的财富得以重生,社会财富增加了。出让者得到了与自己使用资源时相应的价格,买入者以低于自己掌管资源时所创造的价值的价格得到产权,皆大欢喜。

价格评估的基础是企业全面、完全的信息,显然这难以做到。但企业产权边界是一定要清楚的,否则企业未来收入流难以判断。清晰的产权不仅包括资源的使用边界,还包括会降低企业价格的对资源使用的限制,这里需要强调的是,环境污染的加剧会越来越多地限制使用资源,因此,准确的价格判断离不开污染信息的全面把握。

第一,环境污染的外部性源于产权的无法清晰界定,这个“无法”有些源于技术性问题,有些则源于目标、需求等问题,诸多不确定的因素会导致不确定的产权边界。环境问题是现实问题,更是历史问题,“对世界来说,没有任何有害的或有益的效应是外部的,只是某些个人或群体会从这些效应中受害或受益”[1],因此,政府、企业及个体会根据各阶段的不同目标调整对环境污染的容忍度。在经济不发达阶段,产品稀缺,对产品的渴望超出对污染的厌恶,污染者承担很少甚至不承担环境污染成本。而今人们的生活水平已经有很大提高,且环境污染积累到一定程度并持续恶化,个体、群体需求及政府目标都会发生变化。政府认识到只有财富的积累不能给民众带来持久的幸福,当人们体会过财富带来的短暂狂欢后,对伴财富而生的污染深恶痛绝。在遮天蔽日的雾霾和沙尘暴的逼迫下,主动也好被动也罢,政府都不得不调整目标,强调人与自然的协调发展,在发展经济的同时保护好我们的地球,如提高污染排放标准、限制重污染产品生产、提高污染性行业税收、增收污染费、建立严格的环境保护测评制度等,这些都会直接影响企业未来收入流。另外,随着谁污染谁治理、坚持可持续发展这一理念的形成与发展,对污染企业限制生产成为共识,不会被认为是侵犯产权,相反却因为明确禁止企业某些行为,污染边界清晰界定,污染排放量成为硬性约束,为减少污染提供有效的制度约束。

第二,科技进步会对环境污染产生重大影响。科技进步带来两个变化:一是污染源的分割有了较大的可能性。环境负外部性问题根源于难以清楚分割施害者和受害者,当众多企业的污染混合在一起时,处罚对象难以确定。而科技的进步使这些成为可能,可以较

---

〔1〕 Harold Demsetz, “Toward a Theory of Property Rights, ”*American Economic Review*, May 1967.

好地实施谁污染、谁付费、谁治理的理念，并为产权的清晰界定提供很好的技术条件。二是有了更好的技术，从而使相同生产的污染降低。随着新技术的出现，原来污染的生产过程可转化为清洁的生产，如现在很多大型煤矿都变为无尘生产，这样，旧技术对资源的限制可逐渐变小，使原有资源获取更大的收入流。

第三，是周围居民对污染的态度。我国素有民不举、官不究的传统，时至今日仍然在某些地方以某种程度存在。如果受损居民对此类污染的容忍度较大，则企业使用资源的自由度可能会较大，反之有可能连政府规定允许的使用度都达不到。近些年民众抗议污染企业在本地落户的事件层出不穷，反映了民众的环保意识增强。作为受损者的集体行动，自然会引起媒体、政府、企业等各方重视，它与政府的制度管理一起，对企业污染形成强约束，企业免费或低价污染的可能性越来越小，面临的风险越来越大。投资之前的抗议可能使企业投资愿望落空，生产过程中的抗议可能会使企业减少产量，也可能使企业停产歇业，甚至退出本行业。这类信息是容易被忽略掉的，但对企业的影响则不可忽略。

二、企业生产与污染权的界定

污染与产品是一种"联合供给"，彻底清除污染是我们的理想，但现实是伴产品而生，因此，企业有一定程度的污染权。对于人类而言，要享受工业品带来的便利，就要忍受一定程度上的污染；而另一方面，企业的污染要有边界，人类对于污染的容忍也有边界，只是这种边界该如何确定？

产权是有边界的。完整的产权囊括了对资源的可为与不可为，既确定使用资源的权利，也应明确禁止某（些）种行为以确定产权的界限，其目的在于激励有益产出，控制负面效应。

但是，一个企业建立之初不可能界定清楚所有的外部性，更无法确定其强弱，尤其是在以丰富产品为目标的经济发展阶段，外部性较少在政府的考虑范围内，民众对物质的渴望使其更认同企业给自己带来的经济利益；在经济发展初期，环境污染效应还未显现，污染作为“联合供给”产品，被认为是可接受的副产品。此时，企业有着较宽松的生产背景，主要任务是创造税收、带动就业，其带来的污染引起民众和政府关注度较小。随着经济发展、污染加剧，人们重新考量经济发展与环境的关系，保护环境、推动可持续发展能力已成为国际国内各界的共识。这时政府目标发生变化，经济发展不再是唯一目标，弱化了经济考核指标 GDP，强化民生建设，而减少环境污染、给人们以清洁的水和空气成为政府管理的重要目标。同时，由于经济条件的改善，个体也从单一的物质追求变为对舒适生活的渴望，而严重污染的环境让人难以舒适。于是，企业污染权逐渐萎缩，那种拿钱走人、任意肆虐地留下污染而无须承担责任的时代不复存在。但边界依然处于模糊状态，在政府的许与不许之间，企业的环境行为依然随着政府目标的调整发生变化，经济下行时鼓励企业增加产出，污染加剧，反之污染减少，缺少一以贯之的制度来明确企业的污染排放量。

这种不确定性不仅影响了对企业价格的合理评估，也给企业的败德行为提供了机会。弹性约束产生弹性行为，时而合法、时而不合法的规则使企业的环境行为有了较多的任意性，政府的管理也多了些随意性。不同企业甚至同一个企业的不同时间段污染标准并不一致，污染行为有了较大的回旋余地，企业可以通过种种方法以低于排放成本的费用来掩盖排放而不是减少排放，以此来扩大寻利空间，如停用或少用排放设备，贿赂执法人员逃避处罚，使排污口远离本企业以混淆视听、提高查污成本，夜间生产躲避检查等。更为严重的是，在弹性约束下，企业可以花很小的成本掩盖其污染行为。政策的不确定性和执法的随意性使一些企业的污染成为肆意行为，弹性约束极有可能变成偶尔约束或者无约束。这些做法至少会带来两个后果:一是污染排放量超标。弹性标准对环境污染是有很大的坏作用,污染者和执法者都有了寻租空间,有很多方式使二者合谋获利。执法者以最低标准要求,企业以最低标准排放,甚至无标准排放,受益的是个人,受损的是环境。二是付出的成本没有减少排放,这种付出是为了掩盖而不是减少污染,没有创造任何财富,没有增加企业本身或社会收益。

要使企业有一以贯之的环境行为,需要确定连续性的污染标准,确定企业的污染边界。以污染排放量收费,低污染低收费,高污染高收费,把排放标准作为硬性约束,不随经济波动而放松,不依政府目标调整而改变,减少企业环境行为投机空间。

三、不同所有制企业的环境行为

企业环境行为与企业利益密切相关,不同所有制企业的利益目标不同,其环境行为也存在较大差异。

国有企业由其性质决定其环境行为具有双面性。

一方面国有企业管理者的最大化利益是个人的升迁而非企业利润最大化。由于国有企业管理者是由政府组织部门任命,政府对企业有很大的控制权,企业的经营目标关联着政府的经济目标。政府鼓励投资时,企业扩大投资;政府要产量时,企业会扩大产量;当政府对环境有严格要求时,尤其近些年对环境污染实施严格的惩罚制度后,国有企业在污染处理时很少越雷池半步。利润是企业的(在理论上是国家的),风险是个体的,少有人会拿自己的事业前途冒险。因此,国有企业的污染边界比较清晰,就企业利润而言,政府鼓励的事情未必全力去做,但就环境行为而言,政府禁止的事情基本不会去做,因为污染边界的突破给管理者带来的是负面效应。

但另一方面,国有企业的污染排放会被视为内部化问题。所谓外部化是指内外有别的受益或受损,我家噪音影响了你家休息,你家臭味损害了我的健康，这是外部性问题，要分清楚搞明白，究竟是谁损害了谁，谁受损更多点儿，会引发产权的界定、损害的分割、相互的赔偿等一系列问题。但我家制造的噪音吵了我，你家产生的臭味熏了你，那是自家的事情，你可以选择放弃与噪音或臭味同时产生的物品，也可以选择忍受污染而享用与其伴生的产品，选择权在你自己。从理论上讲，国有企业是全民的财产，污染的是全民的环境。为自家生产利润，污染的是自家的环境。只不过一些群体或个人受损多点，而另一些群体和个人受损少点，还有一些人受益。但社会主义中国一向有放弃小我为大我的传统，一部分人的利益通常会让步于整体的利益，因此，国有企业的污染比民营企业更容易得到政府尤其是地方政府的认可与容忍。当 GDP 是政府追求目标时，地方政府会与企业形成默契，这时国有企业管理者承担的风险要小得多，以污染换取税收，以污染换利润，除了环境受损，企业与地方政府都获益。

民营企业与国有企业有不一样的诉求，我国目前的民营企业聘请代理人管理的不多，基本自己管理，其个人利益与企业利益一致。因此，其目标是追求企业利润最大化。企业利润归某个人或某些人所有，污染则洒向了社会。政府纠结于民营企业的创利与逐利，一方面，民营企业创造了就业，增加了税收，为地方经济发展做出了贡献，政府有扶持其发展的激励，包括一定程度上对污染的容忍。另一方面，民营企业没有国有企业与生俱来的社会责任感，尤其是在资本积累初期，除非强压下，增加成本降低污染这种事不会是其自觉自愿的行为，反倒是有激励以各种手段想方设法无成本或低成本排污，包括偷排偷放、贿赂官员等，政府不得不付出更多成本监管其环境行为。

此外，当官员手里握有调整企业污染标准，或以暗箱操作方式对企业污染行为视而不见的时候，易合谋获取各自利益，放任污染行为。

我国对企业环境行为的规范不可谓不严，但污染事件却层出不穷，究其原因有企业的逐利，也有政府的放任，而官员的自利与对环境污染的漠视有着不可忽视的作用。

四、混合所有制的企业环境行为

混合所有制的建立会给企业环境行为带来很大变化。

混合所有制企业是建立在不同性质股权相互渗透基础上的，法人治理结构完善的、独立的市场主体，由于股权多元化，政府难再任命董事长、总经理，因此与政府再没有人事上的隶属关系，免去了平衡企业利益与政府间关系的纠结，免去了企业承担部分政府责任，也免去了政府对企业长子般的溺爱，该约束就约束，该处罚就处罚。

混合所有制企业的建立推动了企业成为市场主体，发挥市场在资源配置中的决定性作用，明确了政府维护市场秩序使企业不违法经营的职能，政府不再对不同所有制企业有亲疏之分，所有企业须遵循统一规则。这样，市场就会发挥资源配置作用，使污染严重、治污成本高的企业或者获取较低利润，或者降低市场份额，用不着动用行政手段。此外，混合所有制企业的建立使国有资本投资分散化，政府拥有了更多企业的股份，但每家企业所占份额会有所降低，客观上也为企业独立于政府创造了条件。而独立于政府，就免去了政府在执法过程中的温情脉脉和企业在环境行为中对政府的依赖。

混合所有制企业在形成过程中，产权得到了清晰的界定，不仅明晰了资源的使用边界，也明确了资源的限制使用边界，也就是说企业的污染边界得到了清晰的界定。因此，混合所有制企业的污染行为是制度性约束，而不是随各种因素波动的弹性约束。如果法律对企业资产使用范围规定不明晰和不确定，企业在运行中就会有较多的随意性，突破污染标准的事件会时有发生，而模糊的产权使其有空间游走于污染标准的边缘以逃避处罚。清晰的产权犹如为企业环境行为拉起了一条不可触碰的红线，触碰红线就违背了法律，会受到严厉的处罚，因此，企业的最佳选择就是在法律规定的范围内，既达到最佳产量，又不突破污染底线，实现企业的最佳利润点。企业在法律框架内运行，使资源在污染框架内得到最大限度的利用，既不污染环境，又实现了企业利润。

混合所有制企业弱化甚至消除了国有企业污染内部化问题。当把污染内部化时，虽然损害了某些群体的利益，受害者也会呼吁政府解决问题，但因企业与政府有着千丝万缕利益关系而延迟解决、部分解决，甚至搁置。但是，企业作为独立的市场主体，从组织关系上来讲，解除了与政府组织人事上的隶属关系；从股权组成上来看，政府只拥有部分产权，获取相应比例的收益。企业、污染与政府间的关系不再是我家的企业污染了我家土地，而是企业资源的使用不能损害个体、群体及国家的利益，企业资源要有序地限制性使用，其基础是企业和政府关系的重新界定：企业是独立的市场主体，有明确的所有者；政府是市场秩序的维护者、公共服务的提供者、法律法规的执行者，政府有保证人民不受环境污染的责任，有禁止企业不污染环境的义务。因此，不能靠内部化解决外部化问题，而应依靠明确的产权和科技的进步，分割污染者的责任，践行谁污染、谁付费、谁治理的理念，解决污染的外部性问题，减轻并最终解决污染问题。

五、结论

混合所有制企业是不同所有制企业在公开的交易平台，以市场价格进行部分股权的转让与渗透而形成的，这一过程使企业产权明晰化，不仅明确了所有者，还使企业使用资源边界明晰化，更有他人或组织对企业资源的限制使用规定，这样，企业环境行为有清晰的边界，既消除了国有企业环境污染内部化问题，也压缩了民营企业环境行为的败德空间。同时在产权明晰的条件下尽可能分割污染主体,做到谁污染、谁付费、谁治理,弱化负外部性影响,使企业环境行为可察、可控,并具有较强的稳定性。

参考文献

1. 程志强:"积极探索国有企业发展混合经济的路径",《人民日报》,2014 年 6 月 4 日。
2. 厉以宁:《中国经济双重转型之路》,中国人民大学出版社 2013 年版。
3. 厉以宁:"在调查混合所有制中发现的几个误解",《北京日报》,2014 年 3 月 11 日。
4. 斯蒂文 · G. 米德玛编,罗君丽等译:《科斯经济学:法与经济学和新的制度经济学》,上海三联书店 2007 年版。
5. Y. 巴泽尔:《产权的经济分析》,上海三联出版社 2003 年版。
6. 周其仁:《改革的逻辑》,中信出版社 2013 年版。
7. Armen A. Alchian and Harod Demsetz, "The Property Rights Paradigm," *The Journal of Economic History*, No. 3, 1973 (Vol. 33).
8. Harold Demsetz, "Toward a Theory of Property Rights," *American Economic Review*, May 1967.
9. Ronald H. Coase, " The Nature of the Firm," *Economica*, n. s., 4, November 1973.

(韩秀华,长安大学经济与管理学院)

混合所有制在我国电力行业的实现路径研究

童光毅

党的十八届三中全会《决定》中提出“未来要积极发展混合所有制经济，国有资本、集体资本、非公有资本等交叉持股，相互融合……”。这表明新一轮改革必将在混合所有制上深化实践探索。混合所有制是中国特色社会主义经济理论的重大创新，其表现形式与实现路径的选择仍有许多值得研究的地方，尤其是自然垄断的基础性行业严格限制非公有资本的市场准入，阻碍了资源配置效率的提升和国际市场竞争力的提高。本文以混合所有制理论分析为基础，探索电力行业混合所有制的实现路径，不但有利于推动混合所有制经济在电力行业深化落实,对于其他垄断性行业改革也具有积极的借鉴意义。

一、混合所有制的发展与实现路径

(一) 混合所有制的发展

1. 混合所有制的概念界定

目前理论界对混合所有制含义的探讨仍甚为激烈,表述的视角各不相同,总结起来主要有三类观点:(1)微观视角的研究。该视角从微观企业出发界定混合所有制,具体包括三类不同的观点和看法。一是所有制形式论,认为混合所有制是公有制成分和非公有制成分在企业内部结合后形成的所有制形式;二是企业模式论,认为混合所有制是企业发展的一种模式,通过多个不同所有制身份的投资者共同组建企业实现;三是所有制实现形式论,认为混合所有制是现代企业的一种财产组织模式和经营方式。(2)宏观视角的研究。该观点认为混合所有制是以公有制为主体,多种所有制经济共同发展的社会主义初级阶段的基本经济制度。(3)双重视角的研究。持该观点的学者认为混合所有制包括两层含义,一是在整个社会层面不同所有制之间的并存与混合,二是企业层面不同产权主体的相关渗透融合。

本文认为混合所有制既是一种社会经济成分,又是一种企业资本组织形式。它以社会中存在多种所有制经济成分为前提,通过各类性质的产权在市场中以多种方式自主流动和重组形式,并适应竞争的需要不断变化资本结构。从电力行业的角度讨论混合所有制,主要是为了探索如何借助混合所有制的形式推进我国电力行业的深化改革,认识的视角既包括从行业经济层面不同所有制主体的混合,也包括不同所有制性质的产权主体在微观企业层面的混合。

2. 混合所有制的理论发展

混合所有制最早萌生于西方社会,为弥补市场失灵和缓和社会矛盾逐步发展起来,却在中国发扬光大并不断发展。中国著名经济学家厉以宁先生指出,在中国建立和发展混合所有制的有关决定,是中国特色社会主义经济理论的重大创新,不同于西方的混合所有制以私有制为主体、公有制为辅的发展路径,在中国混合所有制则是以公有制为起点的不断发展完善的过程。厉以宁先生将"混合所有制"定位为"新公有制",认为混合所有制是中国经济发展的必然趋势。

早在20世纪90年代,中国社会科学院课题组在《建立社会主义市场经济体制的理论思考与政策选择》的研究报告中就提出了发展混合所有制的思路。在1997年党的十五大报告中首次正式接受了"混合所有制"这一提法,指出"公有制经济不仅包括国有经济和集体经济,还包括混合所有制经济中的国有成分和集体成分"。1999年党的十五届四中全会上,首次将混合所有制作为国有企业改革的重要手段,指出"国有大中型企业,宜于实行股份制的,要通过规范上市、中外合资和企业互相参股等形式,改为股份制企业,发展混合所有制经济,重要的企业由国家控股"。此后,各地纷纷出台国有企业尤其是国有大中型企业混合所有制改革目标,在一定程度上实现了激发国有企业市场活力的目标。2003年,党的十六届三中全会进一步明确了混合所有制的重要经济地位,明确提出"大力发展国有资本、集体资本和非公有资本等参股的混合所有制经济"。2007年党的十七大报告再次强调:"以现代产权制度为基础,发展混合所有制经济"。2014年党的十八届三中全会又一次提出积极发展混合所有制经济,并强调:"国有资本、集体资本、非公有资本等交叉持股、相互融合的混合所有制经济,是基本经济制度的重要实现形式,有利于国有资本放大功能、保值增值、提高竞争力,有利于各种所有制资本取长补短、相互促进、共同发展。"同时,国务院国资委将混合所有制经济的发展作为一项重点工作。

3. 混合所有制在中国的发展现状

混合所有制在国民经济中扮演着越来越重要的地位和作用,推动着国有资本以及国民经济的发展,并取得了明显的成效。根据国资委内部摸底数据,截止到2012年年底,中央企业及其子企业引入非公资本,形成混合所有制的企业已经达到企业总户数的52%,其中上市公司达到378家,上市公司中非国有股权的比例已经超过53%;地方国有企业及控股公司中,上市公司达681家,上市公司中非国有股权超过60%。尤其是2010年《新36条》颁布以来,到2012年年底,民间投资参与各类企业国有资产产权的交易总数是4 473宗,占到交易总宗数的81%,金额总计1 749亿元。

(二)混合所有制的实现路径

混合所有制经济从本质上说是不同性质的资本间的参股或联合的股份制经济。其实现形式包括外部混合所有制和内部混合所有制,其中外部混合所有制是指通过企业外部非公资本的引入实现混合所有制,包括股份制改制重组、调整股权结构、合作成立新公司、并购或参股私有或外资企业、上市募股等方式;内部混合所有制指通过企业内部非公资本的引入实现非公有制,主要是员工持股计划,包括普通员工持股和高管持股。

1. 股份制改制重组

现阶段的企业改制就是要在传统企业制度的基础上,改建为现代企业制度。企业重组是针对企业产权关系和其他债务、资产、管理、结构所展开的企业的改组、整顿与整合的过程,目的是从整体上和战略上改善企业经营管理状况,强化企业在市场上的竞争能力,推进企业创新。由于原公司的性质不同,因此要改制重组成为股份有限公司,需要采取的方法和模式也不同,大致可以分为四种模式,即整体重组模式、分立重组模式、发起设立模式、梯级重组模式。

2. 调整股权结构

对于已实现股份制的国有企业,可以通过吸引非公有资本参股,实现混合所有制。国有股份制企业可以通过以下几种方式引入私有资本:通过股权转让方式引入新的投资者;实施增资扩股,引入新的投资者;通过可转债的方式引入新的投资者。

3. 合作成立新公司

国有企业还可以通过与非公企业合资成立新的公司或项目机构,实现混合所有制。合作成立的新公司或项目机构所开发或经营的业务范围通常仅限于与原企业主营业务相关的一些新的领域或新的区域。

4. 并购或参股私有或外资企业

并购是兼并、合并与收购三者的合称。兼并是指两个或两个以上的公司,通过法定方式重组,重组后只有一个公司继续保留其合法地位;合并是指两个或两个以上的公司通过法定方式重组,重组后原有的公司法人资格都不再保留,而是组成一个新的公司;收购,即是一家公司在证券市场上用现金、债券或股票购买另一公司的股票或股权以获得对该公司的控股权,该公司的法人地位并不消失。参股是指国有企业收购私有或外资企业的股份,但收购的额度没有达到控股权。国有企业可以通过并购、参股私有企业或外资企业,打造混合所有制企业,发展混合所有制经济。

5. 上市募股

改制后的股份公司可以通过上市,进一步深化混合所有制经济。上市即首次公开募股,指企业通过证券交易所首次公开向投资者增发股票,以期募集用于企业发展资金的过程。通过上市,可以进一步吸引社会非公资本,优化股权结构,深化混合所有制。同时,还可以进一步提高企业的融资能力,降低融资成本,提升企业知名度,拓展企业发展空间,并接受上市公司的规范化管理,监控国有企业完善现代企业制度。

6. 员工持股计划

员工持股的理论基础是共享经济学说。该理论认为财富是由物质资本的投入者和人力资本的投入者共同创造的,缺少其中任何一方都无法实现。所以人力资本投入者有理由以人力资本的形式计价,分享企业的利润。通过员工持股实现员工角色转换,成为企业所有者,调动了员工的工作积极性,也有利于平衡经营者或员工个人短期利益和企业长期利益之间的相互关系。根据国内外实践,员工持股有四种基本形式:产权激励制度;普惠性质员工持股;新股发行中规定一定比例的员工股,鼓励员工认购;国有企业或国有控股公司下由群众集资建立子公司。

二、电力行业发展现状概述

近年来,我国电力工业发展取得长足进展,电力装机容量和电网规模均跃居世界首位,科技和装备水平不断提高,为经济社会发展提供了有力保障。与此同时,电力工业也面临着体制机制滞后、发展活力不足、效率有待提高等一系列深层次矛盾和问题,迫切需要通过改革为发展注入强大动力。

综观世界电力改革浪潮,市场化和私有化是主要国家电力改革进程中的两大基本取向,二者既有区别,又有联系。市场化是电力资源配置方式上的根本转变,私有化是电力行业产权结构的重大变革,在一定条件下,二者相互促进,相互融合。党的十八届三中全会提出让市场在资源配置中发挥决定性作用,为我国电力工业市场化改革指明了方向。由于电力工业是关系国计民生的命脉行业,我国又是社会主义大国,完全私有化并不适用于我国的电力改革。然而,发挥市场机制的决定性作用又需要通过各种所有制资本取长补短、相互促进、共同发展,激发微观主体活力和创新能力,形成有利于竞争的市场结构。因此,推动国有资本、集体资本、非公资本交叉持股、相互融合的混合所有制改革成为进一步深化电力体制改革的重要着力点。

电力工业由发、输、配、售电一系列环节组成，输电和配电环节具有自然垄断性质，发电和售电环节可以引入竞争机制。根据电力工业的这一特点，进一步深化电力体制改革应该管住输电和配电环节，放开竞争性的发电和售电环节，难点是在发电和售电环节培育对市场信号敏感的多元化市场主体，以便形成有利于竞争的“多买多卖”格局。我国发电环节已经在一定程度上实现产权多元化，但输、配、售电环节仍然保持一体化经营。因此，电力行业发展混合所有制应该按照不同环节的性质、现状和特点，在科学回答“重点在什么环节发展”和“如何发展”两个基本问题的基础上，采取差异化方式和针对性策略加以推进。

以下将按照发、输、配、售不同环节，从业务特点和需要解决的问题两个维度展开分析，在此基础上研究提出不同环节混合所有制的实现路径。

三、发电环节混合所有制实现路径

（一）发电环节业务特点

1. 发电装机结构发生深刻变化，带来产权结构的深度调整

我国以煤为主的一次能源结构决定了传统火力发电在发电结构中占据主导地位的局面短期不会改变。与此同时，资源约束趋紧、环境污染严重、生态环境退化的现状，客观上又决定了我国必须加快推进能源生产和消费革命，促进能源结构向着绿色、低碳的方向发展转型。在此背景下，新能源和可再生能源发电蓬勃兴起，并由此带来发电装机结构的深刻变化。受发电补贴、全额收购等政策的驱动，新能源和可再生能源发电项目对民营企业和社会资本产生了很强的吸引力。因此，这部分发电装机增量在促进发电装机结构

转型变化的同时，也同步引发了所有制结构的深度调整，而且这一趋势在未来仍将持续。

2. 发电环节投资规模大、风险高，需要清晰的投资信号引导

发电项目投资具有资金密集的显著特点，在过去相当长一段时期，由于投资资金严重短缺，发电装机容量投资不足，缺电成为困扰经济社会健康发展的顽疾。实施“多家办电”等投资政策后，投资渠道得以拓展，迅速扭转了电力短缺局面。在当时的历史条件下，“多家办电”等政策发挥了投资引导信号的作用。在市场条件下，投资引导信号对于保障发电充裕性尤为重要。因此，当电力市场发展步入相对成熟阶段后，多会建立起发电容量市场，构建发电投资信号发生机制，美国东北部以 PJM 为代表的容量市场正是成功的典范。

3. 发电企业赢利特点要求其成为真正的市场主体

不同于煤炭和天然气的生产，发电是将一次能源转换成二次能源，实现能源形态转换的环节，这种技术特点决定了发电企业的赢利状况势必受上游煤炭市场和下游电力市场运行状况的双重影响。在能源市场体系健全的条件下，诸如煤炭和电力市场等不同品种能源市场之间存在关联关系，致使外部市场环境变化趋于复杂，客观上要求发电主体能够敏感反应市场变化，进而做出合理的投资和生产决策。

（二）发电环节需要解决的问题

1. 电力市场多元化程度低

市场主体多元化程度低，不利于市场化改革后建立起多买多卖的市场结构和有效竞争的市场格局，难以全面释放市场活力和竞争潜力，不利于充分发挥市场机制对资源配置的决定性作用，迫切需

要通过所有制改革提高市场主体的多元化程度。

2. 发电行业投资引导信号不清晰

发电投资缺乏清晰的引导信号，致使发电行业发展节奏时快时慢，投资劲头时冷时热，盲目投资时有发生，缺电与窝电并存，短缺与过剩交替，不利于发电行业良性可持续发展，迫切需要从所有制的角度建立起抑制投资冲动、避免投资滞后的制衡机制。

3. 发电投资主体缺乏有效的约束机制

发电投资主体以国企为主，由于缺乏有效的所有制制衡，在国有资本管理体制改革滞后的条件下，难以避免投资冲动，“跑马圈地”等粗放投资方式既带来了投资风险，又不利于电力工业整体协调发展。

4. 电力行业体制改革滞后

受电力体制特别是电价形成机制改革滞后的制约，火电政策性亏损，风电、太阳能等新能源弃风弃光，水电富集区弃水现象严重，发电行业投资吸引力降低，需要通过实施混合所有制改革释放非公有资本投资发电行业的潜力。

5. 发电行业融资难度大

融资难度大，资金链相对脆弱，扩大再生产缺乏有效的资金支持，迫切需要通过混合所有制改革拓宽融资渠道。由于发电工程建设周期漫长，建设过程中需要耗费大量人力、财力以及物力，资金回收周期长，且长期处于政策性亏损，发电环节的净资产收益率较低，“高投资、高负债、低赢利、高风险”成了发电集团存在的普遍问题，导致行业平均资产负债率达到80%左右，有些项目甚至不足以偿还长期贷款利息。在国家经济发展对电力的需求不断增加，而电力行业投资风险不断加剧的形势下，发电行业的投资资本金存在一定程度的不足，行业融资任务较为艰巨。

(三)发电环节混合所有制实现路径的选择

1. 积极推动有条件的发电企业上市

由于发电行业发展所需固定成本投入高,涉及资金额度较大,投资建成的项目资产专用性强,运营风险较高。同时近年发电行业赢利能力下降,进一步加大了发电企业的融资难度和成本。如果能够积极推动具备条件的发电企业上市,将有助于行业内企业充分利用资本市场进行融资,获得长期稳定的发展资金,并可以改善目前发电行业资本结构不合理、负债较高的现状,推动行业快速发展。

2. 大力鼓励私有资本进入发电行业领域

在电力改制的近十年里,行业内企业无序发展带来了装机规模过度扩张、生产经营效益下降、效率不高,甚至大面积亏损等诸多问题。市场机制不完善,使得非公资本正在逐步淡出该领域。所以,一是要还定价机制于市场,促进电价管制的放开,提高发电行业的赢利能力;二是要加大对民营资本的引入与扶持,提高发电环节对非公资本的吸引力。

3. 合作成立新公司,积极发展新能源

2005 年我国颁布了《中华人民共和国可再生能源法》,此后国家发改委于 2007 年 8 月又进一步发布了《可再生能源中长期发展规划》,规划中提出了新能源发展目标,即到 2020 年我国新能源在电源结构中的比例达到 16% ,实现规模化发展,推动新能源商业化落地进程。这一发展规划必然刺激新能源投资发展的热潮,使得大量的资金涌入该领域。国家应鼓励不同所有制主体合作,以混合所有制形式组建新公司,发挥市场机制,提高资本利用效率,确保行业有序发展。

4. 推动员工持股计划

员工持股计划主要有两种形式:具有普惠性质的员工持股制和具有激励性质的管理层持股制。根据国际经验,员工持股制有利于

调整分配关系,稳固人才,加强内控,防范风险。但是,大型国有企业职工持股问题远比想象中的复杂。由于国有企业属于全民所有的性质,所以面对的最主要问题就是如何处理好利益平衡,包括非电力行业员工是否拥有持股资格和电力企业内部不同员工持股额度分配的公平公正性。对于电力行业的发电环节而言,适度地推行员工持股计划,有利于调动管理层和员工的工作积极性。

四、输电环节混合所有制实现路径

(一)输电环节业务特点

输电是指从发电厂或发电中心向消费电能的地区(也称负荷中心)输送电力,或是进行相邻电网之间的电力互送,形成互联电网或统一电网,保持发电和用电或两电网之间供需平衡的电力系统生产环节。从技术、经济和社会属性分析,输电环节具有以下鲜明特点:

1. 从技术属性看,输电环节技术壁垒高

输电网具有电力传输和能源集散的双重功能,技术壁垒强,安全要求高。一方面,输电网担负电力输送任务;另一方面,作为现代能源系统的重要组成部分,输电网在煤炭、电力、燃气、新能源等能源子系统的关联和互动中发挥着重要的集散平台作用。

2. 从经济属性看,输电属于典型的自然垄断环节

在一定限度内,输电网规模扩大可以实现更大范围内的电力资源优化配置,并能实现产能错峰、调峰、事故备用、事故支援、水火互济、水电流域调节等联网运行效益,规模经济特性明显。在一定区域内,输电服务由一家企业提供要比由两家以上企业提供的社会总成本低,成本弱增特性明显;在一定层级间,不同电压等级输电网之间功能互补性强,业务衔接要求高,范围经济特性明显。输电网经营资金投入巨大,技术壁垒高,一旦投入建成无法移作他用,固定成本沉没特性明显。上述多重特性共同决定了输电网属于典型的自

然垄断环节。

3. 从社会属性看，输电业务关系着国家能源安全和国民经济命脉

电力安全是国家能源安全的重要组成部分。电力产品是关系千家万户的生活必需品，这就决定了中国特色电力市场化改革进程中存在两条必保的底线，一是安全底线，二是民生底线。

（二）输电环节需要解决的问题

1. 产权结构单一

输电业务由国家电网和南方电网经营，在产权上仍然是单一的国家所有制。由于输电环节的这一产权特点，导致电网企业在经营管理方面存在诸多问题。对这些问题的解决是混合所有制改革的目标。

2. 公司治理结构不完善，公司治理机制没有发挥应有作用

由于没有进行股份制改造或投资主体多元化，电网企业很难建立完善的公司治理结构，从而缺少促进电网运行效率提高的激励约束机制，不能严格按照市场需求和效率原则配置资源。电网企业通过混合所有制改革，实现投资主体多元化，可以促进法人治理结构的完善，包括设立股东会、董事会、监事会，建立总经理聘任制和任期制等，并依法发挥各自的职能。

3. 投融资渠道不畅，财务风险加大

电网企业经营方式仍较粗放，过度投资与投资不足并存，跨行业、多领域延伸投资加剧。总体来说，由于投资行为缺乏监管，投融资渠道不畅，电网企业财务风险增大，可持续发展缺乏机制保障，良性循环发展能力减弱。有必要拓宽投融资渠道，允许民营、地方企业以多种形式参与输电网投资经营，实现输电领域投资主体多元化，重点解决输电环节资金不足的问题。

(三) 输电环节混合所有制实现路径的选择

1. 输电环节混合所有制不宜采用的路径

按照有所为、有所不为的原则确定输电环节的混合所有制改革路径。近期,输电环节混合所有制改革暂不宜采用以下路径模式:

(1) 市场主体多元化路径。由于输电环节具有自然垄断的经济属性,在一定的市场或区域范围内,输电业务只能由一个经营主体垄断经营。同时,考虑到输电网运营的技术和安全要求高,输电网发展关系国家能源安全和国民经济命脉,与战备公路因关系国家宏观战略与安全而由政府控制类似,输电网环节应以提高利用效率、实现战略资源整合为手段,以社会福利最大化为目标,通过国有独资或控股方式,而不是采用市场主体多元化方式实现混合所有制。

(2) 上市募股路径。垄断经营的国有输电经营企业,在政府规制政策有效作用的条件下,能够以国民福利最大化为目标开展经营。而上市募股经营企业,以股东利益最大化为目的,以利润最大化为目标,开展生产经营。输电经营企业上市募股易于造成经营目标冲突,特别是在当前发电和售电环节尚未全面市场化,电网赢利模式尚未根本性转变,政企分离、主辅分离有待深化的条件下,输电企业可能借助行政垄断将消费者剩余转化成生产者剩余。因此,现阶段输电环节暂时不宜上市经营。

(3) 合作成立新公司路径。合作成立新公司在混合所有制改革中主要适用于新业务开拓。由于输电业务相对稳定成熟,较少派生出新生业务,因此,输电环节暂时不宜采用合作成立新公司方式实现混合所有制。

2. 输电环节混合所有制路径选择

在排除上述输电环节混合所有制路径模式的基础上,根据混合所有制实现路径的基本原理,考虑契合输电环节的业务特点,针对该环节需要解决的深层次问题,本文提出以提高输电环节效率为出发点,以安全和国计民生为底线,在网运分开、主辅分离、规范赢利模式的基础上,对电网垄断环节的国有企业实行国有独资或控股。对于拟采用国有控股的输电网经营企业,可采用改制重组的方式引入非公资本。

引入非公资本改制后,输电网经营企业具有社会和财务双重目标,在政府的有效监管下,既承担公共服务目标,又能实现合理的利润,真正吸引长线非公资本加入。同时,引入非公资本后,投资主体多元化有助于营造以公司章程为基础的契约文化氛围,建立股东会、董事会、监事会、总经理聘任制和任期制的相互制约机制,完善公司治理结构体系和公司运营管理体系。

五、配电环节混合所有制实现路径

(一)配电环节业务特点

1. 配电网是电力普遍服务的重要载体,配电环节直接关乎民生

配电网往往按地、市或县级区域划分,虽然比输电网的影响范围小,但配电网对配送区域内的电力安全和民生普遍服务具有决定性影响。因此,在配电环节的混合所有制改革过程中,必须牢牢守住安全底线和民生底线,保障能源供应安全,维护人民群众根本利益。

2. 智能电网、微电网和分布式发电技术正在成为引领配电环节发展的重要引擎

世界范围内配电网技术发展的前沿主要集中在智能电网、微电网和分布式发电技术三个方面,它们代表了电力生产力发展的最新方向,并以前所未有的力度改变着配电网的形态,推动电力生产和利用方式的革命。因此,改制应该促进新技术在配电环节的应用,

推动配电网的技术升级和发展转型。

3. 配电网模式的转变为混合所有制经济发展创造了条件

配电网正进入大电网、微电网、分布式发电并行发展的新时期，不同类型电网的经营主体产权性质不同，这为发展国有资本、非公资本交叉持股、相互融合的混合所有制经济创造了有利的时机和条件。大电网主要是指输配电一体化经营模式下，由国家电网公司和南方电网公司经营的输电网和配电网。微电网主要是指不属于中央电网企业经营的地方电网以及以工业园区为代表的微电网。分布式发电主要是指接入配电网的新能源和可再生能源发电以及符合国家政策的自备电厂。大电网产权结构单一，微电网和分布式电源的产权结构趋于多样。因此，可以资本为纽带，促进大电网、微电网和分布式发电的产权流动重组，融合发展。

(二) 配电环节需要解决的问题

1. 配电环节发展滞后

配电环节投资主体单一，渠道不畅，与输电网相比建设滞后。随着我国电网从成长发育期逐步过渡到发展成熟期，配电网建设需要巨额的资金投入。但在现行体制下，国有电网企业融资渠道单一，过度依赖城网、农网改造资金等财政投入，发展的内生长效机制缺失，限制了配电网良性发展。

2. 配电环节新技术利用不足

由于发展动力不足，智能电网、微电网、分布式电源、需求侧响应等在配电环节有广阔前景的新技术缺乏有效应用，易于造成我国配电网发展水平落后于世界先进水平，亟需激发微观经济主体的活力和创新能力。

(三) 配电环节混合所有制实现路径的选择

由于配电业务可以由大电网和微电网共同提供，所以需要分别针对大电网和微电网两个板块，制定不同的混合所有制实现路径。

1. 对于大电网的配电业务，实行改制重组

由于输配电由电网企业一体化经营，是单一的国家所有制，有必要通过改制重组，引入社会资本，以减少行政干预，完善公司治理结构。当输配环节没有分离时，输配业务可统一进行改制重组；配电环节也可与输电环节分离，单独进行改制重组。

2. 对于微电网的发展，放宽准入

由电网企业与社会资本共同成立新公司，或直接由社会资本成立新公司，开发建设新的微电网。对于已开发建设的国家所有的微电网，可进行改制重组，引入社会资本。

一方面，微电网经营范围较小，对国家的电力安全影响较小，且地域分散，适合分散经营，从而弱化了其自然垄断属性。社会资本在其经营中的比例可以更高一些，甚至完全由社会资本进行经营。另一方面，微电网的发展建设方兴未艾，有很多新待开发项目，需要成立新的公司来进行开发和运营管理，所以，可以由电网企业与社会资本共同成立新公司，或直接由社会资本成立新公司，开发建设微电网。虽然由社会资本单独成立新公司，在企业内部可能属于单一所有制，但对于配电行业来说，实现了一种宏观上的混合所有制经济。最后，需要指出的是，对于已经由电网企业投资建设的微电网，也可以通过改制重组，引入社会资本，以强化微电网建设的资金和技术资源，完善公司治理结构。由于微电网的开发建设才刚刚开始，微电网业务的混合所有制改革，显然要比大电网更易实施，阻力和风险要小得多。

六、售电环节混合所有制实现路径

（一）售电环节业务特点

与输配环节属于垄断环节不同，售电环节属于竞争性环节，具

有不同于垄断环节的特点。

1. 售电服务具有可替代性和可改进性，属于竞争性环节

党的十八届三中全会的《决定》指出，政府定价范围主要限定在重要公用事业、公益性服务、网络型自然垄断环节；放开竞争性环节价格，提高透明度，接受社会监督。这为售电环节市场化改革提供了政策指引，可以实现优质服务、优质价格，以及建立资源竞价等机制。

2. 客户可以拥有选择权

售电环节更贴近客户端，属于电能销售和购买的交易行为，存在多种客户需求，应该为客户端提供更多的选择权，实现充分的市场竞争，以提高产品和服务质量，提升客户满意度。

（二）售电环节需要解决的问题

1. 售电环节垄断经营阻断电力市场供需双方诉求

虽然发电环节已经初步进行了市场和投资主体多元化改革，具备了市场化运行的体制基础，但是由于售电环节被电网垄断经营，致使发电端无法直接感知市场需求变化，并根据市场需求进行有效资源调配。比如，不能根据需求情况进行电厂建设布局和输电网络优化，造成输电距离增加，能耗损失加大等。这种生产不均衡和输配电不合理往往会造成生产成本攀升，边际效益下降。

同样，对于使用电力的客户端，由用户主导的错峰用电计划、多样化的供电计量方式、动态化的计价方式以及采购方式和使用方式多样化的市场需求无法在目前的售电环节得到满足。

2. 售电企业没有形成完善的公司治理结构

由于长期处在电网主导下的垄断经营状态，致使售电环节不能形成完善的公司治理结构，公司治理机制没能发挥应有作用。只有大力推进非公有产权主体参与的混合所有制，完善公司治理结构，才能开发出有效满足客户端市场需求的产品和服务，才能持续提升售电端企业的市场竞争力。

（三）售电环节混合所有制实现路径的选择

1. 售电环节混合所有制可能采取的路径

(1) 在宏观层面，推进市场主体多元化。在电力工业发电环节和售电环节分别引入竞争机制，在输电和配电环节保持政府监管下的垄断经营，是电力市场化改革的基本模式，也是各国的普遍选择。

对于售电环节，首先要做的是与输配电环节相分离，并放宽准入，实现市场主体多元化，建立一种宏观上的混合所有制。售电环节通过制定准入政策，引入非公企业，形成多元化的市场竞争主体，共同参与售电业务的投资、经营和市场竞争，从而实现充分市场化。

放宽准入后，应重新考虑新设售电公司的数量和种类的布局问题。售电公司的数量必须满足市场充分竞争的需要，避免单个市场主体份额过大，形成新的垄断格局。关于售电公司的种类，可分为政策性售电公司和竞争性售电公司。政策性售电公司需获得售电业务特许许可，是保底公司，直接承接营业区内所有用户普遍服务的职能，可通过基金的方式按照市场定价和政府定价的差价进行补贴。竞争性售电公司的市场化企业，完全按照市场化方式组建，没有营业区的限制，需要获取售电业务许可，在交易中心注册，不承担普遍服务的责任，为具备条件的用户提供售电服务。

(2) 在微观企业层面，积极推进改制重组。对于电网企业自身来说，可单独对售电业务进行改制重组，引入社会和民营资本参股，实现混合所有制经营，当然要在对现有资产、负债进行审计、评估的基础上进行。

(3) 实行员工持股计划，深化混合所有制。由于售电环节改制可能会具体到地市级层面，而地市级公司具有独立法人地位，其经营范围和规模比较小，所以也存在实施员工持股计划的可行性。

2. 三种路径推进的顺序

适应于售电环节的三种路径在现实中推进顺序有所不同。现阶段，可对售电环节先进行市场主体多元化改革，同时对电网企业售电公司内部进行改制重组，而员工持股计划最好在这两个改制方式实施后再予以考虑。因为员工持股计划涉及社会资源二次分配的宏观政策制定。

在售电环节，同时采取市场主体多元化与企业改制重组两种路径，是因为这两种改制都对电力系统的市场化改革起着重要作用。市场主体多元化可以促进电力行业完善市场体系，而改制重组则有利于提高改制企业自身的市场化和公司治理水平。

尽管市场主体多元化有助于增强电力行业的市场化水平，但市场主体多元化实现的是一种外部宏观混合所有制，然而企业内部的混合所有制机制并没有得到充分的挖掘。由多个投资方投资构成单一所有制企业，也存在着优势互补的机会，但市场竞争要素偏弱。因此在市场主体多元化的同时，有必要对电网系统所控制的售电业务进行改制重组，引入非公资本，进而在同一个企业内实现所有制的混合，即微观混合所有制，从而提升内部运营管理水平和成本控制水平。

值得一提的是，根据市场营销理论，生产方如果自建营销渠道，有利于更直接地了解客户需求，从而有利于内部资源配置，最有效地规划和安排生产。所以，对于售电环节的放开准入，除考虑引入多种市场主体外，还应考虑上游发电厂的参与。

七、电力行业实施混合所有制面临的关键问题

（一）非公资本参与积极性的调动问题

虽然发展混合所有制经济的基本政策已明确，但非公资本不敢贸然出击，主要疑虑在于以下三方面：一是电力行业的混合所有制改革是“分蛋糕”还是“甩包袱”？在国家明确开放何种类型市场之前，非公资本方无法消除政府是否会把劣质资源推向市场的顾虑。二是非公资本入股国有资本后，其在混合企业中的持股比例和角色

定位如何?能否取得话语权?这直接决定了市场机制在混合企业中作用发挥的程度。三是混合所有制改革后,电力行业是继续服从政府命令还是遵从市场决定?若电力行业完成混合所有制之后,国家对企业的行政干预依然无处不在,那么民营企业的灵活高效的机制无法有效发挥作用,国有资本的积弊依然得不到清理改善。

(二) 原有资源的公允价值评估与股权分配问题

由于电力行业是关系国计民生的重要行业,在实现混合所有制过程中,国有资本承担着巨大风险。如何防范国有资本流失,是电力行业混合所有制改革过程中以及改革实现后的重要议题。完成混合所有制改革后,电力行业产权链条将被拉长,对国有资本监管的难度将进一步加大,监管机构如何适应新变化,既避免管理“越位”、又不“缺位”?因此,科学准确评估资源的公允价值是推进混合所有制改革的先要条件,是有效保护国家财产安全,防范和杜绝国有资产二次流失的重要手段。对非公资本而言,科学准确评估资源的公允价值也是保障权益的一种必要措施,其中,构建系统的价值评估体系和应用科学的评估方法是最为关键的两个问题。

此外,基于公允价值的股权分配比例也会影响决策权的分配和投资意愿,以及公司治理效果,从而决定着混合所有制改革的实质推行效果。为了消除非公资本在混合所有制改革中的顾虑,调动非公资本的参与热情,挖掘民营企业的潜能,应按照科学标准,公开公正地解决公有资本和非公资本股权分配问题,避免混合所有制改革表里不一。

(三) 在混合所有制企业中,人、财、物、信息等资源的处置权属的界定问题

由于原有体制不同,国有企业和民营企业的人、财、物、信息等资源的配置体系各有千秋。电力行业自身具有投资量大、周期性

强、地域差异大等特点，完成混合所有制改制后，电力企业是否能够遵循市场要求，按照现代企业制度的规则程序进行人、财、物、信息等企业资源的调配控制，是电力行业混合所有制能够有效推动国有企业市场化改革的基本条件。除此之外，电力行业企业完成混合所有制改革后，能否结合国有企业和民营企业双方优势，摆脱传统的行政指令性调配，增强电力行业的灵活性和适应性，也是推动电力行业市场化改革的必然要求。

（四）国家对电力行业市场化运行的法制环境的建设和完善问题

首先，从现有法律法规来说，我国针对发展混合所有制经济的法律法规尚不完善，还有待未来进一步的建立和规范。其次，虽然我国已有针对电能质量的国标要求和电力企业基本服务的规范约束，但仍与构建市场化改革要求有一定距离。尽快出台适应电力行业混合所有制改革的新的《电力法》，将为参与市场的各方提供统一规范的标准，保护市场主体的合法利益，使电力行业混合所有制改革做到有法可依，保证混合所有制在电力行业的改革按预期目标推进。

（五）混合所有制中外资参与混合的“度”的问题

在电力行业混合所有制改革方面，北欧、美国、澳大利亚等国家与地区都有较为成熟完善的体系，可在改革过程中和改革完成后的企业经营和管理方面，为我国提供可借鉴的样本。同时，外资的引入也会在一定程度上激活市场的活力，增强电力市场的敏感性，对我国电力市场交易平台的构建起到重要作用。但电力行业的控制权涉及国计民生的安全，因此，如何既能调动外资的活力，发挥外资的技术与管理优势，又能控制外资进入尺度，是防止全盘外化、避免出现影响产业安全问题的关键。

八、结论

（一）电力行业混合所有制改革要从发电环节和售电环节开始

电力行业混合所有制改革的一个重要目标就是有效发挥“市场之手”的无形作用，即在电力行业形成市场机制，增强电力行业市场信号作用，提高市场价格的敏感性，确立市场在电力资源配置过程中的基础作用。当前，电力行业市场资源配置机制建设进展缓慢的关键原因，就是缺乏灵活的市场交易主体。究其本源，是因为没有赋予电力购买者购电选择权。如果不进行混合所有制改革，开放发电市场和售电市场，就无法形成多买多卖、自主交易的市场机制。如果限制购电人对电力资源的自由选择权，即使开放了发电市场，也只能形成卖方垄断的市场交易格局，与混合所有制改革的初衷相违背。在现有输配电环节暂时没有分开的情况下，只有开放了发电市场和售电市场，为购电人建立一个自由、公平的电力交易平台，电力行业的市场机制才能够初步建立，并开始发挥其重要作用。

（二）输电和配电环节仍主要由国家主导

从国际范围看，多数进行电力市场化改革的国家大体按照“功能分开、电压等级分开、现有产权分开、结构分开”四种模式之一，不同程度地实行了输配分开，并在分开的过程中引入一些外资竞争，打破原有垄断，取得了很大的成效。但从中国电力行业现有情况来说，为了在电力自由市场建立初期，防止电网所有者利用垄断地位限制购电者选择权，阻碍市场贸易，输电和配电环节应继续由公有资本控股，保证电力市场所有参与者的平等用电权利。电力作为国家重要的基础性产业，要在坚持国有的前提下，充分调动地方管理电力企业的积极性，因地制宜发展输电和配电环节。将电力行业一部分管理权下放至地方，不仅能盘活市场，还能为国家减轻成长的包袱，促进电力行业科学发展。

（三）电力行业混合所有制改革要以外部混合所有制为主导，积极探索内部混合所有制

以外部混合所有制为主导，积极探索内部混合所有制，可以盘活资本，将电力资源开发和使用列入规划以加入中国经济建设中。同时，还可以消除各方阻力，确定市场调节在电力资源配置中的决定性作用。基于共享经济学说，物质资本投入者和人力资本投入者都要分享企业的利润，推行员工持股计划是大势所趋，可在一定程度上激励员工的工作积极性，增强企业内部的凝聚力。至于人力资本投入者应该分享利润的比例大小，要依据行业的性质和人力资产在该行业或该企业创造利润中的作用大小再做定夺。此外，推行员工持股计划要有法可依，有政策可依，实现规范化，以免在改革过程中出现亡羊补牢的困境。

（四）混合所有制改革在电力行业各环节的路径选择应有所不同

基于各个环节自有业务特点及混合所有制现状，本文提出了相应的混合所有制的改制路径。发电环节可供选择的改制路径主要有四种，即企业上市、加大引入非公资本、合作成立新公司以及推行员工持股计划。输电环节在经济方面有较强的自然垄断属性，可推进改制重组、引入非公资本，以实现投资主体多元化。配电环节以大电网为主，以微电网为辅，同样具有显著的自然垄断属性，实行改制重组，适当引入非公资本，鼓励微电网的发展完善，在电网企业的主导下合作成立新公司，是落实配电环节混合所有制改革的有效路径。售电环节产品和服务可替代性强，可将售电环节与输配电环节分离，放宽市场准入标准，实现市场主体多元化，并启用合理的改制重组方案，实施员工持股计划，全面提高电力行业的市场化水平。

参考文献

1. 曹立:《混合所有制研究》,广东人民出版社 2004 年版。
2. 陈永杰:“混合所有制经济约占我国经济总量 1/3”,中国行业研究网,2014 年 2 月 18 日。
3. 陈宗法:“电改八年:催生发电行业六大变化”,《中国电力企业管理》2010 年第 9 期。
4. 高江虹:“国企改革重头戏接力上演　国资更多用于改善民生”,新华网,2013 年 12 月 20 日。
5. 黄群慧:“新时期如何积极发展混合所有制经济”,《行政管理改革》2013 年第 12 期。
6. 厉以宁:《中国经济双重转型之路》,中国人民大学出版社 2013 年版。
7. 厉以宁:《厉以宁论文集:2008—2010》,中国大百科全书出版社 2009 年版。
8. 厉以宁、孟晓苏、李源潮、李克强:《走向繁荣的战略选择》,经济日报出版社 2013 年版。
9. 厉以宁、石军:《中国经济改革警示录》,人民出版社 2013 年版。
10. 厉以宁:“中国道路与混合所有制”,《中国市场》2014 年第 23 期。
11. 厉以宁:“论新公有制企业”,《经济学动态》2004 年第 1 期。
12. 刘纪鹏:“大船掉头——我与国电公司的五年”,人民东方出版传媒 2013 年版。
13. 万华炜:《中国混合所有制企业产权制度研究》,中国经济出版社 2009 年版。
14. 王刚、景维民、何立胜:“经济转型中的混合所有制形成与发展”,《贵州财经学院学报》2007 年第 2 期。
15. 王亚仑:“我国电力体制变革中的发电行业竞争格局分析”,《东南大学硕士论文》,2008 年。
16. 王祖强:《社会主义所有制理论的创新与发展》,中国经济出版社 2005 年版。
17. 武建东:《深化中国电力体制改革绿皮书纲要》,光明日报出版社 2013 年版。
18. 钟长明:“我国混合所有制生成和发展研究”,《南昌大学硕士论文》,2009 年。

（童光毅,北京大学光华管理学院）

支持混合所有制经济发展的财税政策研究

李旭鸿

党的十八届三中全会决定指出“国有资本、集体资本、非公有资本等交叉持股、相互融合的混合所有制经济，是基本经济制度的重要实现形式”，这是新形势下中国特色社会主义市场经济的又一次创新和发展。2014 年 3 月 5 日国务院总理李克强在第十二届全国人大二次会议上做政府工作报告时说，“要在金融、石油、电力、铁路、电信、资源开发、公用事业等领域，向非国有资本推出一批投资项目。优化国有经济布局和结构，加快发展混合所有制经济，建立健全现代企业制度和公司法人治理结构”。在新形势下,发展混合所有制经济,涉及诸多财税政策问题,对此,笔者提出几点思考和建议。

一、混合所有制经济的理论基础和国际实践

现代市场经济是高度社会化、市场化的商品经济,是在国家宏观调控和市场机制的共同作用下运行的混合经济。我国在从计划经济向市场经济转型中,改变产权关系始终是一个非常重要的话题。产权关系是以一定的所有制关系为基础的。混合所有制的理论,是在对传统产权理论不断创新的基础上形成的。经典的产权理论认为,"所谓产权,意指使自己或他人收益或受损的权利";"产权是社会的工具,其意义来自于这样一个事实:在一个人与他人做交易时,产权有助于他形成那些他可以合理持有的预期"[1]。因此,"本质上,产权是一种排他性的权利"[2]。进一步分析可以发现,产权界定的内涵包括三个层次:一是资产所有权归属关系的确定;二是同一所有权主体内部所有权与占有权、使用权、收益权、转让权等行为权利的不同分割与组合的界定;三是不同所有权主体间行使其财产行为权利的界定,即产权界定包括终极所有权的界定。因此,产权界定包括同一所有权主体内终极所有权与行为权利的界定,以及不同所有权主体间产权的界定。

在西方发达国家,混合所有制的经济形式出现得比较早,只不过早期西方国家是以私有制为基础和主体的。因此,混合所有制在很大程度上只是服从并服务于市场经济。后来,随着西方市场经济的发展,产生了国家资本主义的经济实体,于是,在国家宏观调控和市场机制的共同作用下,形成了混合所有制。

---

〔1〕〔美〕R. 科斯、A. 阿尔钦、D. 诺斯:《财产权利与制度变迁》,上海三联书店1991年版,第97页。

〔2〕〔美〕诺思:《经济史中的结构和变迁》,上海三联书店1991年版,第21页。

法国是世界上国家宏观调控较多的资本主义国家，混合所有制比较盛行。在法国的市场经济体制模式中，既有强烈的国家干预特征，又有自由经济的特征，兼具市场机制调节和国家指导的特点。日本的现代经济体制通常被称为“政府指导型的市场经济体制”，其基本特征是：以私人企业制度为基础，但政府对国民经济运行会进行必要的干预，资源按市场原则进行配置。这种公私并存状态，使得资源按市场原则进行配置，同时政府以强有力的国民经济发展计划和产业政策，对经济运行进行干预。英国是最早进行工业革命的资本主义国家。在产权制度上，英国实行私人企业制度和国有化相结合的混合所有制。在经济调节机制上，实行国家计划和自由市场相结合、国家干预与自由竞争并重的政策。第二次世界大战后，在美国兴起了一批原子能工业、宇航工业等新兴部门、军事部门方面的国营企业，这些国营企业或由政府自己经营，或出租给私人垄断资本集团经营。同时，美国在政府干预经济的同时，并未放弃自由经济的传统，而是将二者较好地结合在一起，呈现出一种典型的混合经济状态，在宏观层次上显现出国营部门与私人企业之间的互补状态。在具体的运作中，无论是国营部门还是私人部门，都要按照市场化从事经营活动。

虽然西方发达资本主义国家的混合所有制经历了很长时期的发展，且各方面都较为完善，为其经济增长提供了足够的动力，为我国混合所有制和混合经济的发展提供了较好的借鉴，但也存在较多问题。实际上，面对西方发达资本主义国家多种多样的混合所有制理论和实践模式，我们应根据具体国情，明智、理性地学习借鉴其成功经验，从而不断完善我国混合所有制的经济体制和运行机制。

二、我国发展混合所有制经济的主要路径

2014 年 7 月 15 日下午，国务院国资委召开“四项改革”试点新

闻发布会，探索发展混合所有制经济的有效路径是其中重要的一项内容。通过试点，探索多种所有制经济交叉持股、相互融合的有效途径，探索混合所有制企业的治理结构和管理模式，探索建立职业经理人制度、市场化劳动用工制度和激励约束机制，探索混合所有制企业员工持股，加强监管、防止国有资产流失的方法与途径。〔1〕

从20世纪90年代开始，我国实施允许国内民间资本和外资参与国有企业改组改革的政策，国有企业包括金融企业大量上市，大大促进了混合所有制经济的发展。到2012年，我国已有2 494个境内上市公司，股票市值达23万亿元，占当年国内生产总值的43%，股票有效账户数14 046万户。中国上市公司相当大部分是由国有资本参股控股的，它们是典型的混合所有制经济。发展混合所有制经济，有利于国有资本放大功能、保值增值、提高竞争力，有利于各种所有制资本取长补短、相互促进、共同发展。经济制度是国民经济得以顺利发展的体制保障，创新和发展混合所有制经济体制，就是要在宏观上坚持公有制的主体地位，同时大力发展多种所有制，在微观上容许国有资本、集体资本和非公有资本交叉持股、相互融合形成新的混合所有制，这应当成为我国基本经济制度的重要实现形式。

一是完善政策法规，切实保障市场主体的合法权益。产权是现代企业制度的核心，要以完善产权应该受到公平保护为前提，清理现行有关产权的法律与法规。按照十八届三中全会“公有制经济财产权不可侵犯，非公有制经济财产权同样不可侵犯”的精神，对不能保护各类市场主体合法权益的规定，要及时修改或者废止，取消对非国有产权的歧视和限制，做到各类所有制市场主体一视同仁。加

〔1〕 宣传工作局：“国务院国资委举办‘四项改革’试点新闻发布会”，国务院国资委官方网站，http://www.sasac.gov.cn/n1180/n1566/n259730/n264168/15962412.html。

强对各类市场主体的保护，切实同等保护法人和自然人的资产、收益等财产权以及其他合法权益，严格依法行政，打击非法占有或损害市场主体合法权益的行为。

二是不断深化改革，推进国资控股的混合所有制。要推进国有企业的管理体制和运行机制的实质性改善，国企要通过国有股减持、增资扩股、发行可转债、管理层和员工持股等方式，吸收社会资本、非公资本，允许国有资本与非公资本通过合资合作建设新项目、组建新公司，从而建立国有资本控股的混合所有制企业。坚持市场导向和效益优先原则，使资本的联合或融合在法制框架内自主完成，做好国有资本的去行政化，不搞行政主导的“拉郎配”。充分尊重企业的经营自主权，不得随便干预不同性质企业间正当经营与重组行为，实现“政企分开”和“政资分开”。

三是完善产权市场，发展非公经济控股的混合所有制。加快建立和完善公平、公正、公开、规范、有序的产权交易市场，将有形资产、无形资产等各类资产的交易纳入产权市场，并实现全国产权交易市场联网，鼓励国有等资本通过产权交易市场进行交易，使产权市场成为各类市场主体有序竞争、资本流动、资产重组、扩张发展的平台。积极探索特许经营权、预期收益权、知识产权、债权等权益通过产权市场进行交易，催生更多民营企业控股的混合所有制企业，促进社会上分散、沉淀的资金资本化、资本市场化和资产证券化。

四是发展新型的“公众公司”的混合所有制形式的公有制经济。这种公有制经济，基本的控制结构可能是：主要投资者是参股的国有股、养老基金、广大国民投资形成的投资基金、其他法人等投资者，可以有不控股的私人投资，公有程度不同的股份合起来可以控制企业，不是传统的国有或者集体资本控股的股份制企业。事实上发达国家大型上市公司大多数是这种公司，通常被叫作公众公司，也可以被看作公私混合性质的社会公有制企业。中国公有制企业，过去主要是指国有企业和集体企业，以后各种新型的公有制形式的企业会更多些。传统公有制企业是国家或集体必须控股的企业,而新型公有制企业包括由代表众多投资者的机构共同控制、不被某个私人控股或控制的企业。这种新型公有制企业的代表就是非私人控制的上市公司,包括美国爱迪生创立的GE、比尔·盖茨创立的微软。企业的公有性质主要体现的是:其投资者及受益者是分散的广大国民,不被私人控制。

五是集体所有制企业可用混合所有制经济的形式发展。这个问题是解决集体所有制企业改革所需要的改革措施。中国还存在不少集体所有制企业。过去十来年,集体所有制企业改革领域一直存在政策真空,需要补课。发展混合所有制经济,将推动这些企业进一步的改革和发展。

六是私人企业可变成混合所有制的新型社会公有制企业。企业做大了就不是企业投资者的了,就成为了全社会共有的财富。这类企业先从私人和企业不分的私人企业,转变为私人控股的私人企业;以后企业发展乃至上市,私人股份比例下降;最后其中一部分私人控股的上市公司逐步变成私人不控股的社会化的混合所有制企业。发展混合所有制经济,部分国有企业和民营企业将殊途同归,都通过各自路径逐步演进成为社会所有制的混合所有制企业。

三、发展混合所有制经济涉及的财政税收政策问题

(一)国有资产流失与资产评估问题

依照《国有资产评估管理办法》及相关规定,国有资产占有单位有下列情形之一的:资产拍卖,转让,企业兼并,出售,联营,股份经营,与外国公司、企业和其他经济组织或者个人开办中外合资经营企业或者中外合作经营企业及其他形式企业,企业清算,都应当进行资产评估。资产评估,即资产价值形态的评估,是指专门的机构或专门评估人员,遵循法定或公允的标准和程序,运用科学的方

法,以货币作为计算权益的统一尺度,对在一定时点上的资产进行评定估算的行为。资产评估的结果即作为企业改制、交权交易等活动的法律依据。国有资产负有管理或者经营责任的单位或者个人,在履行其职责的过程中,违反法律、法规和有关规定,致使国有资产财产权遭受损失,往往发生了国有资产流失。正因为如此,判断国有资产流失与否,资产评估可以说是个重要环节。根据我国目前法律、行政法规和国家有关国有资产管理的规定,可以将国有企业改革中较常见的国有资产流失形式概括地划分为八类。[1]其中,与资产评估有关的情形是重要原因,即在发生应当进行国有资产评估情形时,不按规定进行资产评估,或者先剥离一部分净资产再评估、随意压低评估值;或者在进行国有产权转让和处置国有资产时,违反规定,无偿地或者以明显低于市场的价格将国有产权和国有资产转让给非全民单位或者个人;或者在企业改制时,违反规定,将国有资产低价折股、低价出售或者无偿分给个人。

---

〔1〕 李光林:"国有企业改革中国有资产流失的主要形式、原因及对策建议",http://www.sasac.gov.cn/n1180/n1271/n4213364/n4213672/n4222580/5590151.html,访问时间2014年7月14日。八类形式具体为:一是在发生应当进行国有资产评估情形时,不按规定进行资产评估,或者先剥离一部分净资产再评估、随意压低评估值;二是在进行国有产权转让和处置国有资产时,违反规定,无偿地或者以明显低于市场的价格转让给非全民单位或者个人;三是在企业改制时,违反规定,将国有资产低价折股、低价出售或者无偿分给个人;四是在国有资本与财务管理中,违反国有资本与财务制度,私分、隐瞒收益,随意投资、随意担保、非法侵占国有资产;五是在行使企业经营权时,滥用经营权,侵占国家所有权益;六是在股份制企业和中外合资、合作企业中,对损害国有股权益和中方权益的行为不反对、不制止;七是在行使出资权、监督管理权时,违反规定,非法干预企业经营权;八是通过大量投资设立境外企业或境外控股壳公司,将国有企业或国有资产划转至境外,弱化约束管理,自行处置经营收益,甚至将国有资产转移至以个人名义开设的境外公司中,造成国有资产流失。

（二）财政资金支持混合所有制经济发展问题

我国的国有经济主要分布在战略性支柱性产业、先导性产业、国民经济命脉产业、涉及人民生产生活保障的产业等。目前的状况往往是依靠国有经济、国有企业的自我积累来支撑这种扩张需求，或者依靠一定的财政支持或政策性融资来支撑。在财政进一步向公共职能转变，以及强调国有经济收益要有适当比例上缴用于充实社会保障基金的政策要求下，国有经济所控制的产业要实现快速扩张将面临更为严峻的资金紧张局面。

（三）混合所有制经济体制与国有资本经营预算制度完善问题

十八大报告指出，完善国有资本经营预算制度，提高国有资本收益上缴公共财政比例，2020 年提到 30%，更多用于保障和改善民生。这是深化国有企业改革、改善国有经济布局、增强国有企业社会责任的重大举措，是坚持和完善基本经济制度的客观要求。所谓国有资本经营预算，是指反映政府出资人以资本所有者身份取得的收入和用于资本性支出的预算，反映了国有资本所有者与国有资本经营者之间的收益分配关系。国家作为国有资本投资者依法取得国有资本收益，是应当享有的权利，也是建立国有资本经营预算制度的基础。国有资本经营预算的收入是指各级人民政府及其部门、机构履行出资人职责的企业（即一级企业，下同）上缴的国有资本收益，主要包括：国有独资企业按规定上缴国家的利润，国有控股、参股企业国有股权（股份）获得的股利、股息，企业国有产权（含国有股份）转让收入，国有独资企业清算收入（扣除清算费用），以及国有控股、参股企业国有股权（股份）分享的公司清算收入（扣除清算费用）以及其他收入。〔1〕在混合所有制经济的模式下，如何完善

〔1〕《国务院关于试行国有资本经营预算的意见》（国发[2007]26 号）。

国有资本经营预算收入制度，是一个新的命题。

（四）发展混合所有制经济中，国有资本重组转让环节的税收问题

发展混合所有制经济，必然涉及国有企业、民营企业之间的企业重组问题。企业重组实际上是由当事各方之间的一系列资产转让、股份交换和资产置换等货币资产交易和非货币资产交易构成，是大规模普通资产交易的组合。按照企业所得税法及其实施条例的有关规定，对于非货币性资产交易，企业应在交易发生时按照公允价格（市场价格）确认的交易收入，扣除该非货币性资产账面净额、交易相关税费等支出后的余额，即应纳税所得额缴纳企业所得税。〔1〕对于企业重组也应按资产交易税收处理原则，在重组发生时确认转让所得，并缴纳企业所得税。但由于企业重组涉及资产交易量较大，有时甚至是一个或几个企业几乎全部经营性资产，且主要以非货币性交易为主，现金流一般较少。在这样的情况下，企业如果按照一般资产交易要求在交易发生当期确认所得，并缴纳税收，会给企业带来较大的现金流负担。同时，重组股权、资产的交易还涉及个人所得税、契税、印花税以及土地增值税等税收问题。

（五）混合所有制企业员工持股涉及的个人所得税问题

国有企业属于全民所有，发展混合所有制经济，为了维护企业员工的利益，体现国有企业的全民所有制性质，可以推行员工持股这种做法，这和经营者控股不完全一样。事实证明，员工持股对于调动员工积极性有很大好处。允许混合所有制经济实行企业员工持股，形成资本所有者和劳动者利益共同体，这是深化国有企业改

〔1〕《中华人民共和国企业所得税法》、《中华人民共和国企业所得税法实施条例》。

革的一项重要措施。国家应积极探索混合所有制经济实行企业员工持股的有效途径和办法，努力取得新突破和新成效。企业员工持股以后，无论上市或者不上市，个人股权转让的转让方是自然人股东，其转让所得主要涉及个人所得税。如果按照现行20%的税率征税，对于员工持股来说，税收负担比较高。

四、发展混合所有制经济有关财税政策完善建议

（一）加强和完善资产评估工作，防范国有资产流失

国有资产是全国人民的共同财产。防止和制止国有资产流失，促进国有资产保值增值，需要全社会的共同努力。在国企混合所有制改革中，有很多办法可以防范国有资产流失，关键一招是做好资产评估和估价。可以请多家机构尤其是一些声誉好、权威、尽责的专业机构对其进行评估。只要抓好资产评估这一环节，避免权钱交易、内幕交易，就能防范国有资产流失。加强国有资产产权基础管理工作，建立现代产权制度。现代产权制度以“归属清晰，权责明确，流转顺畅，保护严格”为其主要内容。国有资产产权基础管理工作包括产权登记、产权界定、清产核资、资产评估等项内容，服务于现代产权制度。国有资产监督管理机构通过产权登记，可以确认占用单位国有资产的国家所有性质，可以掌握占用单位国有资产的经营状况和产权变动状况。各中央企业要充分认识产权登记的重要性，在对外投资、资产划转、产权转让、合并分立、企业改制等经济活动中严格按照有关规定办理产权登记。通过产权界定，可以明确财产归属，排除流失的隐患；通过清产核资可以查清资产、核实企业财产占用量，核定国家资本金，摸清家底；资产评估是维护国有产权合法权益的重要手段，评估结果是资产作价的基础依据。通过资产评估管理，可以把住关口，有利于保证国家在企业改组、改制、兼并、拍卖、中外合资经营、中外合作经营过程中的合法权益。这些基础管

理工作具有发现和堵住国有资产流失漏洞的功能。同时,为推进国有经济布局和结构的战略性调整,保证混合所有制经济改革的顺利进行,促进国有资本合理流转,防止国有资产流失,各中央企业要严格规范企业国有产权转让行为,加强对产权转让的全过程管理;制定相应的法律、法规和规章、制度,加强政策性预防工作。

(二)财税政策引导社会资金投入国有经济所在产业

经过改革开放三十多年的发展和积累,我国社会资金是非常充足的,民间的投资热情和投资能力也是十分高涨的,他们热切地寻求着有良好成长空间和赢利机会的投资领域。进一步放开发展混合所有制经济的政策,同时,出台有关的财政资金支持和税收优惠政策予以鼓励,无疑为国有经济所在的产业和亟需良好投资空间和机会的民间资本提供了双向利好的政策通道,亟需发展壮大的战略性产业和大量过剩的民间资本将会通过混合所有制经济的发展而获得双赢的机会。

(三)完善国有资本经营预算制度,提高国有资本收益上缴比例

完善国有资本预算制度,需要处理好国有资本经营预算与公共预算的关系,进一步完善国有资本经营预算管理体系,完善国有资产出资人制度,改善国有资本经营预算制度环境。下一步,结合混合所有制经济的发展,完善国有资本经营预算制度的主要思路包括:一是研究扩大中央国有资本经营预算试点范围。中央国有资本经营预算收支范围目前仅限于在国资委监管中央企业、中国烟草总公司和中国邮政集团公司试行。金融企业和铁路、交通、教育、文化、科技、农业等部门所属中央企业均未纳入中央国有资本经营预算试行范围。下一步将在理顺部门关系的前提下,进一步研究扩大试点范围。二是完善国有资本收益收取政策。针对目前国有资本收益收取比例过低,不利于遏制央企盲目投资和国企结构调整的

状况，适当提高国有资本收益的收取比例。三是推动地方国有资本经营预算试点工作，做好汇总编制全国国有资本经营预算准备工作。[1]建议根据国有企业发展实际，有差别、分步骤地提高国有资本收益收取比例，到2020年国有资本收益上缴公共财政比例达到30%。

（四）完善发展混合所有制经济时企业重组税收政策

为支持企业兼并重组、做大做强，国家已经出台了相关税收政策。随着国有企业改革的深入，包括国有股划转给国家养老基金工作的推进，这种新型的混合所有制形式的公有制经济，在未来3—5年应该会有比较大的发展。发展新型的混合所有制形式的公有制经济，也有许多需要解决的重要税收课题。《国务院关于进一步优化企业兼并重组市场环境的意见》（国发[2014]14号）要求："完善企业所得税、土地增值税政策。落实增值税、营业税等政策。"据此，我们提出如下完善税收政策建议：

1. 关于企业所得税政策问题

为避免重组对企业正常生产经营活动带来影响，各国对符合条件的重组业务制定了特殊税收处理办法。主要做法是对符合一定条件的重组交易，通过锁定相关资产计税基础的方式，将相关资产转让所得暂时不显现出来，以达到推迟缴纳企业所得税的目的。从上述操作方式上看，国外企业重组的特殊税务处理，主要针对的是相关资产转让所得实现原则的调整，即将相关资产转让所得在重组时暂不实现，而是在将来再次转让时一并确认，以达到递延纳税的政策效果。在2008年以前，按照《国家税务总局关于企业股权投资业务若干所得税问题的通知》（国税发[2000]118号），企业只有发

---

[1] 财政部："国有资本经营预算编制情况"，http://www.mof.gov.cn/zhengwuxinxi/caizhengshuju/201005/t20100511_291391.html。

生整体资产转让，即100%的资产转让，且支付对价中，非股权支付低于20%的，经税务机关审核确认，才可以暂不确认资产转让的所得。在2008年实施《企业所得税法》及其实施条例以后，国务院财政、税务主管部门出台了《财政部　国家税务总局关于企业重组业务企业所得税处理若干问题的通知》（财税[2009]59号）。借鉴欧盟、美国、日本等国家与地区企业重组规定做法，这些国家与地区仅允许上市公司通过收购其股票达到一定规模以上，才能享受递延纳税的优惠政策，例如，法国规定比例是75%，美国规定是80%。综合考虑世界上其他国家的规定和我国企业重组的现状，财税[2009]59号文将符合一定条件重组业务给予的递延纳税优惠的条件，从原来的整体（100%）转让调整为不低于85%。今后，建议根据企业所得税法的执行情况，结合混合所有制经济发展和企业重组过程中出现的新问题、新情况，在充分调查研究的基础上，按照统一税制的要求，及时完善相关政策。

2. 关于个人所得税政策问题

我国对法人与自然人分别实行不同的所得税制。对于法人在我国适用《企业所得税法》及其实施条例，征收企业所得税；对于自然人在我国适用《个人所得税法》及其实施条例，征收个人所得税。《财政部　国家税务总局关于企业重组业务企业所得税处理若干问题的通知》（财税[2009]59号）是按照《企业所得税法》及其实施条例制定的，主要适用法人企业和法人出资人。对于自然人出资人，在企业重组过程中，应按照我国《个人所得税法》及其实施条例的有关规定执行，而不能适用财税[2009]59号的相关规定。在个人所得税方面，考虑到企业重组过程中，自然人参与重组所持的股权一般需要按照市场定价原则进行重新确认，实际上财富的增值所得已经实现，因此理应征收个人所得税。此外，相对法人而言，自然人更具流动性，可以同时开办若干家企业并进行诸多关联交易，且当前很多私营企业多采取核定征税方式，有的私营企业存在税法遵从不规范等问题，如果参照财税[2009]59 号的相关规定执行，其后续税收监管难度也很大。为此，目前不宜对自然人重组事项参照财税[2009]59 号的相关规定执行。今后，建议将根据个人所得税法的执行情况，结合自然人重组过程中出现的新问题、新情况，在充分调查研究的基础上，及时完善相关政策。

3. 关于契税政策问题

考虑到同一投资主体内部所属企业之间土地、房屋权属的划转，包括母公司与子公司之间，同一公司所属全资子公司之间，同一自然人与其设立的个人独资企业、一人有限公司之间土地、房屋权属等划转事项，其房屋、土地转移前后，转让方和承受方仍属于同一投资主体，可视同为房屋、土地权属未发生变化。为此，《财政部 国家税务总局关于企业事业单位改制重组契税政策的通知》（财税[2012]4 号）第八条规定，企业内部全资企业之间的土地、房屋权属的无偿划转，免征契税。但对于企业集团内部控股企业之间的房屋、土地转移前后，转让方和承受方所属投资主体构成并不相同，其房屋、土地权属实际发生了转移，按照我国契税暂行条例的有关规定，属于应税范围，需要缴纳契税。此外，财税[2012]4 号文件对符合一定条件的企业合并、分立、企业出售、债权转股权等交易事项可以享受契税优惠政策。对于企业集团内部控股企业之间的房屋、土地转移事项，如果符合财税[2012]4 号有关企业合并、分立、企业出售、债权转股权等优惠条件的，可以享受相应的契税优惠政策。

4. 关于印花税政策问题

《财政部　国家税务总局关于企业改制过程中有关印花税政策的通知》（财税[2003]183 号）曾明确，对实行公司制改造的企业在改制过程中成立的新企业（重新办理法人登记的），其新启用的资金账簿记载的资金或因企业建立资本纽带关系而增加的资金，以合并或分立方式成立的新企业，其新启用的资金账簿记载的资金，新增资金予以印花税免税优惠政策；企业改制前签订但尚未履行完的各类应税合同,改制后需要变更执行主体的,对仅改变执行主体、其余条款未做变动且改制前已贴花的,予以免税;企业因改制签订的产权转移书据予以免税。为了促进资本市场的健康发展,国家对证券(股票)交易印花税税率进行过多次调整,税率总体呈下调趋势,从最高时按6‰税率双边征收逐渐降低到目前仅对出让方按1‰税率单边征收,股票交易环节的税收负担已大大降低。国有股划转社保基金的过程中涉及的印花税问题在税负降低的情况下,还可以继续予以研究。

5. 关于土地增值税、增值税和营业税政策的落实问题

根据《国务院关于进一步优化企业兼并重组市场环境的意见》(国发[2014]14号)有关要求,应该完善企业单位改制重组土地增值税统一政策制订工作计划,在梳理企业改制重组形式的基础上,对各种形式涉及的房地产转移进行分类研究,制定相关土地增值税政策,企业改制符合政策规定的,均可以享受相关土地增值税减免优惠。为加快调整优化产业结构,促进企业兼并重组,国家税务总局于2011年、2013年先后发布《国家税务总局关于纳税人资产重组有关增值税问题的公告》(2011年第13号)、《国家税务总局关于纳税人资产重组有关营业税问题的公告》(2011年第51号)、《国家税务总局关于纳税人资产重组有关增值税问题的公告》(2013年第66号),明确纳税人在资产重组过程中,通过合并、分离、出售、置换等方式,将全部或者部分实物资产以及与其相关联的债权、负债和劳动力一并转让给其他单位和个人,不属于增值税、营业税的征税范围,其中涉及的货物转让,不征收增值税,涉及的不动产、土地使用权转让,不征收营业税。发展混合所有制经济以及企业重组过程中涉及的增值税和营业税的政策已经明确。

(五)完善混合所有制经济中员工持股的股权所得税政策

员工持股的形式主要有股票期权、股票增值权、限制性股票等

方式。国家为了鼓励上市公司对员工实施股权激励政策，先后下发了《财政部 国家税务总局关于个人股票期权所得征收个人所得税问题的通知》(财税[2005]35号)、《国家税务总局关于个人股票期权所得缴纳个人所得税有关问题的补充通知》(国税函[2006]902号)、《国家税务总局关于股权激励有关个人所得税问题的通知》(国税函[2009]461号)、《财政部 国家税务总局关于股票增值权所得和限制性股票所得征收个人所得税有关问题的通知》(财税[2009]5号)、《财政部 国家税务总局关于上市公司高管人员股票期权所得缴纳个人所得税有关问题的通知》(财税[2009]40号)、《国家税务总局关于个人所得税有关问题的公告》(2011年第27号)等一系列个税文件，对符合上述条件的员工取得的股权激励所得给予不直接并入当月所得，而是平均分配到实际在境内工作月份，长于12个月按12个月进行计算单独缴纳个人所得税的税收优惠政策。今后，对于一般的混合所有制企业，建议参照上述规定研究完善员工持股涉及的个人所得税政策，支持员工持股工作的顺利推进。

参考文献

1. 陈健、毛霞："西方混合所有制经济发展模式的比较和借鉴"，《经济理论研究》2007年第2期。
2. 程志强："积极探索国有企业发展混合经济的路径"，《人民日报》，2014年6月4日。
3. 崔学兰、马春宏："经济体制改革后国有企业面临的新挑战"，《山西财经大学学报》2006年第28卷第1期。
4. 厉以宁："在调查混合所有制中发现的几个误解"，《北京日报》，2014年3月10日，第17版。
5. 厉以宁：《非均衡的中国经济》，中国大百科全书出版社2009年版。
6. 厉以宁：《中国经济双重转型之路》，中国人民大学出版社2013年版。
7. 林毅夫："关于制度变迁的经济学理论：诱致性变迁和强制性变迁"，《财产权利与制度变迁》，上海三联书书店、上海人民出版社1994年版。

8. 邱海平:“论混合所有制若干原则性问题”,《学术前沿》2014 年第 3 期。
9. 唐未兵:“三十年所有制改革的理论与实践”,《光明日报》,2009 年 1 月 20 日,第 10 版。
10. 万华炜:“中国混合所有制经济的产权制度分析”,《中南财经政法大学学报》2007 年第 6 期。
11. 王恒:“西方国家发展混合所有制经济的借鉴与启示”,《湖北经济学院学报》2007 年第 4 卷第 1 期。
12. 周林生:“发展混合所有制经济是市场机制必然要求”,《南方日报》,2013 年 12 月 30 日,第 2 版。

(李旭鸿,北京大学光华管理学院)

混合所有制与中小企业发展问题研究

潘江 铁钊

在当前我国经济发展的战略转型期，调结构、转方式与稳增长、促就业成为中国“经济天平”两端的平衡砝码，而中国经济经历了三十多年的快速增长后，摒弃以往高能耗、低附加值的粗放型经济增长方式，亟待寻找新的动力。党的十八届三中全会《决定》提出“国有资本、集体资本、非公有资本等交叉持股、相互融合的混合所有制经济”，为我国经济发展指出了新的方向，也将成为当前和今后一段时期推进全面深化改革，促进经济转型升级的有力抓手。混合所有制经济的发展离不开国有经济以外的其他所有制，而中小企业占据了集体经济、非公有制经济的绝大多数，若没有中小企业参与，混合所有制经济的发展就很难实现。

一、发展混合所有制经济的重要意义

十八届三中全会后，混合所有制经济的概念迅速升温，成为国内外媒体争相报道的焦点，实际上这并不是混合所有制经济的首次出现。1993 年，十四届三中全会通过了《中共中央关于建立社会主义市场经济体制若干问题的决定》，并首次提出“混合所有经济”概念，把党的十四大确定的经济体制改革的目标和基本原则加以系统化、具体化，这是中国建立社会主义市场经济体制的总体规划。党的十五大对混合所有制经济做出了更加细致的规定，提出了股份制改革的概念。十六大报告也提出了促进混合所有制经济发展。党的十八届三中全会《决定》指出，要积极发展混合所有制经济：“允许更多国有经济和其他所有制经济发展成为混合所有制经济。国有资本投资项目允许非国有资本参股。允许混合所有制经济实行企业员工持股，形成资本所有者和劳动者利益共同体。”十八届三中全会《决定》提出了混合所有制经济是我国基本经济制度的重要实现形式这一论断，赋予了混合所有制经济前所未有的重要地位。

混合所有制经济有利于调整产业结构，实现资源优化配置，促进资本主体多样化、社会化。混合所有制经济在日益成熟和壮大过程中，所具有的经济实力和积累起来的组织资本，不仅有效地利用了自有资源，且通过兼并重组，输出组织资本，在更大范围内实现了资源的有效配置。[1]混合所有制经济的发展伴随着国有企业的股份制改造和民营企业的发展壮大，股份制企业作为拉动我国税收增长的主力必将进一步提高我国的财政收入，而民营经济特别是广大

---

〔1〕 参见葛扬：“混合所有制经济有效推动中国经济健康发展”，《中国社会科学报》，2014 年 5 月 28 日，第 A04 版。

中小企业的发展将会提供大量的社会新增就业岗位，吸纳社会剩余劳动力，从而进一步解放生产力，激发社会活力，有利于社会的长治久安。

混合所有制经济的发展有利于进一步推动国有企业的深化改革和国有经济发展壮大。改革开放特别是进入新千年以来，以央企为代表的国有企业获得了突飞猛进的发展，国有经济在能源、通信、金融、基础设施等关系国民经济命脉的重要行业和关键领域占支配地位，为我国经济社会发展做出了巨大的贡献，但其行政资源、垄断经营和超高的福利也在社会上饱受诟病。混合所有制不是一味地减少国有经济的持股比例，相反，通过发展混合所有制还要进一步壮大和加强国有经济的质量和规模，有利于进一步推动国企改革。〔1〕

混合所有制的发展有利于促进以中小企业为代表的民营经济发展，激发社会活力和新的经济增长点。国有资本、集体资本、非公有资本等交叉持股、相互融合，提高了国有企业的运转效率，增强了民营企业的社会竞争力，相互融合的股权机制加速了企业内部资本周转，股东之间形成了利益共享、风险共担、优势互补的共同体，一切以企业利润为衡量标准，能够集中力量办大事。同时，不同所有制经济体的交叉持股有利于发挥各自的优势，取长补短，迅速抓住商机，形成规模经营。混合所有制经济依赖于产权明晰、权责分明的法人治理结构，这也有助于我国的企业摆脱国有企业的行政束缚和民营经济的不规范经营。

二、实现混合所有制的路径选择

混合所有制要“混”的是国有资本、集体资本、非公有资本，混

---

〔1〕 参见何自力：“混合所有制经济：性质、目的与根本方向”，《学术前沿》2014 年第 5 期上，第 62—68 页。

合所有制的发展离不开国有企业、集体企业和民营企业的交叉持股和深度融合。国有企业在某种程度上代表的是计划。民营企业在某种程度上代表的是市场，经济发展的一般规律告诉我们这两者是缺一不可的。混合所有制之所以能够成为十八届三中全会的亮点并被理论界和企业界广泛接受并认可，是中国在探索社会主义市场经济运行规律上的又一次前进，是充分发挥市场在资源配置中的决定性作用的具体体现，是合理利用宏观调控实现稳增长、调结构、促就业，实现中国经济转型升级的必然要求。厉以宁教授认为，发展混合所有制应该鼓励现有国企推动混合所有制改革，鼓励发展非公有资本控股或参股的混合所有制企业，员工持股的规范化，准确界定不同行业的国有企业功能，以便针对不同行业特点提出改革措施。

（一）列出混合所有制改革负面清单，充分发挥市场在资源配置中的决定性作用

要进行混合所有制改革的前提是一些行业是单一经营，或者说是国有经济垄断经营。要发展混合所有制就必须要先确定范围，在这个过程中应该充分发挥市场在资源配置中的决定性作用，由政府列出混合所有制改革负面清单，对国企进行分类。厉以宁教授认为，混合所有制经济的发展有利于消除利益集团的干扰、消除制度惯性的作用并促进市场主体的大量存在。十八届三中全会指出，“国有资本投资运营要服务于国家战略目标，更多投向关系国家安全、国民经济命脉的重要行业和关键领域，重点提供公共服务、发展重要前瞻性战略性产业、保护生态环境、支持科技进步、保障国家安全”，涉及国家安全、关系国计民生、需要进行行政垄断经营的行业列入负面清单，不涉及混合所有制问题。负面清单之外的行业，政府撤销限制性规定，降低或取消准入门槛，坚决取消“玻璃门”，充分发挥市场的作用，引导非公有制经济进入相关行业。国有企业一

定要完成改制后才能吸收民营资本的投资，与作为国有经济所有者的国家在行政上脱钩、经济利益关系理顺以后，方可与非国有经济相互投资和融资，发展成混合所有制经济。[1]正确处理好政府和市场的关系，充分发挥市场在资源配置中的决定性作用和政府的职能作用。发展混合所有制经济，需要充分调动企业作为市场主体的灵活性，哪个行业应该进行混合所有制改革，应该如何发展混合所有制都应该是企业作为市场主体的自然选择。当然，这一过程中政府还应该进一步简政放权，理顺和规范政府与企业的关系，着力解决好市场体系不完善、政府干预过多和监管不到位的问题。

（二）发展混合所有制经济与国企改革同步推进，由管国企向管国资转变

随着我国经济的不断发展，国企的内涵也发生了一定程度的变化。与计划经济时代国有资本作为唯一出资的国有独资企业相比，中国特色的社会主义市场经济环境下国企包括了国有独资企业、国有控股企业和国有参股企业。我们所提倡的混合所有制经济是比以往股份制改造国企更加高级的混合所有制，是国有资本与集体资本、非公有制资本的混合。我国国企的改革战线颇长，职工下岗、股份制改造、上市运作等一系列手段有成效也有积弊。国有企业首先是企业，作为市场的细胞要符合经济发展的一般规律，一方面要充分发挥市场在资源配置中的决定性作用，另一方面企业本身的运行和决策受制于政府，自身的矛盾又怎么能够让国企一路坦途？发展混合所有制，就是要让国有资本和民营资本充分融合，交叉控股，发挥各自的优势。而政府对于企业的管理要从以往管理企业经营和发展上升到管理国有资本的保值增值，使企业的运营成为市场行

---

[1] 参见葛守昆：“混合所有制经济如何‘混合’”，《浙江经济》2014年第11期，第13页。

为。理顺国有企业利益关系，与行政脱钩，保证企业参与市场竞争的公平性，建立起现代企业制度以后，使得各类资本之间相互融资，促进混合所有制经济的发展。[1]

（三）建立并完善企业法人治理结构，培育和发扬企业家精神

混合所有制的发展需要国有企业自身先进行股份制改造，明晰产权，规范管理，按照公司法的要求建立完善的法人治理结构。产权多元化是发展混合所有制的前提，国有资本可以通过控股、参股等方式与民营资本共同持股企业，实现产权置换和优化重组。厉以宁教授曾指出，不要以为国有企业改为股份制企业，或改为上市公司，就成了独立自主的市场主体。实际上，投资主体的多元化只是最初的一步，这一步必须跨出，但如果法人治理结构未建立或不完善，那就不符合现代企业制度的基本要求。即使有了混合所有制企业的形式，依然不可能把资本盘活，不可能使企业适应市场的变化而创新发展。民营企业的逐利性要求混合所有制改造的企业必须符合现代企业制度，拥有较为完善的法人治理结构，降低其资本损失的风险。现阶段我国的国有企业掌门人大多享有相对应的行政级别，他们的最大诉求不是企业利润的增加而是自身工作的稳定与职务的升迁，不敢冒险，不能按照企业经营情况自由支配资产并承担相应的责任和风险，从而导致国有企业效率低下，举步维艰，企业家精神对于国企来说显得弥足珍贵。混合所有制的发展将把企业推向市场竞争的大潮中，如逆水行舟，不进则退。企业掌舵人坚忍不拔的毅力、吃苦耐劳的品格和对市场敏锐的把控能力将在一定程度上决定企业的兴衰，发展混合所有制经济需要具有企业家精神者激流勇进。民营资本将携带其天然的企业家精神进入混合所有制

---

〔1〕 参见杨凯民："大力发展混合所有制经济"，《云南日报》，2014 年 6 月 18 日，第 007 版。

改造后的企业。

（四）大力发展战略性新兴产业和现代服务业，充分调动市场活力，促进经济转型升级

混合所有制经济的发展要符合中国特色社会主义发展的基本规律，服务于中国经济转型升级。对于高耗能、低附加值和产能过剩的行业，让市场进行淘汰，不予进行混合所有制改造。集中优质资本，大力发展战略性新兴产业和现代服务业，完善鼓励支持各类资本特别是非公有资本参与国有企业改制重组和产业结构调整的政策措施。充分发挥国有资本的带动性作用，引导非公有制资本向战略性新兴产业和生态环境保护、科技进步等重要领域和关键环节集中。充分发挥市场活力，通过混合所有制经济发展促进中国经济转型升级。

三、国有中小企业的混合所有制实现

混合所有制经济发展的落脚点在企业，国有企业、民营企业之间资本相互流动、交叉持股才能够实现混合所有制的发展。国有企业混合所有制的实现需要一步一步来，大型和特大型国有企业一下子全部进行混合所有制的改革，哪有民营企业有足够力量参与？需要从国有经济“金字塔”的底部开始，即先从中央企业或大型国企的某一个分公司或者某一个产业开始，垄断性央企和大型国有企业的混合所有制应该拿出这类国有经济巨头的非关键性领域、充分竞争细分行业进行探索性改革。如利用石化行业的加油站业务、建材行业的水泥业务吸引民营资本特别是民营中小企业的参与，已经进行股份制改造的企业也可以发行一定比例的股票，供民间投资购买。由企业规模和体量所决定，民营经济特别是民营中小企业不可能一下拿出巨额资金参与国有企业混合所有制改造，但是将国有经

济进行甄选和划分后则可以以点带面，从细分行业和充分竞争领域开始推进混合所有制发展。

国有中小企业开始发展混合所有制，先行先试，从摸索中寻找经验。中央企业和大型国企的混合所有制发展研究已经很多，也提出了很多改革思路和具有可行性的操作方案。这里重点研究一下国有中小企业的混合所有制发展。

（一）我国的国有中小企业概况

国家工商总局的数据显示，截至 2013 年年底我国共有企业 1 527.84 万户，中小企业占企业总数的 90% 以上，约 1 400 万户。"我国国有企业（含国有控股企业）约为 15.2 万户，其中小微企业约为 11.5 万户，约占国有企业总数的 75.9%；而小微企业的从业人员为 546.5 万人，约占国有企业从业人员总数的 14%。"[1]国有中小企业在国企中数量占大多数，但是从业人员却仅占 1/7。经过二十多年的国企改革和市场的优胜劣汰，国有经济的命脉大部分集中在中央企业和特大型国企之中，国有中小企业虽数量不少，质量和企业生命力却远不及前者。与普通的中小企业相同，他们也面临融资难、劳动力成本上升、抵御市场波动能力弱等困境，而国有企业的帽子也在无形中给他们增加了效率低下的枷锁，市场活力更显不足。

（二）破题国有中小企业混合所有制改革

国有中小企业发展混合所有制，应当首先实现国有资本内部的优化重组，中央企业和有实力的大国企根据本行业特点整合行业内、区域内的国有中小企业股权，实现规模化集中经营，发挥国有资本的带动效应。国有中小企业与央企、大国企之间，国有中小企业

---

〔1〕 郭飞："发展混合所有制经济与国有企业改革"，《光明日报》，2014 年 4 月 2 日，第 015 版。

与民营企业之间实行资产重组，推进混合所有制经济。同时，国有中小企业混合所有制的发展要避免国有资产流失，切实保障和维护企业职工的合法权益。

国有中小企业通过改革重组，优化资源配置，实现转型升级。改变市场化改革滞后于市场经济的发展的落后局面，通过实行国有资本、集体资本、非公有资本等交叉持股、相互融合，发挥多种所有制之间的互补优势，利用国有资本的带动性优势和民营资本的灵活创新，规范化管理企业。大力发展混合所有制经济，引入多种经济成分，由多元股东依法市场化治理公司，进一步转换企业经营机制，规范公司治理，建立真正适应市场经济要求的现代企业制度和经营机制，推动国有企业成为真正的市场主体。

国有中小企业股权多元化符合市场发展规律，能够促进国有资本与集体资本、非公有制资本的相互融合。在确保国有资产不流失的情况下，通过共同出资、协议转让、增资扩股、股权转换等方式实现定向合作。[1]国有资本通过推进开发性重组，可以从低效和无效的产业实现退出，国有企业通过引入新的投资者，在完善股权结构的同时，规范法人治理，能更好地完善决策机制，提高企业决策水平。推动国有企业实施股份制改革，可以加快推进国有资产资本化、资本证券化，增强国有资本的流动性，优化社会资源的高效配置。允许混合所有制企业经营者员工持股，有利于形成资本所有者和劳动者利益共同体，调动各方面的积极性，激发国有企业的活力。

四、国有经济参与民营中小企业有助于企业发展

国有经济和民营经济在发展中体现出了各自优势，也都存在不足。中国经济发展到现阶段，提高国有资本和国有资源的配置效率

---

〔1〕 参见陈文学："混合所有制如何助力国企改革"，《广东经济》2014 年第 5 期，第 42—43 页。

非常重要，让市场调节在资源配置中起决定性作用，正是让国有资本在经济发展中发挥更大作用的前提，也是中国经济发展能够不断跃上新台阶的前提。[1]市场经济条件下，民营企业特别是民营中小企业对市场信息最为敏感，机制最灵活，资源使用效率最高，但由于其自身的局限性，也面临不少挑战。国有经济参与混合所有制经济发展，有利于充分发挥其带动和引导作用，激发民营经济活力，规避民营资本自身的缺点，通过交叉持股的方式促进民营中小企业的发展。

国有企业具有资本雄厚、技术先进、资源丰富、社会公信力强等优势；而民营企业则具有机制灵活、创新意识强、工作效率和资源使用效率高等优势。但它们又各有弊端，国有企业的弊端主要为竞争意识差、机制不活、效率低下、过于分散等；而民营企业则存在制度不健全、主观意志浓厚、研发人才缺乏等方面的相对劣势。混合所有制有助于两者的优势互补、劣势互冲，二者的深度融合将会取长补短，发挥更大的综合优势。

(一) 国有经济参与民营中小企业有利于了解政策、利用政策

民营中小企业规模小，对国家政策敏锐性不够，不知道去主动学习和了解各级政府对于中小企业发展的优惠扶持政策，甚至盲目扩大生产经营因而产生风险。发展混合所有制经济，可以很好地解决这一问题。国有经济参与民营中小企业，有利于改变传统民营中小企业不了解政策、不会利用政策的弊端。

(二) 国有经济参与民营中小企业有利于解决融资难、融资贵问题

在中小企业面临的诸多困难中，融资难、融资贵的问题首当其

[1] 参见王慧峰："以现代企业制度规范混合所有制企业发展"，《人民政协报》，2014年7月2日，第001版。

冲。我国的资本市场发育得比较晚,规模小、融资能力低,企业的直接融资渠道不畅。我国的中小企业直接融资比例更低,只占5%左右,银行贷款是融资的主要渠道。而民营中小企业和国有银行之间不对等的地位导致严重缺乏话语权,出现融资难、融资贵问题,国有经济参与民营中小企业有利于缓解中小企业融资难、融资贵的问题。国有资本的注入会增加银行对于民营中小企业的信任度,降低自身的信贷风险。中小企业获得国有资本注入后也可以通过发行企业债券、股票上市等方式,从资本市场上直接融资,利用国有资本的带动效应广泛吸纳社会资金。

(三) 国有经济参与民营中小企业有利于消除"玻璃门"等不公平待遇

虽然市场经济实行以来各个市场主体之间有了相对平等的市场地位参与竞争,但是计划经济时代的残留和国有大型企业的垄断性地位仍然会对民营中小企业的发展产生各种隐性壁垒和不平等待遇,出现常见的"玻璃门"、"旋转门"和"天花板"现象。市场准入规定就像"玻璃门",看着让你进去,实际你进不去。目前中国还没有形成公有制和私有制企业公平地使用生产要素、平等地参加竞争、同等得到法律保护的环境。积极发展混合所有制经济,国有经济参与民营中小企业将会增加各个市场主体之间的平衡因素,更好地发挥市场的决定性作用,通过多种所有制的融合发展实现"国民共进"。

(四) 国有经济参与民营中小企业有利于建立完善法人治理结构

民营中小企业大多由企业家艰苦创业而来,中小企业招用科技人才难,留住人才更难,很多企业负担不起高级人才的聘用费用,家族式管理极为普遍,缺乏科学规范的企业管理制度。国有经济参与民营中小企业有利于完善公司法人治理结构，构建出资人制度和职业经理人制度，强化股东地位，形成权力机构、决策机构、监督机构和经营管理者之间的制衡机制。经营班子进行公开招聘，实行市场化考核，让企业有充分的自主权，充分参与市场竞争，激发市场活力。

参考文献

1. 常修泽："发展混合所有制经济的路径"，《人民日报》，2014 年 4 月 30 日。
2. 陈文学："混合所有制如何助力国企改革"，《广东经济》2014 年第 5 期。
3. 葛守昆："混合所有制经济如何'混合'"，《浙江经济》2014 年第 11 期。
4. 葛扬："混合所有制经济有效推动中国经济健康发展"，《中国社会科学报》，2014 年 5 月 28 日。
5. 郭飞："发展混合所有制经济与国有企业改革"，《光明日报》，2014 年 4 月 2 日。
6. 何自力："混合所有制经济：性质、目的与根本方向"，《学术前沿》2014 年第 5 期上。
7. 黄群慧："混合所有制改革要'上下结合'"，《人民日报》，2014 年 4 月 8 日。
8. 厉以宁：《非均衡的中国经济》，中国大百科全书出版社 2009 年版。
9. 厉以宁、孟晓苏、李源潮、李克强：《走向繁荣的战略选择》，经济日报出版社 2013 年版。
10. 厉以宁：《中国经济双重转型之路》，中国人民大学出版社 2013 年版。
11. 厉以宁："中国道路与混合所有制经济"，《中国市场》2014 年第 23 期。
12. 厉以宁："在调查混合所有制中发现的几个误解"，《当代社科视野》2014 年第 4 期。
13. 厉以宁："继续以体制转型带动发展转型"，《新金融》2014 年第 1 期。
14. 厉以宁："国有企业改革分为两类"，《广东经济》2014 年第 4 期。
15. 厉以宁："中国经济正在逐步实现双重转型"，《唯实》2014 年第 1 期。
16. 李毅中："发展混合所有制经济要落实到企业做好顶层设计"，《宏观经济管理》2014 年第 4 期。
17. 王慧峰："以现代企业制度规范混合所有制企业发展"，《人民政协报》，2014 年 7 月 2 日。
18. 王忠明："立意高远的改革：发展混合所有制经济"，《中国经济导报》，2014 年 4 月 19 日。

19. 闫冰竹:“混合所有制改革着力点:搁置争论、勇于担当、试点先行”,《人民政协报》,2014 年 5 月 27 日。
20. 杨凯民:“大力发展混合所有制经济”,《云南日报》,2014 年 6 月 18 日。
21. 尤利平:“混合所有制经济下的国有企业竞争力发展研究”,《现代经济探讨》2014 年第 4 期。
22. 张军民:“混合所有制与国有企业产权多元化改革”,《企业改革与管理》2014 年第 6 期上。
23. 张美诚、高先祥:“混合所有制经济:国企改革的突破口”,《新湘评论》2014 年第 12 期。

(潘江,北京大学光华管理学院;铁钊,中国中小企业协会)

保障民营企业在发展混合所有制中的权益*

田惠敏　李佐军

十八届三中全会《决定》提出，“积极发展混合所有制经济”，“发展混合所有制是我国基本经济制度的重要实现形式，有利于国有资本放大功能、保值增值、提高竞争力，有利于各种所有制资本取长补短、相互促进、共同发展”。改革开放三十多年来，我国国有企业与民营企业在相互融合、相互补充和相互协调中发展。顺利推动混合所有制改革，就要处理好国有企业与民营企业的关系。保障民营企业的权益是混合所有制改革成功的关键，可以有效调动民营企业的积

---

* 本文部分内容已在《经济参考报》2014年8月8日（第六版）发表。

极性，发挥民营企业高效经营机制与创新机制的优势，使民营经济真正融入混合所有制改革中，促进国有企业的改革和经营机制的市场化，进一步放大国有资本的功能，增强企业的竞争力。然而由于多数国有企业具有规模大、政策支持多和市场支配优势，民营企业在混合所有制改革中的权益难以得到有效保障。本文围绕在发展混合所有制中民营企业权益保障问题，分析民营企业权益受损的表现形式及原因，并提出保障民营企业权益的政策建议。

一、民营企业权益容易受损的表现形式

民营企业在发展混合所有制中的权益主要包括行业准入权、控股权、股东投资收益权和企业话语权等。民营企业权益受损主要表现为以下四个方面。

（一）行业准入门槛高

一是存在“玻璃门”和“弹簧门”的现象。无论是2005年的《非公经济36条》，还是2010年的《新36条》，对民营企业来说，都是非常重要的文件。但文件出台至今，仍遭遇不少体制性和政策性障碍，部分实施细则不具体，操作性不强。

二是民营企业即使进入行业发展，但最终还是选择退出。民营企业在国企垄断和半垄断的行业中，其投资比例、投资形式依然受到诸多限制，很难享受到与国企同等待遇。例如早先的民营航空公司、民营加油站等，很多民企最终选择了退出。虽然国家已出台《反垄断法》，但对民营企业的行业限制、市场准入歧视等依然存在，影响了民营企业参与平等竞争的机会。在混合所有制改革中，当民营企业并购国有企业时，一些管理部门常以国有资产流失为借口，限制民营企业的正常并购行为。

三是一些领域未全面向民营企业开放。目前，国家大力推动混

合所有制改革，陆续在金融、石油、电力、铁路、电信、资源开发、公用事业等领域，向非国有资本推出了一批投资项目。然而，这些领域未全面向民营企业开放。近期，中石化对石化油品销售业务板块引入社会和民营资本参股，旨在实现混合所有制经营，此举引发社会广泛关注。但该项改革，并没有将石油上游及中游产业向民企放开，国企更愿意同国外能源公司合作以开拓国际市场。

（二）获得控股权机会少

发展混合所有制的一个重要目的，是将民营企业经营机制的灵活性优势与国有企业的资源与政治优势结合起来。在混合所有制改革的现实中，国有企业比民营企业有更多的控股权机会。由于国有企业垄断了一些重要资源，一般不愿意放弃对混合所有制企业的控股权，这客观上缩小了其他资本在这些领域的进入空间。

很多民企希望在混合所有制改革中，能够获得对混合所有制企业的控股权，参与企业的决策。一些较有实力的民营企业家曾公开表示，如果不能取得企业的控股权，就不会贸然参与混合所有制改革，因担心其投资成为国有企业的“嫁衣”。民企还担心国企“一股独大”，仍按照原有国企经营模式去经营。这些民企谋求对混合所有制企业的控股权，是希望能够分享混合所有制企业的技术、管理、市场和信息等，同时还能保证其对企业的控制权。

此外，在很多混合所有制企业中，国资所有者同时也是国企经营参与者，混合所有制企业的董事长、总经理都是上级任命，下面也都是行政化的管理团队，企业的市场化机制明显缺失，民企获得控股权的机会很少。若让国企放弃控股权，就需要国企在很多方面做出较大改变，特别是若要让央企放弃控股权，其所产生的业绩就不能全部纳入到企业的考核之中，这是央企不愿接受的事。

（三）投资权益得不到有效保障

“谁投资、谁经营、谁占有、谁支配、谁受益”是投资权益保护的核心原则。然而，在混合所有制改革中，仍存在民营企业投资收益权受损的现象。这主要表现在以下三个方面。

第一，国有企业为了实现自身利益，使民营企业的投资权益受损。民营企业参与混合所有制改革的一个重要目的是获取一定的投资收益。然而，当混合所有制企业中的国资与民资股东之间出现利益冲突时，国资往往会利用资本多数地位，将其自身的意志上升为公司的意志，通过表决权和影响力侵占和损害民资的权益。如一些国企只拿出一部分不赚钱或者已成为包袱的业务去吸收民资参与。

第二，国有企业“制度上的利益”会影响企业的治理，使民企的投资权益受损。从经济层面看，资本多数决原则符合风险与利益相平衡的理念，但这一原则使持有多数股份的国资能够直接或间接行使其实质性支配权，为其提供一种“制度上的利益”。如国资控股的混合所有制企业可以通过其对企业的控制权，通过“合理”理由做出不分红的决定，从而使民资的投资收益权受到损害。即使在民资控股的混合所有制企业，由于考核与薪酬制度也容易受到非控股的国资股东影响。一些国企让民企进来的目的就是让民企为国企承担负债，企业还是由国资和政府控制，没有形成现代公司的治理结构。民营企业家由于担心背上侵吞国有资产的罪名，削弱了其参与混合所有制改革的信心。

第三，政企边界不清和政府公权介入使民营企业投资权益受损。国有企业与政府之间有着千丝万缕的联系，在政企不分、政资不分的情况下，存在政府干预司法的现象。在司法系统中存在着国有经济更优越的思想观念，从“理智”上不想触犯国有企业的投资权益。因此，在众多的国有企业和民营企业出现的财产纠纷案例中,民营企业最终赢了官司又赢钱的案例非常少。民营企业参与国有企业改革往往有侵蚀国有资产的嫌疑。媒体与公众对一些民营企业诚信缺失也有担忧。这些都使得我国民营企业与早期中国民族工业类似,不得不在夹缝中求生存。

(四)话语权缺失和受法律保护权较小

民营企业参与国有企业混合所有制改革,除了财务投资以外,民营企业一般还希望拥有一定的话语权。一般来说,在混合所有制企业中,国资是大股东,民资是小股东,国资拥有更强势的地位,不少国企有行政级别,这对那些没有行政级别的民企来说就构成了不公平竞争。当双方发生矛盾需要法律仲裁时,往往存在法律偏袒保护国资的情况。这些都让很多民营企业对于参与混合所有制改革有不少后顾之忧。

从表决权方面来看,国资对混合所有制企业有更强的影响力。在混合所有制企业决定一些重大事项,如当企业出现赢利状况而进行分红时,国资可以利用大股东的地位,通过表决权影响分红决定,从而使民资权益受损。

从监督权方面来看,国资对混合所有制企业有更大的影响力。民资股东在混合所有制企业中的批评权、建议权、控告权和检举权等处于弱势地位,不能很好地运用监督权维护自身的权益,不能有效参与混合所有制企业的重大决策。

从信息拥有权方面来看,国资在混合所有制企业中拥有更大的信息优势,而民资的相应权益容易受损。

二、民营企业权益易受损害的原因分析

(一)传统观念的影响

我国长期实行计划经济,许多人形成了民营经济不能与社会主

义制度相容的根深蒂固的观念，认为民营经济不能成为社会主义市场经济发展的重要基础，只能是一种"边缘性经济"。在我国社会主义市场经济条件下，经过多年的发展，我国民营经济无论在数量占比方面，还是其对GDP、就业、纳税、发明专利数量的贡献方面，都已超过了国有经济。然而，由于传统的旧有观念依然根深蒂固，民营企业受社会歧视的状况依然存在。例如许多国有企业在寻找合作伙伴中，都有如下优先次序：中央企业、世界500强企业、地方国有企业、非500强外资企业、民营企业。有的国有企业甚至直接将民营企业排斥在外，其理由是，与央企合作赚与赔都没有"国有资产流失"的政治风险，与世界500强企业合作风光有面子，而与民营企业合作赚了没荣誉，亏了有风险。

在现实中，一些部门和个人习惯于对民营企业进行有罪推定，经常把民营企业挂上负面的标签。特别是一些民营企业在上一轮国有企业改革中不规范操作被"找后账"的案例，更是让许多国有企业对与民营企业合作心有余悸。传统观念上的偏见，加上现实社会对民营企业的歧视，使得民营企业生存环境不佳，民营企业将大量时间和精力用在如何获得准入资格、如何获得政府承认等非业务问题上，大量民营企业被体制挡在行业大门之外。

（二）民营企业的政治地位较低

随着中国社会阶层结构的变迁，民营企业家阶层日益发育壮大，也逐渐形成了一些共识。一是民营企业家普遍关心自己在社会阶层结构中的政治地位，实质上也就是关心自己的前途和命运。二是关心自己的合法权益，特别是其私有财产的安全。虽然改革开放以来，民营企业的政治地位逐渐提高，但与国有企业相比，民营企业在我国的政治地位明显偏低。

此外，多数国有企业有行政级别，有的还有很高的行政级别，而民营企业没有行政级别。媒体往往将国有企业宣传为共和国的"长子”，而将民营企业置于“次子”、“养子”的尴尬地位。政治地位低会直接影响民营企业在混合所有制改革中的权益。国有企业这种强势的政治地位，比民营企业较容易获得各类资源，特别是垄断资源，并逐渐形成既得利益群体。民营企业无法与国有企业站在同一竞争起跑线上。例如国有企业更容易获得银行贷款，因为银行贷款给国有企业，无论赚钱、亏本等，都带有一个“公”字，没有政治风险。中国建材的混合所有制实践得到社会普遍认可，但混合所有制改革之初，有媒体质疑，中国建材掺入那么多民企股份，成了有产者的打工仔，是搞“国退民进”。

另外，民营企业地位较低，还体现在政府对民营经济的过多限制上。由于政府主导经济，地方政府公司化，民营企业的发展空间受到限制。在混合所有制改革中，如何减少限制、获得更大的发展空间，始终是民营企业关心的大问题。

（三）相关法律体系不完善

虽然《宪法》（修正案）从根本大法层面确立了民营经济的合法地位；《物权法》对私有财产与国有财产也实行同等保护。但总体来说，保护民营企业权益的法律体系仍不完善。主要体现在：

第一，法律法规缺乏配套实施细则。尽管我国《宪法》、《民法通则》、《刑法》、《公司法》、《合伙企业法》、《个人独资企业法》和《中小企业促进法》等重要法律都对我国民营企业的产权归属做出了明确规定，在大力推动混合所有制改革的新形势下，在如何保障民营企业的合法权益方面，法律法规方面还缺乏相应的配套实施细则，且可操作性不是很强。

第二，执法主体的职责不清。发达市场经济的共同特征是经济主体的行为合乎公平、正义的法律。法治国家中，权力和责任对称、权利和义务对称是保障社会公平的重要原则。在我国现实中，当国有企业与民营企业出现矛盾和冲突时，虽然宪法已赋予公有产权与私有产权同等权利，但在实际执行中，对公有产权或公共财产的保护往往要好于对私有产权或私有财产的保护，即现有法律体系更倾向于保护国有企业。政府系统和司法系统中长期存在的国有资本“老大”观念，更会对司法公平造成负面影响。

第三，法律体系的内容比较单薄，对新情况、新问题未做反应。实际上，在有关民营企业的法律方面，目前行政性法规居多，体现平等自愿、等价有偿和诚实信用等市场经济原则的法规较少，立法滞后。民营企业在与国企发生法律纠纷时，有时合法诉求都难以获得法律的支持。

（四）政策难以落实

企业的发展离不开国家政策的扶持，国家的财税政策、金融政策、产业政策和外汇政策等对企业的发展影响较大。国家在支持国企发展方面较民企要多，且国企获得的政策比较实惠。此外，一些政策没有及时做出调整等，这都影响鼓励和引导民间投资政策效应的有效发挥。

民营企业市场准入仍遭遇体制性和政策性障碍。过去十多年虽然制定了很多针对民营企业的政策，但由于政策缺乏落实机制，缺少第三方评估和监督，导致政策落实不到位。政策难以落实，民营企业的权益就难以得到保障，也影响了民营企业的积极性。一些既得利益集团担心民营企业进入会损害自身利益，不愿意看到民营经济的兴起。

政策难以落实，一方面限制了国有经济有效调动社会资源的能量，限制了国有经济领导力、影响力、控制力的发挥；另一方面也使得民营经济的积极性和发展空间大受限制，也引发了社会有关非国民待遇的争论。

三、保障民营企业权益的政策建议

(一) 赋予民营企业公平的市场进入机会

十八届三中全会开创性地提出了“发挥市场在资源配置中的决定性作用”,而作为资源配置的重要经济主体,国企必须实现市场化改革,使民企与国企拥有同等权利,混合双方要有包容思想,而不是条条框框的约束,这是成功“混合”的基础。

一要打破行业垄断和国有企业垄断,鼓励国有企业与民营企业在所有行业领域公平竞争。混合所有制强调的是不同所有制交叉持股和相互融合,不管是国有资本还是民营资本,都以发挥最大效率为最终目的。为此,需要出台鼓励民营企业发展的实施细则,从改革市场准入制度、大力减少行政审批事项、禁止变相审批、打破地区封锁和行业垄断、完善市场退出机制等五个方面放宽对民营企业的市场准入,创造民营企业与国有企业的公平竞争环境。

二要按照十八届三中全会决定要求,加快制定特许经营管理办法,允许民营企业进入特许经营领域。推出民营企业进入特许经营领域的范围、经营形式和期限、申请程序、权利和义务以及监管制度等办法。实施投融资体制改革,在更多领域放开竞争性业务,为民间资本提供大显身手的舞台。

三要加快改革行政审批制度,减少针对民营企业的行政审批事项,禁止变相审批,提高审批效率。为此,需要优化国企产权结构。优化国企产权结构的前提是明晰国企产权,重点是推进股权多元化。产权主体多元化有利于完善企业法人治理结构、建立现代企业管理制度,才能更好地保障混合所有制企业中民资股东的权益。为此,需解决三个具体问题:一是控股形式的选择。二是国有股与非国有股之间关系的处理。三是国企系统内与系统外股权关系的处理。完善产权保护机制是优化国企产权结构的关键,是国资与民资处于公平地位的前提,也是清除市场壁垒、提高资源配置效率和公平的必要条件。只有这样,无论是市场端还是产业端,民营企业才能显示出不可忽视的"鲶鱼效应",推动国有企业的发展。

四要大力发展民营企业主导的产业基金,推动民营企业间接进入某些行业领域。民营企业通过产业基金参与国企的混合所有制改革,一方面可以有效吸引社会民间资本,让民营企业间接进入某些行业领域;另一方面可以发挥基金管理团队的专业能力,提升混合所有制企业的公司治理能力。

(二)提升民营企业的控股机会和地位

保障民营企业权益,需要调动民营企业参与混合所有制改革的积极性,创造有利于民营企业发展的有利条件,需要增加民资在混合所有制企业中的控股权机会,提高民营企业在混合所有制改革中的地位。

国有企业要按照十八届三中全会的精神要求,加快与其他所有制经济的合作步伐。对于那些处于竞争性领域、整体状况较差的大型国企来说,国有资本应当尽快完全退出,由民营资本来承接,由民营企业获得控股权地位。这不仅需要国有企业观念和思维上的转变,更需要体制和机制的重大转型配合,让国有企业在对外合作中不受到各种因素的干扰和影响,不要产生过多的担心和顾虑。非公有制产权和国有产权的事实公平,是一个长期博弈的过程。只有民营资本更多、更快地进入国有经济,这个过程才可能缩短。同时,政府减少或退出对于经济和市场的干预是实现产权公平的重要前提。

要避免混合所有制企业中一家说了算的现象。在公益性、安全性和战略性领域,在改革初期的混合所有制经济里,尤其是在一些重点领域里,国企仍会处于绝对控股或相对控股的地位。可以适当引入民营资本,在尊重产权和公平交易的原则下,国有资本的股权或产权与民营资本进行市场交易。既要防止国有资本一股独大,又要防止国有资产流失。采取措施保护民资中小股东利益,真正做到在一个企业或公司内部不同所有制资本能同等使用生产要素和同等受益。

鼓励民营企业依靠纵向兼并重组实现企业规模扩大和提升企业竞争力。要制定相关政策,大力鼓励民营企业开展面向产业链上下游双向和价值链高端的兼并与重组。通过这种类型的兼并与重组,推动企业产出结构的调整和技术结构的升级,形成企业产业关联度较高、市场竞争力较强的发展路径,为民营企业提升在混合所有制企业中的控股权地位奠定基础。

要继续深化国有企业改革。大力发展以股份制权为主要形式的混合所有制,建立现代企业制度,完善公司治理结构,明晰企业产权,实现股权多元化,为民营企业发展创造有利条件。如适当引入优先股等创新机制,即不按照股权比例来划分谁占主体,让国企在利润分配及剩余财产分配方面享有优先权,国资委可以通过"金股"和"优先股"等制度设计来保证自身权益,让国有企业将更多精力放在国有资产保值增值和增加稳定收益方面,让民营企业将更多精力放在企业经营层面。

鼓励市场化程度比较高、非关系国家重大战略和安全的国有企业,通过转让减持存量,实现投资主体多元化,国有股权比例逐步下降或全部退出。引进民间资本进入公益类和自然垄断类企业,公益类企业原则上保持国有独资或国有控股,自然垄断类企业近期保持控股地位。

(三) 建立民营企业投资权益保障机制

混合所有制企业中的民营企业投资权益保障机制就是运用多种手段,保护民营企业在混合所有制企业中形成的合法的有形或无形资产,让民营企业享有使用、占有、经营、收益和支配或处分的权利。

第一,加强法律合同约束。民资参与混合所有制企业时,需明确民资与国资的责权利,特别是要明确民资的投资权益保障条款,并以专业法律合同的形式确定下来。此外,要规范运作,混合之初就要细致地做好制度性安排,合理进行国有资产评估,建立责任机制和第三方监督机制。

第二,深化国有企业市场化改革。一是以市场化方式配置国资、重组国企,以深化国资改革带动国企改革。二是国有企业要明晰产权。三是建立由市场决定的国资进退、补充机制,全面优化国资布局。四是国有企业要与民营企业一样有平等交易权,不能有特权(含行政级别)。五是主动将部分国有资产形态进行调整,通过引入民间资本,将部分国有企业工业性资产转变为金融性资产,将存量资产转换为现金资产,这不仅不改变国有资产的性质,而且更有利于国有资产保值增值,获得比原来经营方式更高的经济社会效益。

第三,加强有关民营企业投资权益保护的制度建设。在宪法中进一步确立私人财产保护制度,确立私有财产同样不可侵犯的法律原则和价值观念。完善投资收益补偿制度,进一步完善相关财税金融制度。用公平实在的收益吸引民营企业加入,奠定企业产权改革、发展混合所有制的制度基础和实现路径。

第四,完善保护民营企业投资的法律和政策。形成处理民营企业投资权益纠纷的诉讼体系和监督机制,鼓励和支持新闻单位等组织对民营企业合法权益的行为进行监督。政府对民营企业的行政审批应与国企一视同仁、平等对待,尽量简化流程、提高审批效率。要出台有利于鼓励民营企业发展的税法。切实落实《物权法》的有关条款,简化民营企业维权的程序,降低维权成本,营造公平竞争的外部环境。

(四) 增强民营企业话语权

保障民营企业权益需要综合推动各项工作,在理论建设、法律保障、舆论监督等方面,增强混合所有制改革中民营企业的话语权。

从理论层面看,要认清民营经济对社会发展的重要性,深化非公有制经济本质属性的理论研究,在深层次理论上提升民营企业的政治和经济地位。要消除"国进民退"或"国退民进"的争论,无论是国有股权转让、增资扩股,还是合资合作等,共同推进混合所有制经济发展,实现"国民共进"目标。

从法制层面看,需要完善司法程序,树立司法权威。司法和执法机关需保持独立性,不能成为行政权的附庸,改变对企业的"唯成分论",使民营企业能获得公平的司法保护。

从舆论监督层面看,要充分发挥社会舆论的宣传引导作用,改变社会对民营企业的过时观念,强化对混合所有制企业的监督。

总之,民营企业权益保障是混合所有制改革能否成功的关键。在推进混合所有制改革过程中,要处理好国有企业与民营企业的关系,努力实现民营企业与国有企业的地位平等、财产权平等、机会平等和规则平等,促进混合所有制经济持续、健康发展。

参考文献

1. 常修泽:"打响'破垄'攻坚战",《前线》2011 年第 10 期。
2. 厉以宁:"在调查混合所有制中发现的几个误解",《北京日报》,2014 年 3 月 10 日。
3. 厉以宁:"中国道路与混合所有制经济",《中国市场》2014 年第 23 期。
4. 李佐军:"'混改'主要是发展股份制企业",《华夏时报》,2014 年 4 月 4 日。
5. 李佐军:《中国改革新思维——改出一个"人本市场经济"》,电子工业出版社 2013 年版。
6. 李佐军:《第三次大转型》,中信出版社 2014 年版。
7. 田惠敏:《国有资产保值增值管理与评估实务全书》,内蒙古出版社 2002

年版。
8. 张文魁:《中国混合所有制企业的兴起及其公司治理研究》,经济科学出版社 2010 年版。

(田惠敏,国家开发银行研究院;李佐军,国务院发展研究中心资源与环境政策研究所)

土地流转和混合所有制经济发展问题研究——集体林权流转制度创新的启示

赵锦勇　陈　骐

混合所有制是促进资源有效配置的重要方式，不仅能够促使国有资本和民营资本有效发展，更会对农村集体所有制经济的发展发挥重要作用。

改革开放以来农村改革一直强调农民的积极性和利益，集体所有制被虚置。在现阶段农村人口结构变化和城镇化的潮流中，需要积极探索集体所有制参与资源配置的有效实现形式。

在基层实践中，林权流转制度创新为农村活跃混合所有制经济提供了有益尝试。农村林业用地为农村集体所有，通过土地确权，所有权、承包权和经营权相分离的改革，既稳定了农村承包关系，又以经营权流转的方式促进了林地和林木资源的有效配置。在不断增加的土地收益和经营收益中，通过股份制等方式，村集体、农民和社会资本以不同的权能和资金入股，逐步实现了集体所有制经济、民营经济和国有资本的合作开发，互补共赢。

下面我们以集体林权流转制度改革为案例，探讨混合所有制经济发展对集体林区发展的作用和意义。

一、林权流转和集体林区经济发展

林区探索混合所有制经济模式可以引入多方主体，制约权力侵害，保障林农权益，达到抬升林区经济发展平台、加快林业改革的目的。林权流转模式的创新将成为林区混合所有制经济发展的纽带，凭借规范化、规模化的流转制度促进林区经济的现代化、产业化、专业化发展。

（一）促进林区经济产业市场化，加快产业链条延伸

林区流转模式的创新将在混合所有制经济的背景下，通过集体所有制的利用，实现市场化经营，促进林区产业市场化，在产业发展的同时，相关工业产业链条也将得以延伸发展。

近几年各地林下经济的发展成为当前林区产业创新的亮点，促进了林区经济产业的市场化建设，特别是部分地区利用林业生产专业合作社的形式，流转林地，集中经营；地方政府则居中调节，给予优惠政策；私营企业在龙头企业的引领下，为林业生产专业合作社提供技术、资金、市场等保障，从而探索出了以农村集体所有制为核心，国家所有制经济与私人所有制经济协调发展的混合所有制经济模式。该模式重新确立了集体作为林地拥有者的核心地位，以市场化为导向，提高资源配置效率，因地制宜，发展林区经济，加快了相

关产业市场化进程，促进了林区产业链条的延伸。

以辽宁省本溪市为例，该市位于辽宁省东南部，全市林业用地面积1 018万亩，森林覆盖率达76%，全市森林资源蕴藏丰富，是东北地区主要的中草药生产基地，致力于建设“中国药都”，打造“中国森林中药材产业第一市”。当地政府鼓励土地流转，成立林业生产专业合作社，并与医药企业合作，建立林业生产基地，提供生产技术与资金。本溪市政府对林业特色产业发展、林业基地建设、林业龙头企业建立、市场名优品牌培育及林业专业合作社成立给予最高500万元的资金扶持，并且对林权抵押贷款单位和个人予以50%的贴息。该市通过集体、政府、企业三方合作的形式，利用混合所有制经济模式，以地区内丰富的林业资源为依托，大力发展林下经济产业，并且结合当地特点延伸林下产品产业链，同时着力引进国内外著名医药企业，带动林业产业合作社发展，研发出一批具有一定市场影响力的林下经济产品。该模式不仅促进了经济结构的转变，促使林区产业经营更加市场化，也为贫困山区经济发展提供了一条可行路径。

（二）多元化分担林业生产风险，吸引资本进入林区

混合所有制经济被利用至林权流转模式创新中，能够将集体所有制经济、国家所有制经济和私人所有制经济有机结合，组建有效的风险共担体系，吸引资本进入林业产业，促进林业生产现代化。

集体林权制度改革之后，集体林地承包经营权分配到户，在一定程度上调动了林业生产的积极性，但是由于林地分散，生产规模较小，承担风险能力弱，使得社会资本不愿进入林业。林权流转模式的创新能够实现林地经营的再统一，是林区集体所有制经济的又一种有效实现形式，能促使林农集体根据市场需求，大规模地发展林业经济，从而促进林业工业加工产业链条的延伸，这为大型林业项目的融资提供了最重要的产业基础，并且通过市场手段，有力地

吸引资本进入林区生产，加快林区经济的现代化改革，而混合所有制经济的发展，也为林区产业融资提供了风险保障，进一步加强了林区产业的融资能力。

大型林业项目具有初期资金投入量大、周期长的特点，适合长周期的融资方式的投入，而我国对企业债券严格限制，同时针对林区产业的投资基金尚未建立，这就使得信托融资模式成为林区市场化融资的主流。以上海中泰信托：工业森林财产优先信托权益投资计划为例。上海世华科技投资有限责任公司通过林权流转，获取大量林地发展速生杨林木经营，并于 2004 年 2 月与上海中泰信托有限责任公司合作首次尝试林业信托融资，将其合法拥有的估值 4.25 亿元的速生杨林木财产信托给中泰公司，融资 1.7 亿元人民币。[1] 此间为减少融资风险，加大融资力度，信托公司、企业以及政府为风险控制做出一定努力，信托中林木由世华科技公司管理，而具体管理事项由林木所在地林业合作组织实施，同时地方政府也承诺对管理不当造成的损失进行赔偿。该项目通过集体所有制经济、国家所有制经济以及私人所有制经济之间的相互调节配合，以林权流转后的产业发展为基础，运用市场化手段，为林业产业发展融资，吸引了资金投资林区、进入林业，促进了林区经济的发展。

（三）完善社会监督体系，增强林农市场议价权

在集体林权流转模式创新的案例中，村集体通过市场化手段，探索林区混合所有制经济模式，建立健全社会监督体系，并且进一步成为独立的市场竞争主体，这有效增强了林农市场议价权力，保障了各方利益。

在混合所有制经济发展的背景下，政府通过顶层设计完善法律

---

〔1〕 宋沛、秦涛、蒋林橙：“我国林业信托融资项目典型案例分析与启示”，《绿色财会》2013 年第 4 期，第 13 页。

制度，促进林权股份流转制度发展，以股份制专业合作社为依托，结合企业股份制的理念，以林农利益为核心，林农集体作为市场经济主体参与市场竞争。林权流转是林业现代化的基础，但在流转时由于缺乏社会监督体系，致使集体流转时存在村集体或者上级政府侵犯农民权益问题，同时由于林农在市场议价中处于劣势地位，缺少足够的议价权，造成流转价格低廉、利益受损的现象。而以林农集体作为市场经济主体，通过混合所有制模式，完善社会监督体系，并且市场化引入多方主体的形式，将有力地避免以上现象的出现，进一步促进林区经济的发展。

在浙江省工商局与省林业厅联合制定的《浙江省林地承包经营权作价出资农民专业合作社登记暂行办法》中，要求股份制专业合作社拟定合作社章程，召开合作社设立大会，由全体合作社成员出席，并且成员每人一票，行使表决权，同时选举产生理事会、监事会成员，代为行使日常决策权，按照法律规定完成合作社工商注册，领取合作社营业执照。浙江省安吉县 90% 的专业合作社设立了监事会，监事会人员以 2 人居多，理事会成员在 2—8 人之间。[1]

在合作社日常经营中虽然由理事会与监事会代为表达林农诉求，但重大决策都需经过股份制专业合作社全体股东投票表决，在关系林农权益的问题上，林农有充分的权利参与决策，安吉县各合作社每年召开成员代表大会 1—3 次，参与人数在 80—90 人之间，主要议题为毛竹培育、合作经营、公布账目等。同时由于林地流转租赁时，主要由合作社出面洽谈，就在一定程度上减少了政府行政权力的干预，避免了因行政干预而产生的林农权益受损的现象出现。在股份制专业合作社成立日常经营中，由于其是以独立法人的身份参与市场经济行为，所以在日常经营活动中，都具备了完善的

---

〔1〕 房风文、楼栋、毛飞等："林业股份合作社：发展环境、运行机制与政府支持——浙江省安吉县调研报告"，《林业经济》2011 年第 3 期，第 21 页。

书面协议与合同,在合作社利益受到侵害时,可以诉诸法律,保证林农基本权益。

二、集体林区混合所有制发展的历史和挑战

集体所有制是社会主义市场经济体制的重要组成。在农村,集体所有制仍然是重要的所有制形式,并且将长期存在。当前集体所有制经济无论在农业生产还是在非农生产方面都面临虚置的问题,集体所有制在社会经济中的作用很难体现,农户基本以个人为单位参与市场竞争,从而产生了一系列的经济、法律问题,这也进一步成为了当前集体所有制经济面临的问题和挑战。

集体所有制经济在我国农村中的主要表现形式包括农业生产中的集体所有制经济以及农村中的乡办集体企业和村办集体企业两种。随着我国经济的发展,以及国家经济指导方针的转变,这两种集体经济的表现形式也经历了一个漫长的演变过程,特别是在改革开放以后,农村集体所有制经济也遭受了过山车般的境遇,从20世纪80年代蓬勃发展到90年代后期的动荡,以及到目前的低谷。本节将详细分析集体所有制经济在我国国民经济发展过程所面临的问题与挑战,以求展现问题产生的原因。

(一)农业生产虚置集体所有制经济

农业中的集体所有制作为我国当前农业中的基本所有制形式,在改革开放后家庭联产承包责任制推广的浪潮下,基本处于虚置状态。

20世纪70年代末至80年代初,随着安徽小岗村一声春雷的响起,农村新一轮的改革打破了之前集体所有制经济统一管理、集中劳动、按工分配的经营体制的禁锢,取而代之的是以集体领导与家庭联产承包责任制相互作用、统分结合的经营管理体制。这一体

制，一方面坚持了土地集体所有的基本性质，但将农业生产资料的承包权、经营权、收益权给予农户，虽然削弱了集体所有制经济的作用，也在一定程度上调动了农民生产的积极性；另一方面这种制度也加快了“政社合一”的人民公社的解体，进而改建为乡、镇以及村级自治组织，这一过程中，土地的所有权实际上归属于以自然村为单位的村民集体。可以说在改革开放的初期，集体所有制经济的作用虽然得到削弱，但是其通过演变，当时的表现形式能够更加适应时代发展以及社会进步的需求。

到20世纪90年代之后，国家在二十多年的改革历程中，不断延长农村土地承包期限，进一步弱化了集体所有制体制的作用，给予了农户更充分的经营自主权。然而由于国家对土地流转的限制，致使合作经济组织（集体所有制经济的表现形式）未能在我国农村得到良好的发展，这也造成了当前集体所有制只存在法律意义而缺乏实际价值的局面。可以说90年代的改革，是对家庭联产承包责任制的完善，也是集体所有制经济被虚置的根本原因。

（二）非农集体所有制经济尝试的失败

我国农村非农集体所有制经济的尝试经过三十多年市场经济的冲击基本以失败告终，市场中集体所有制企业所剩无几，特别是从20世纪90年代后期开始，非农集体所有制经济发展没落速度加剧。

农村非农集体所有制经济是指农村中的集体所有制企业，即乡镇企业及村办企业。农村非农集体所有制经济的尝试是集体所有制经济为适应工业化浪潮演变产生的表现形式。在我国改革开放初期，农村集体企业得到了快速的发展。究其原因，首先由于改革之初，国家为集体企业制定了在税收以及绩效上的优惠政策，其次是乡政府、村组织对集体企业在管理权上有不同程度的下放，调动了集体企业的积极性，再次是当时我国处于卖方市场，消费者受到人均收入、消费结构的限制，对产品的质量要求较低，也使集体企业发展有较大的市场空间。

进入 20 世纪 90 年代中后期，中国经济转变为买方市场，经济结构开始调整，加上亚洲金融危机的冲击，宏观经济疲软，企业发展遇到困难，而农村集体所有制企业由于产权不清，又缺乏国有企业的垄断资源，自身变革缓慢，大部分农村集体企业破产。虽然在这一过程中，农村集体企业也不断尝试自我突破，部分企业与外资联合成立股份公司，或改制为国有企业，但是农村集体企业仍然无法从根本上解决其产权不清、品牌缺失、技术缺乏的问题，从而无法适应 21 世纪经济浪潮，最终多数企业走上了破产的道路。

（三）集体所有制经济缺乏量化价值

市场经济在供需关系的作用下，对进入市场的事物都能有一个相对客观的量化价值评估，而集体所有制经济由于各种因素的影响，两种表现形式都未能很好地适应市场经济的需求，致使集体所有制经济缺乏相应的量化价值，进而产生了一系列由于市场失灵而迸发的有关农业、农村、农民的问题。

市场经济要求各经济主体拥有明确的产权和独立的行为能力，通过利用各自逐利的心态，产生供求变化，进而实现对资源、事物的量化价值评估。农业中的集体所有制经济，虽然拥有相对明确的产权，即土地所有权归村集体所有，但是当村集体以经济主体身份参与市场交易时，由于其决策受到上一级政府的影响，缺乏相对独立的行为能力，加上缺少合理的监督体系，致使集体所有制经济通过村集体进入市场的形式长期以来被国家政策所抑制。非农集体所有制经济虽然以农村集体企业的身份参与了我国市场化的改革，但是其不拥有明晰的产权结构，同时又缺乏类似国企改革的顶层设计机制，使得农村集体企业在 20 世纪 90 年代中后期之后，无法应对瞬息万变的市场变化，最终也未能使集体所有制经济在市场经济的体系中获得量化价值。正是由于集体所有制经济缺少量化价值，使得农村经济未能实现再次统一，也进一步限制了农村长效增长机制的探索，农民则以零散的规模参与市场竞争，相关权益未能得到保障，最终进一步拉大了我国城乡差距，二元经济结构始终未能在短期内消除。

三、混合所有制经济发展对集体林区经济创新发展的作用

现代林区产业的发展以规模化、市场化、专业化为主要特征，这就要求各市场行为主体参与林业生产，促进林区产业现代化改革。然而原有集体所有制经济模式已经被实践证明不能完全适应市场规律，而混合所有制经济的探索为新时期下集体所有制经济的再发展提供了可能，对林区经济而言有着积极的作用。

（一）促进林业生产集体所有制经济有效形式的实现

林区混合所有制经济模式将以林权流转模式创新为纽带，突出集体所有制经济的主体地位，探索新时期集体所有制经济的有效实现形式，从而促进林区土地资源的集中以及林业产业工业加工链条的延伸发展，进而推动林区产业的规模化、市场化、专业化进程，能够在新形势下促进林业生产集体所有制经济有效形式的实现，更是一种迫使集体所有制经济不断演变的倒逼手段。

林区土地资源的流转集中虽然在现实中有诸多形式，但多数以林农之间流转的形式存在，这些形式未能满足林权大规模流转的需求，将会产生交易成本过高以及因交易双方地位不对等而产生权益受损等问题。所以在大规模流转中，作为林权土地资源的直接拥有者，村集体将成为最好的经济行为主体。而混合经济的发展，将通过市场化机制引入国有经济以及民营经济，通过三方的制衡，减弱村集体上层政府的行政干预作用，同时混合所有制经济要求建立完善的民主监督机制，也可以解决村集体决策中的委托代理问题。

依托林区混合所有制经济的发展，林业生产集体所有制经济将突破之前探索的局限，适应市场经济规律，并作为市场参与主体解决好“三农”问题，切实保障各方利益。

（二）促进经济发展，打破二元经济体制束缚

在混合所有制经济的背景下，林业产业工业加工链条的延伸将成为必然，并由此带动一批农村集体企业的发展，加快林区发展，增加林农收入，缩小城乡经济差距，有利于从经济增长和收入增加的角度打破二元经济机制的束缚。

非林产业中混合所有制经济的发展将要求集体所有制企业内部通过股份制的形式明晰产权，并且引入战略投资者，引进技术与资金，以应对新时代经济发展的冲击。混合所有制经济的发展能够有效解决集体所有制经济在现实中缺乏明晰产权或独立行为能力的问题，是促进集体所有制企业再次参与市场竞争的重要途径。

非林集体所有制企业为更好依托地区林业资源，将会选择就地发展，招聘林农参与生产，这既能够有效刺激当地经济增长，也能增加林农收入，减低单一收入来源带来的风险，从而缩小城乡差距，有利于打破二元经济体制的束缚。

（三）促进林地所有权、承包权、经营权三权分离

混合所有制经济的发展将有利于促进林区土地所有权、承包权、经营权的分离，明晰权益，减少因权益不清而产生的矛盾，实现资源的有效配置，保障各方利益。

林权流转实际是土地经营权的交易，这中间涉及村集体的所有权、农户的承包权以及流转后的经营权三方面的利益分配，而在现实流转过程中三方之间存在着一定的矛盾，严重影响了农村经济的发展。村集体所代表的所有权与农户的承包权之间存在相互倾轧的现象，在大规模流转时，村集体可能与工商资本密谋，侵害农户权

利，而部分农户也会成为“钉子户”，影响集体利益的实现。承包权与流转后的经营权之间存在严重的委托代理问题。承包权所有者在见到土地收益丰厚时，有动机毁约收回经营权；而流转后经营权所有者往往由于流转期限较短的原因，只顾及短期利益，盲目利用，造成土地资源遭受不可逆性破坏。所有权、承包权、经营权三者之间的矛盾直接导致了农林业发展疲软、现代化进程受阻的问题。

混合所有制经济的发展将有效促进三权分离，明晰各方职能，减少经济摩擦，促进农林业现代化进程。社会监督机制的完善将使所有权与承包权的拥有者目标统一，降低了村集体损害农户利益的风险，而集体表决机制也能够有效杜绝个人利益损害集体利益现象的出现，同时由于流转机制的进一步完善，流转期限延长，经营者将以长远利益回报为核心规划经营战略，有利于保护土地资源的可持续利用。

混合所有制经济模式的探索顾及了各方利益，以市场化的运行规则促进各方力量的协同，实现资金、土地、人力等资源的有效配置，将有效促进林区产业的发展。

参考文献

1. 房风文、楼栋、毛飞等：“林业股份合作社：发展环境、运行机制与政府支持——浙江省安吉县调研报告”，《林业经济》2011 年第 3 期。
2. 宋沛、秦涛、蒋林橙：“我国林业信托融资项目典型案例分析与启示”，《绿色财会》2013 年第 4 期。
3. 王树春：“中国农村集体经济制度变迁的历史及其趋势”，《天津商学院学报》2003 年第 1 期。
4. 叶知年、林怡仙：“论我国林权流转制度之完善”，《西南科技大学学报：哲学社会科学版》2010 年第 1 期。

（赵锦勇，国家林业局经济发展研究中心；陈骐，北京大学光华管理学院）

混合所有制与企业家精神的成长

尹 俊 杨洪福

2013 年,我国国资委系统监管企业资产总额达 85.4 万亿元,是 1978 年国有企业资产总额(4 488 亿元)的 190 倍,从数字上来看,即使扣除价格因素影响,国有企业在这三十多年间确实发生了沧桑巨变。企业的发展壮大可以从多个方面进行解释,比如生产效率的提高,资源配置效率的提高,企业家精神的提升等。

在 1937 年之前,企业被认为是与个人相类似的独立经济主体,企业的产出是资本、劳动等要素的生产函数,大家认为影响企业发展壮大的唯一因素就是生产效率的提高,依靠资本投入的增加和劳动技术的进步是企业发展壮大的主要方式。

直到1937年,科斯发表了《企业的性质》论著,他认为企业不仅仅是一个机械化的经济生产主体,还是资源配置的一种方式。经济学里把资源配置的方式分为三种:市场、政府与道德。科斯认为企业是市场配置方式的一种替代,市场通过交易和价格变动来配置资源,企业通过组织内部的层级指挥来配置资源。市场的不足是有交易成本,而企业的不足是有组织成本。企业可以采用一系列的管理制度安排(如契约制度、现代公司法人治理制度以及科学管理、全面质量管理制度等)来降低企业的组织成本,提高企业的资源配置效率。因此,除了生产效率的提高外,依靠企业内部管理制度的设计与完善,提高企业的资源配置效率也成了企业发展壮大的重要途径。

然而,伴随着管理学理论对企业家和企业文化的日益关注,学界认为除了前两种常规效率之外,企业在很多时刻能产生超常规效率,也被称为X效率。不少研究最后发现,企业的这种效率来源于企业中企业家精神的提升,企业家精神使得企业生产效率和资源配置效率的效益成倍放大,进而使得企业产生超常规效率。经济学家熊彼特甚至认为,企业崛起和发展最核心的因素是企业家精神的提升,并且认为企业家精神也是一个国家经济增长的决定性因素,是经济增长的国王。

为什么企业家精神有如此神奇的力量?企业家精神的内涵主要包括个体的成就动机、冒险倾向两项特质。成就动机是指个体在一定的竞争环境下,对成功的偏好程度,在企业中往往表现为重视利润、资本回报率、经济增加值等指标,注重长远发展,不小富即安等。冒险倾向是指个体处于某种风险情景中对未来发生的事件进行预测而做出冒险决定的程度,在企业中往往表现为追求创新、不安于现状、敢于冒险等。企业家精神的主要载体是企业家,即企业的最高领导者，他的主要职责是组织企业所需的资本、劳动等各类生产要素，并不断创新配置这些要素，而企业家的成就动机与冒险倾向特征能够显著影响他如何来选择、组织和配置。有这两项特征的企业家会更关注并热衷于不断扩充企业的资源规模、核心资产，提高创新投入、配置效率，加速企业发展壮大。因此，企业家精神是生产效率和资源配置效率的基础，有了企业家精神，企业的生产效率和资源配置效率会加倍提高。

回顾我国国有企业的发展历史，在计划经济体制下，无论是中央还是地方，所有的国有企业事实上只是一个进行成本核算的基层生产单位，企业的一切活动都由各级政府机关通过计划指令决定。当时大家认为国企发展的主要瓶颈在于资本的短缺，于是不断加大资本的投入，开始了“高积累、低消费”的传统发展战略。然而经过三十多年的实践，人们发现，由于企业所有的生产和销售都是由政府来决定，企业只负责执行上级下达的计划，因此企业既不需要去关注利润，也没有创新的内在动力，甚至有的企业引进了新技术设备也闲置仓库，还有的企业管理制度混乱，缺乏监督，员工消极怠工等。这样的传统发展战略非但没有带来国有企业的发展，反而与发达国家之间的差距进一步拉大了。

国企发展的失败使得越来越多的人认识到，国有企业的发展纯粹依靠政府，不调动企业自身的积极性是行不通的。因此 1978 年开始，国有企业启动了系统的改革，企业家精神随之在我国国有企业中不断成长，并造就了如今国企的辉煌成绩。

一、我国国有企业改革回顾与企业家精神的成长

我国的国有企业改革大致可以分为三个阶段。

（一）1978—1992 年的改革

第一个阶段是从 1978 年到 1992 年。由于当时国企效益很低，

主要的思路是不改变原有计划经济体制下国有企业的基本制度，靠政府向国有企业"放权让利"来增加国有企业的自主权，先后尝试了"扩大自主权"、"利改税、拨改贷"、"承包制"等方法。

1979年年初，中央开始尝试国有企业扩大自主权，选择试点企业扩大其在生产和销售超计划产品、提取和使用利润留成、任命企业下级干部等方面的权力，随后推广到全国。这种方法的优点是对企业的物质刺激增强了，显著地提高了企业增产增收的积极性。缺点是没有建立起一套完善的分配制度安排，企业与政府在利润留成比例方面不断讨价还价，使得企业发放的物质奖金、补贴越来越多，上缴财政的越来越少，最终扩大自主权改革宣告失败。

随后，1983年，中央决定实施国有企业利改税、拨改贷改革。利改税是指国有企业不再上缴利润，而是缴所得税，国家制定企业所得税法，企业依所得多少缴税。这种方法的优点是企业上缴税收后的利润归自己所有，这使得企业有动力增产增收，也遏制了企业乱发奖金。但缺点是，由于财政压力大，所得税税率高达55%，而且余下的也不能完全留给企业，还要经过协调缴"利润调节税"，企业积极性仍然受到影响。拨改贷是指财政不再无偿注资给国有企业，企业只能以贷款的形式向国有银行融资，取得了积极的效果。

参考农村家庭联产承包责任制的经验，为进一步提高国有企业的积极性，1987年，中央决定采用承包制的方法改革国有企业，企业承包一定份额的利税，剩余的利润由企业自主支配。这种方法的优点是在开始的短时期内对于促使企业增产增收有很强的刺激作用。但缺点一是企业负盈不负亏，政府为企业亏损买单，企业很少考虑投资风险。二是由于承包有具体的期限，大大刺激了短期行为，例如，为了提高自己的利润分成，有的承包者不维修设备，不提折旧或者少提折旧，把折旧列入利润，使得国有资产流失。承包制尝试也宣告失败。

第一阶段的改革中，政府通过放权让利，使得国有企业有了一定的自主权和积极性，因此各个主要行业都出现了一些业绩比较好的企业。但是长期而言，由于国企的基本制度没有发生变化，依旧十分僵化，企业的自主权主要仍是依靠讨价还价的博弈，因此，放权让利改良的办法宣告失败。

（二）1993—2002年的改革

由于改良的办法宣告失败，中央发现放权让利无法真正调动企业的积极性，要想搞活国有企业，必须从产权制度入手，实行股份制改革，将“放权”的理念转化为“还权”的理念，真正让企业成为市场经济环境下自主经营、自负盈亏的经济主体。股份制改革是指将传统公有制变为新型公有制，国家以股份入股企业，成立股份有限公司。

关于我国国有企业股份制改革的思想，最早由厉以宁教授在1980年全国就业工作会议上提出，并在之后的著作中详细论述了企业发行股票、职工入股、组建公司集团、居民成为投资者和创业者等关于股份制的设想。直到1993年，中共十四届三中全会《关于建立社会主义市场经济体制若干问题的决定》提出，深化国有企业改革必须“解决深层次矛盾，着力进行企业制度的创新，建立产权清晰、权责明确、政企分开、管理科学的现代企业制度”，并提出“公司股份制是建立现代企业制度的有益探索”。1997年9月12日，党的十五大报告中进一步提出：“股份制是现代企业的一种资本组织形式，有利于所有权和经营权的分离，有利于提高企业和资本的运作效率，资本主义可以用，社会主义也可以用。不能笼统地说股份制是公有还是私有，关键看股权掌握在谁手中”，正式确立股份制是我国国有企业改革的主要目标模式。

股份制改革的主要措施包括：

一是政企分开。把国企的行政职能移交给政府部门，国企不再具有行政职能，开始专门行使市场主体的职能，不再既当规则修改者，又当裁判员，又当运动员。部分大的央企采取分拆改组一分为二或一分为多的方法，打破垄断，促使企业之间相互竞争。

二是建立股份有限公司。政府自身或政府授权控股公司、资产经营公司、集团母公司等“国家授权投资机构”行使国有控股权，随后通过中外合资和企业互相参股等形式改为股份制企业，或通过整体上市（对不良资产和多余人员先进行处理后整体上市）或剥离上市（只上市一部分核心业务或资产）的方法进行公司化改革。

三是初步建立现代公司法人治理制度。改制上市的企业逐步建立了现代公司法人治理制度。建立现代公司法人治理制度的主要依据是委托代理理论，委托代理问题的主要原因是委托人与代理人的信息不对称以及潜在利益冲突。公司的层级机制一般是：股东大会—董事会—董事长—总经理—管理层—员工，这是一个层层的委托代理关系，代理人负责行动，委托人为行动的后果承担责任，主要体现在大股东欺压小股东，管理者欺压所有者两个层级。防止委托代理问题的核心环节在于董事会，一方面可以防止大股东欺压小股东，另一方面可以监督管理者欺压所有者，所以不少企业开始尝试在企业董事会中加入外部董事（独立董事或者派驻董事）、经理人员和职工代表，或成立监事会，监督委托代理问题，初步建立了现代公司法人治理制度。

（三）2003 年至今的改革

国有企业实行股份制改革之后，发展迅速，但仍存在的问题是，企业的大股东是国家，究竟谁来代替国家对代理人进行管理。当时的中央企业工委、财政部、国家经贸委等对国企都有管理权力，多部门之间的协调成本很高，还导致国有企业效率低下。因此，党的十六大提出“要建立中央政府和地方政府分别代表国家履行出资人职责，享有所有者权益，权利、义务和责任相统一，管资产和管人、管事相结合的国有资产管理体制，落实国有资产保值增值责任”。国有企业进入了改革新阶段。

主要措施是建立了国务院国有资产监督管理委员会以及地方国资委，从机构设置上实现了出资人到位，基本解决了长期存在的管资产、管人、管事脱节等“五龙治水”的问题。

国资委的两项基本职责是调加管。调，即优化国有经济的布局结构，减少市场化程度比较高、竞争比较激烈的行业中国有经济的比例，推动国有经济布局和结构优化、突出主业、压缩管理链条，在做强、做大、做精上下功夫。管，包含建立健全国有资产监督管理制度、优化现代公司法人治理制度、深化选人用人制度改革等，尤其是高管薪酬改革、企业业绩考核改革、董事会试点改革、公开招聘企业高级经营管理者等办法，推动了我国国有企业实力不断增强，迈入世界领先的大企业行列。

（四）国有企业改革历程中企业家精神的成长

根据制度经济学的理论，企业家个人思想观的变化源自制度环境的变化。韦伯（Weber）在 1930 年出版的《新教伦理与资本主义精神》一书中就指出，新教革命给工厂的工人和社会上的企业家灌输了一种新的思想，即追逐成就的思想，这最终促使了现代工业资本主义的产生与发展。

我国在经济转型的过程中，一方面国家通过各种激励的办法提倡国有企业领导者不断努力，提高企业的绩效，不鼓励一成不变和守旧，这些都将提高国有企业领导者的成就动机。另一方面，中国的转型经济环境导致了国有企业领导者具有一定的冒险倾向。企业领导者在经营企业过程中的一个重要职责就是在不确定的环境下做出决策，并承担相应的风险。由于中国采取的是渐进式的双轨制改革，除了企业管理和经营的风险外，企业领导者还需要面临一定的政治风险和法律风险。因此，制度环境的不确定性，会导致一部分国有企业的企业领导者具有较高的冒险倾向。

成就动机和冒险倾向正是企业家精神的核心特质。由此，我国国有企业三个阶段改革的历程，正是企业中企业家精神不断成长的历程。三十多年前，我国开始了从计划经济体制向市场经济体制转型的变革，市场经济体制的一个主要标志就是有与之相适应的市场主体，要出现市场主体，首先必须出现企业家，而要出现企业家，首先必须出现企业家精神。

在我国改革之前的国有企业中要出现企业家精神，需要有两项基础，一是市场放活，二是所有制改革。可以举例来解释，假设1978年之前，国家一个工厂要开始投产，政府主管部门任命张某为工厂经理。张经理上任之后，计委会给他安排生产计划，随后各主管部门会给他配备原材料、资金和劳动力，张经理只负责把所有资源组织好进行生产，就完成了国家的任务，产品由国家统一销售，利润上缴，张经理没有动力主动减少成本，不需要关注利润，不需要创新，也不需要冒风险，因此几乎没有企业家精神。

第一阶段的国企改革中，由于国家开始逐步放活市场，放开价格，并且允许企业自留部分利润自主支配（比如发给职工），于是张经理就会开始关注利润，进而需要决策如何减少成本，如何增加生产效率，使得生产成本最小，生产量最大，从而获得最多的利润。于是张经理就开始出现了成就动机，企业家精神开始萌芽，但是放权让利，本质上还是政府主导，张经理要想增加投资、要想招聘或辞退一个员工，都不被允许，企业发展的空间受限，而且企业不能亏损，一旦亏损，个人收益就没有了，所以张经理会规避风险，害怕失败，只关注短期利益，不愿选择长期投资，因此还不具备真正的企业家精神。

第二阶段的国企改革中，国企开始进行股份制改革，初步建立现代公司法人治理制度，张经理开始代表国家对企业进行管理，不仅需要适应市场、自负盈亏，而且有较大的经营自主权，于是张经理开始不断追逐成就动机,将企业做大做强,敢于创新,冒风险,为企业的长远发展考虑,即开始具备企业家精神的特质。而一旦企业的领导者具备了较高的成就动机和冒险倾向后,他就会通过建立企业文化,将企业家精神传递给每个员工,营造出整个企业不断追逐成就、敢于冒险创新的氛围,进而提升整个企业的企业家精神,推动企业的发展壮大。

第三阶段,国资委通过调加管的手段,使得国有企业退出部分领域之后,相关领域的民营企业快速发展,民营企业中的企业家精神也快速出现,造就了中国经济的整体快速增长。此外,国资委通过健全国有资产监督管理制度、优化现代公司法人治理制度、深化选人用人制度改革等方法,增强企业之间、企业经理人之间的规范化合理竞争,进一步提升了国有企业中的企业家精神。

二、企业家精神的提升与混合所有制改革设想

国有企业改革至今,企业家精神得到了成长,但是一些反企业家精神的制度、政策仍然存在。比如在整个决策过程中、管理过程中还存在不少问题。一项调研显示,国有企业领导者决策时最关注问题的顺序依次是国企社会效益(即决策能否给社会带来积极影响,同时避免出现问题)、个人声誉(决策后政府、社会对企业领导者个人的评价)、企业的发展(决策对企业未来的利弊),可见企业的发展仅排在第三位,这与企业家精神的宗旨有了偏差。虽然国企规模很大,但是决策依据的偏差,导致国企的效率相对民企而言比较低,比如2010年,国有工业企业占整个工业企业资产的42%,但是其产值只占27%,增加值只占30%,解决的就业只有20%,投入产出是不成正比的。

因此,新时期,要想继续推动国有企业的发展壮大,必须继续深化改革,进一步释放企业家精神的潜力,提升企业家精神。

企业家精神的提升是永无止境的,应该双管齐下:加强内部管理、完善外部环境。党的十八届三中全会决定对国有企业改革做出了深入部署,主要包含两个方面,一是发展混合所有制,二是由管资产转向管资本,这是提升企业家精神的又一重大机遇。

(一) 通过混合所有制形式改善公司内部治理结构,提升国有企业内部的企业家精神

近日,国资委提出在中央企业发展混合所有制经济试点。事实上据国资委统计,中央企业及其子企业引入非公资本形成混合所有制企业已占总企业户数的52%,尤其以中央企业子企业和地方国有企业居多。未引入民营资本之前,有两个极端,政府对国企管得多,企业就会僵化,政府管得少,企业就会出现内部人控制的问题。而混合所有制引入民营资本之后,最大的好处是民企将积极参与董事会决策,决策首先考虑的将是企业怎样能够达到股东利益最大化,因为民营资本股东最关注的是投入的资本增值多少。这样使得决策更为有效,也使企业具有了不断追求效益的内生动力。在混合所有制形式下,国资委还可以向中央企业派驻纪检组,监督混合所有制企业的公司治理情况,防止侵害国有资本。

混合所有制还能将民营企业中一些先进的管理理念引入企业,比如引进员工持股制度,引入以人为本、扁平式的管理方式,营造平等的文化氛围等激励员工,提升整个企业的企业家精神。

(二) 通过管资产转向管资本,同时提升政府和企业的企业家精神

国资委还提出改组国有资本投资公司试点,开始转向国有资本运作,这将使得政府更关注资本的收益,不去具体监管每个企业具体做得如何,进而提升政府中国有资本管理者的企业家精神,壮大国有资本总量。

从管资产转向管资本，还能提升企业的自主权，推动企业注重长期发展。目前国有企业高层甚至中层领导者都由国家任命，企业领导者有预期任职时间，比如预期5年，和官场一样，国企领导者存在“能上不能下”的问题。因此领导者就不会选择长期有风险的投入，而只考虑5年内的发展。近期，上海的国企改革方案做出了比较好的尝试。按设想，上海新一轮国资改革中，竞争类国企的“市管干部”——也就是副局级以上领导，只设3个职位——党委书记、董事长、总裁（总经理），其他副职不再列入市管干部，统一由董事会按照现代企业制度选人，取消行政级别，只有经济雇佣关系。如此，董事会就会挑选那些更具有企业家精神的人、更能帮助企业发展的人进入经营管理层。未来上海市国资委和旗下国企老总之间，还将试行契约化管理，进一步解决政企不分、政资不分的问题。因此，未来国资委应只是监督和管理国有资本，不再管理具体企业，只需做好两项工作：一是因为国资委股份最大，可以按照公司法向各个公司派出董事长、监事长、独立董事。二是履行出资人职责，审定各个公司的章程，看是否符合公司法规定。其他的企业业务和企业管理人员都不需要管，战略也不需要管，可以监督，可以否决，具体公司业务甚至包括聘任总经理，都可以由董事会投票决定。

（三）通过完善市场环境鼓励国企民企共同发展，提升全社会的企业家精神

当前抑制企业家精神的因素还有市场环境的问题。在有的行业，国有企业的垄断优势严重影响了民营企业的发展空间，产生了负外部性。根据公平理论，国企有特权的领域，虽然国企能很快发展壮大，但由于其会抑制民营企业的发展，反而使得社会总效益降低。如果取消国企在竞争性领域的优惠政策，鼓励国企与民企在市场上公平竞争、共同发展，反而能提升整个社会的总效益，也能提升整个社会的企业家精神。

北京市委市政府近期出台的《关于全面深化市属国资国企改革的意见》，明确了首都国企改革方向，指出国有资本集中度将大幅提高，80%以上的国有资本集中到提供公共服务、加强基础设施建设、发展前瞻性战略性产业、保护生态环境、保障民生等领域。并将国有企业分为三类，除了城市公共服务类和特殊功能类企业外，一律定性为竞争类企业，这类企业一律以资本效益最大化为主要目标，并放开民营企业门槛限制，鼓励国企与民企充分竞争、共同发展。

因此，完善市场环境的目标既不是"国退民进"，也不是"国进民退"，而是国有企业和民营企业发挥各自的优势，既公平竞争，又有合作发展，双赢共赢，提升全社会的企业家精神，最终促进国民经济不断增长。

参考文献

1. 黄泽华："中国股份制改革三十年回眸"，http://www.china.com.cn/book/zhuanti/qkjc/txt/2008-07/18/content_16030399.htm。
2. 科斯、王宁：《变革中国——市场经济的中国之路》，中信出版社2013年版。
3. 厉以宁：《超越市场与超越政府——论道德力量在经济中的作用》，经济科学出版社1999年版。
4. 厉以宁：《资本主义的起源——比较经济史研究》，商务印书馆2003年版。
5. 厉以宁：《非均衡的中国经济》，中国大百科全书出版社2009年版。
6. 厉以宁：《中国经济改革发展之路》，外语教学与研究出版社2010年版。
7. 厉以宁：《中国经济双重转型之路》，中国人民大学出版社2013年版。
8. 厉以宁、孟晓苏、李源潮、李克强：《走向繁荣的战略选择》，经济日报出版社2013年版。
9. 李荣融：《遵循规律办企业》，中国经济出版社2013年版。
10. 尹俊、黄鸣鹏、王辉、裴学成："战略型领导者成就动机、冒险倾向与企业国际化"，《经济科学》2013年第3期。
11. 张志学、张建君：《中国企业的多元解读》，北京大学出版社2010年版。

（尹俊，国家开发银行规划局；杨洪福，北京市朝阳区望京街道办事处）

实践篇

对证券公司混合所有制发展的若干思考——基于中原证券的案例分析

周小全

我国证券行业脱胎于计划经济体制，自产生以来就带有浓厚国有化色彩，虽历经多次股权调整原有行政色彩有所弱化，但由于监管层对证券公司股东构成的严格限制，最终控股权多转移至地方财政、国资系统及大型国企中。十八届三中全会提出要积极发展混合所有制经济，并将其上升到基本经济制度的战略高度。在此背景下，国有经济占据绝对垄断地位的中国证券行业，将成为新一轮国资国企改革的重点。中原证券自成立以来混合所有制发展较具代表性，本文将其作为典型案例，深入探讨混合所有制作用于企业绩效的内在逻辑与机理，发展混合所有制的若干路径以及公司治理机制的优化对策，以期对我国证券行业的混合所有制发展有所裨益。

一、中原证券简介

中原证券股份有限公司成立于2002年11月8日，是在时任河南省省长李克强等领导的提议和关心支持下组建的，是河南省内唯一法人证券公司。公司总部位于河南省郑州市郑东新区，注册资本20.33亿元，现有员工2 000多人，拥有5家分公司和60多家证券、期货经营机构。公司还控股中原期货公司、中原英石基金公司，全资拥有中鼎开源直投公司，与洛阳市政府合资成立了由中鼎开源控股的中证开元创投公司，初步具备了现代化大型金融控股集团的框架。

公司是河南省内领先的证券公司，正立足河南、辐射中部、面向全国，致力于打造全国一流证券公司。公司自成立以来，在河南省委、省政府和各有关方面的大力指导和支持下，快速发展壮大，架构体系逐步健全，制度体系逐步完善，业务范围不断拓宽，已形成以投行业务为先导，以经纪业务为重要基础，以固定收益、资产管理、融资融券等为常规性业务，以股权质押融资、股票约定式回购、债券质押报价回购、现金管理、场外市场、衍生品等为创新业务，共同均衡发展的全能型业务格局。截至2013年年底，公司总资产规模129.46亿元，净资产41.53亿元，管理客户资产1 500亿元，资本实力和抗风险能力明显增强，行业排名不断提升，核心竞争力持续提高。“十一五”以来的8年间，累计实现利润47.91亿元，公司累计上缴税收33.66亿元，经营效益在河南省管企业中处于前列。

二、混合所有制下的企业成长——以中原证券为例

混合所有制模式的引入为证券公司做大做强提供了充足资金、

资源与人力保证，且多元化的股权结构有助于构建科学有效的公司治理机制。中原证券由弱到强的渐近变革中，可清晰窥探出混合所有制完善与发展对绩效提升的重要性。

（一）混合所有制促成公司顺利重组与整合

并购重组是优化产业组织结构、实现资源优化配置的重要举措。混合所有制模式的引入使得不同券商间的整合成为可能。中原证券成立伊始即为混合所有制企业，这是当时组建背景所决定的。由于实际参与重组的河南财政证券、安阳信托下属证券类资产、安阳财政证券、焦作国债服务部、鹤壁财政证券等分属于不同法人主体，这决定了整合形成的中原证券必然是混合所有制。

不过，重组过程中许继集团、安钢集团、神火集团等非金融系统的地方实业型大型国企的加入，成为中原证券混合所有制的一大特色，且为中原证券的顺利整合以及后续系列收购奠定了坚实基础。2002 年 11 月 8 日，中原证券正式成立，注册资本 10.34 亿元。设立时公司各股东持股数及持股比例如表 1 所示：

表 1　2002 年中原证券成立时的股权结构

序号	股东名称	持股数(万股)	持股比例(%)
1	许继集团有限公司	42 000.00	40.627
2	河南省经济技术开发公司	36 361.84	35.173
3	河南省建设投资总公司	10 000.00	9.673
4	安阳钢铁集团有限责任公司	10 000.00	9.673
5	安阳市经济技术开发公司	1 698.08	1.643
6	安阳市信托投资公司	1 052.25	1.018
7	河南神火集团有限公司	1 000.00	0.967
8	焦作市经济技术开发有限公司	766.83	0.742
9	鹤壁市经济发展建设投资公司	500.00	0.484
合　计		103 379.00	100.00

资料来源：中原证券董事会。

许继集团成为组建伊始的中原证券第一大股东，持股比例为40.627%，安阳钢铁为第四大股东，持股比例为9.673%，河南神火集团持股比例为0.967%，为公司第七大股东，且从出资方式看，三家实业型股东均为现金出资，其中许继集团出资4.2亿，安钢集团出资1亿元，神火集团出资1 000万。充沛的现金资源为公司的后续系列收购奠定了坚实基础。2002年年底中原证券出资1.15亿元收购河南证券，完成了省政府的既定规划；2003年中原证券又相继出资19.91万收购驻马店国债服务部，出资10.30万收购孟州市国债服务部，出资1 191万收购许昌国债服务部，全面实现了对河南境内证券类资产的整合。

中原证券混合所有制还创设了一种类似于地方政府持股的"黄金股"制度。[1]虽然代表河南省政府利益的河南省经济技术开发公司并非公司第一大股东，但具有实际控制权，董事长由河南省政府委任。这一公司治理安排不仅保证了公司能够在地方政府的规划下，有序推进地方证券业的资产整合，同时也提升了公司的抗风险能力。2003—2005年，正值中国证券业寒冬之际，熊市阴霾不散，交投异常低迷，期间多家知名券商如南方证券、华夏证券等相继被托管收购，然而中原证券经受住了熊市洗礼，屹然不倒。2006年在股权分置改革的带动下，中国股市终于迎来一波牛市行情，中原证券抓住机遇，大幅赢利。2006年公司实现扭亏为盈，全年实现净利润1.97亿元；2007年，公司实现营业收入23.26亿元，同比增长338.04%，实现净利润10.83亿元，同比增长449.75%。

---

〔1〕"黄金股"(golden share)又称为特别股，最早出现在20世纪70年代末撒切尔夫人推行的国有企业私有化运动中。在黄金股制度安排下，政府在国企改革的重大议题方面如人事任免、资产处置等，拥有一票否决权，通过该制度安排，保证了英国在私有化过程中对国有企业的有效干预与控制，确保国企改革在政府可控范围内循序推进。

（二）混合所有制充实公司资本实力，提升抗风险能力

证券业是典型的资本密集型行业，尤其是2006年11月开始实施的《证券公司风险控制指标管理办法》，标志着以净资本为核心的证券公司监管体系建立，净资本成为证券公司综合竞争力的关键因素，不仅决定抵御风险的能力，还决定着开展业务的范围和规模。

为提升公司资本实力，2008年中原证券迎来第二次混合所有制大发展。公司当年进行了增资扩股，许继集团等8家股东共同认购了公司新发行的近10亿股份，同时股东河南建投吸收合并了河南经开并组建为河南投资集团。增资扩股之后，河南省投资集团持股比例上升至44.85%，成为公司第一大股东，公司注册资本增加至20.34亿元，资本实力与抗风险能力得以加强。2008年受国际金融危机影响，上证指数全年暴跌62%，但公司经受住了市场考验，并未出现亏损，全年依旧实现赢利1.07亿元。2009年在4万亿投资刺激下，证券市场迎来大幅反弹，中原证券抓住行业景气拐点，2009年赢利大幅增加，当年实现营业收入达18.59亿元，同比增长296.49%，实现净利润8.67亿元，增长702.78%。

表2　2008年增资扩股后中原证券股权结构

序号	股东名称	持股数(万股)	持股比例(%)
1	河南投资集团有限公司	91 195.78	44.846
2	许继集团有限公司	82 615.96	40.627
3	安阳钢铁集团有限责任公司	19 670.42	9.673
4	安阳市经济技术开发公司	5 410.32	2.661
5	河南神火集团有限公司	1 966.89	0.967
6	焦作市经济技术开发有限公司	1 508.51	0.742
7	鹤壁市经济建设投资总公司	983.69	0.484
合　计		203 351.57	100.00

资料来源：中原证券董事会。

（三）混合所有制促进公司治理机制完善，实现资源优势互补

公司治理本质反映的是不同股东之间的制衡关系，受制于股权结构的优化，唯有通过股权多元化才能构建起科学有效的公司治理机制。因此，混合所有制的发展程度直接决定了公司治理的效率，且混合所有制的引入有助于各种所有制经济取长补短，在企业内部实现生产要素的公平收益，构建起不同经济成分共赢发展的长效机制。从2009年后中原证券的第三次混合所有制发展可明显看出其在优化公司治理机制与实现资源互补方面的显著效应。

表3　许继集团股权系列转让后的中原证券股权结构

序号	股东名称	持股数（万股）	持股比例（%）
1	河南投资集团有限公司	91 195.78	44.846
2	渤海产业投资基金管理有限公司（代表渤海产业投资基金）	60 800.00	29.899
3	安阳钢铁集团有限责任公司	19 670.42	9.673
4	中国平煤神马能源化工集团有限责任公司	8 315.96	4.089
5	安阳经济开发集团有限公司	5 410.32	2.661
6	江苏省苏豪控股集团有限公司	3 000.00	1.475
7	许昌施普雷特建材科技有限公司	2 400.00	1.180
8	广州立白投资有限公司	2 000.00	0.983
9	河南神火集团有限公司	1 966.89	0.967
10	河南省金龙实业有限公司	1 600.00	0.787
11	焦作市经济技术开发有限公司	1 508.51	0.742
12	山东环球渔具股份有限公司	1 500.00	0.738
13	江苏惠友毛衫有限公司	1 000.00	0.492
14	深圳市广晟投资发展有限公司	1 000.00	0.492
15	张家港保税科技股份有限公司	1 000.00	0.492
16	鹤壁市经济建设投资集团有限公司	983.69	0.484
合　计		203 351.57	100.00

资料来源：中原证券董事会。

2009年,由于公司第二大股东许继集团被平安信托控股,为符合《证券公司监督管理条例》等法律法规规定,2010—2012年许继集团陆续将其持有的公司股权对外转让,这在客观上促进了公司股权结构的完善。截至2012年4月底,许继集团原持有股份全部转让完毕,股权结构如表3所示。

经过许继集团的股权系列转让,中原证券股东家数从2009年年底的7家增至16家。渤海产业基金成为公司第二大股东,为券商行业资本与风险投资(venture capital)的有效融合提供了一种模式。渤海基金通过委派董事直接参与中原证券的重大经营决策,有助于公司决策的科学化,同时也有助于依托渤海产业基金的优势资源提升公司竞争能力。与此同时,股权结构中也出现了以许昌施普雷特建材、广州立白投资等为代表的外资、民营资本参股。至此,中原证券已发展成为券商行业一种典型的混合所有制模式:一是地方国有资本控股,为区域券商的持续发展保驾护航;二是金融资本与实业资本相互渗透,虚拟经济与实体经济的联动性加强;三是国有资本与民营、外资资本相融合,优势互补。混合所有制使得中原证券的公司治理机制更加完善,业绩更具保证,尤其是近年来公司发展迅猛。2010年,中原证券取得良好经营业绩,获取A类评级,跻身第一方阵;2012—2013年,中原证券业绩逆势上升,净利润增速连续两年高于行业平均水平。

(四)依托资本市场的混合所有制,全面提升竞争实力

资本市场对于券商发展的意义不仅在于提供了一条便捷的融资渠道,还是促进混合所有制发展的天然平台。在资本市场中,企业产权得以商品化、货币化,打破了企业实物资产的凝固与封闭状态,股权流转效率得以提升,且资本市场的高效定价机制、透明的信息披露也能最大程度地阻碍产权流转中的国有资产流失。

2014年6月下旬,中原证券成功登陆香港市场(中州证券,代

码01375),募集资金近15亿港币,成为首个登陆香港市场的区域性券商。香港市场的成功IPO,使得中原证券的混合所有制又前进了一大步。中原证券股本结构中增加了25%的香港流通股,涵盖全国社保基金、中国再保险集团以及员工持股的QDII等多个机构投资者,股权结构更加多元化。

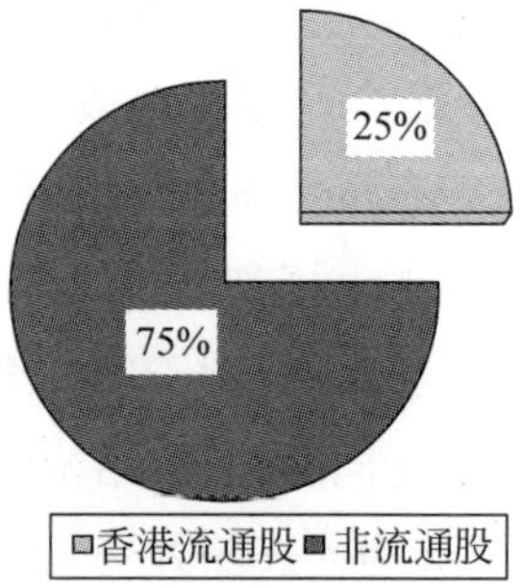

图1 香港上市后的中原证券股权结构

高度健全的香港资本市场,为中原证券日后的系列兼并收购、增资扩股以及战略投资者引入等资本运作提供了极大便利,有助于公司进一步优化股权结构,完善混合所有制模式,同时还使得公司按照国际准则优化公司治理机制,全面提升竞争实力。

三、混合所有制发展路径、模式探析

从中原证券的案例来看,促进券商混合所有制发展有多种途径可供选择,如增资扩股引入战略投资者;依托资本市场首发上市等。此外,伴随混业经营与证券公司的集团化演进,混合所有制发展还包括通过兼并收购等手段向其他金融领域渗透,不断拓宽业务边界。

(一)引入战略投资者,弥补公司发展短板

引入战略投资者,既可以利用对方资金、技术、管理、市场、人才

等优势，促进券商转型升级，也有助于构建多元化产权主体，优化治理机制。中原证券前期混合所有制的发展就主要依托战略投资者引入，如成立伊始的重组整合中许继集团等地方实业型企业的加入，极大充实了公司资本，为日后系列收购提供了充足现金资源；2008 年的增资扩股则进一步提升了公司实力。

战略投资者可通过产权转让、增资扩股、交叉持股、重组上市等多种方式引入，但关键是要明确引入目的，解决发展短板。如中原证券成立初期引入战略投资者主要是为了充实公司现金资源，但在 2010 年开始的系列股权转让中，引入渤海产业集团的意义在于促进券商行业资本与风险投资的有效融合，实现资源互补与公司治理机制优化。

下一阶段，在证券市场国际化趋势下，我们认为券商引入战略投资者可优先考虑将加速公司国际化进程作为重要目的。随着资本管制的放松，国内券商适时“走出去”已成为发展壮大的必由之路。尤其是随着内地和香港双向交流的日益密切，已经有越来越多券商如中信、海通等开启了国际化战略。但目前国内券商的国际化主要通过在香港设立分支机构模式，尚未普遍实现母公司层面的战略投资者引入。为充分利用外资优势，借助外资拓展国际市场，可考虑在母公司层面引入战略投资者，通过混合所有制有效撬动外资资源，推动国际化战略实施。

（二）依托资本市场，构建混合所有制的高效路径

A 股市场 IPO 的常态化、新三板扩容以及香港上市的监管放松等，使得券商借助于资本市场渠道优化混合所有制成为一条捷径。

1. 积极创造条件，争取 A 股上市

中原证券早期上市计划将 A 股市场放在首位，但长时间的 IPO 暂停导致新股发行受阻，最终公司决定转战香港市场。目前新股发

行已重新启动，且管理层明确向注册制过渡，A 股市场将再度成为促进国有企业混合所有制发展的重要渠道。

不过较之其他拟上市企业，证券公司还面临另一难题，即监管层对于券商上市的申报条件较为严格，除要求拟上市券商需满足一般性公司 IPO 条件之外，还需要满足谨慎性监管要求，这主要是出于风险防控目的。但实际上经过近几年全行业的综合治理，券商风控水平已得以显著提升。鉴于此，为鼓励券商行业通过上市做大做强，推动混合所有制发展，建议证监会对券商 IPO 上市的审慎性条件进行评估，考虑适时取消或降低关于业绩排名的要求，只要券商符合 IPO 发行上市条件就鼓励通过上市发展壮大，这本身也顺应了新股发行注册制改革的趋势。

2. 转战香港市场，分享国际化红利

中原证券在香港的成功上市对于业内其他区域性券商较具借鉴意义。较之其他市场，选择香港上市的优势在于流程便捷。香港采用注册制，半年之内即可完成首发上市，较之 A 股动辄 1 年以上的发行周期大幅缩减。不过，香港成功上市的关键在于发行环节，这一方面要求尽量选择有丰富上市经验和良好信誉的中介机构，另一方面发行人也要擅长推销自己，通过企业理念、发展战略、企业文化等精彩诠释，吸引战略投资者配售。如中原证券在路演中将中原经济区三大国家战略推进及沪港通即将开闸带来的潜在巨大红利作为重要卖点，并选取工银国际、汇丰、交银国际等多家知名投行联合承销，最终获取向机构投资者国际配售部分 1.3 倍超额认购的良好成绩。

3. 借道新三板，开辟券商混合所有制发展新路径

2014 年 1 月 24 日，湘财证券开创先河，成为第一家挂牌新三板的金融机构，值得其他券商借鉴。未来新三板发展广阔，将会逐步成为推动混合所有制发展的重要平台。首先，较之主板，当前新三板的劣势在于流动性不足，但日后新三板做市商制度的推出，可有

效缓解这一问题；其次，新三板挂牌企业可通过后续定向增发、债券发行等方式持续融资，且伴随新三板流动性的提升，将逐步发展成为一个全国性的证券交易场所，这为挂牌企业的股权转让、混合所有制发展提供了一个高效平台。最后，新三板转板制度的明确打通了多层次资本市场间的有机联系，为日后挂牌企业成功登陆主板创造了有利条件，持续成长的空间得以拓展。

（三）实施股权激励，探索员工持股模式

中原证券案例中，公司借助香港上市的重要契机引入了一个采用 QDII 形式员工持股的特殊制度安排，由员工通过 QDII 间接认购公司部分新股并长期持有，分享公司收益，既达到建立员工长效激励机制的目的，也克服了现行法律下对居民投资股票市场的一些限制。同时中原证券这一员工持股模式也恰好符合了十八届三中全会的最新指示，即“允许混合所有制经济实行企业员工持股，形成资本所有者和劳动者利益共同体”。

上市券商虽然可以采用员工持股的股权激励模式，但是由于国有企业实施股权激励需要层层审批，限制较多，实施难度较大，激励效果受限，股权激励模式有待创新。近年来，已有多家非金融领域的上市公司在尝试通过金融创新变相实现股权激励，值得券商借鉴。如上汽集团 2013 年 9 月与长江养老保险达成合作，由长江养老保险针对上汽集团管理层、关键骨干和对公司发展有重大贡献的员专设投资账户，将缴费资金的 80% 配置于权益类资产，另 20% 配置于固定收益类资产，通过该养老资产管理计划，变相实现了对公司经营者的股权激励。民营上市公司喜临门的股权激励模式也值得借鉴。该模式的最大亮点在于引入了一个股权激励的保本收益条款，承诺只要激励对象完成既定增长目标，届时即使股价表现不理想，也能获取最低年化 15% 的收益。这一条款有效规避了以往股权激励中，由于股价受系统性风险影响表现低迷，不能达到预期

激励目的的问题。喜临门股权激励中还引入了实际控制人按照1:1.5的担保配资条款，更加强化了激励效果。

（四）集团化演进下的混合所有制发展

积极打造金融控股集团是我国证券公司做大做强的必然举措，同时也是顺应混业经营的客观需要。这不仅意味着从证券经纪、投行、自营等传统业务向资本中介、直投、资产管理等创新型业务的自身转变，还意味着向银行、保险、互联网金融等其他非证券类金融业务的边界拓展。如中原证券就于2013年下半年，在省政府的指示下正式确立了打造大型金融控股集团的战略目标，目前已控股期货公司、直投公司以及基金管理公司等多家金融子公司，初步具备了金融控股集团的雏形，日后将逐步拓宽经营边界，向银行、保险等其他金融业渗透，同时依托香港市场这一高效资本运作平台，走国际化道路。

从中信、海通近年来的金融控股集团发展之路来看，善用资本运作，走混合所有制道路，加快兼并收购是制胜法宝。2014年4月出台的《国务院关于进一步优化企业兼并重组市场环境的意见》，着眼于优化政策环境，破除体制障碍，明确了市场化方向，将为证券公司加快并购重组迎来契机。我们认为，并购重组中要特别重视两点：一是明确哪些业务是发展主业，可由公司自身不断裂变，哪些业务则通过混合所有制的参股控股模式，与其他金融机构展开合作，注重协同效应的发挥与公司核心竞争能力的打造。二是注重并购重组后的整合，促进集团内规模经济与范围经济的发挥，提升资源配置效率。海通证券的并购效率较高，尤其是与海外机构的合作较为成功，例如对大福证券的成功并购，使得公司在境外对冲/套利、跨境PE投资、QFII、RQFII等业务领域取得显著进展，就主要得益于公司海纳百川的企业文化对并购单位的有效融合。

四、混合所有制模式的证券公司治理机制思考

混合所有制为券商高效科学的公司治理机制构建奠定了制度基础。但公司治理机制的完善还有赖于相关制衡制度的建立，包括公司控股股东与董事会委托代理关系的优化，董事会制度效率的提升，以及公司监事会监督功能的有效发挥等。

（一）采用国有相对控股，促进股权结构集中与分散的平衡

中原证券采用的是国有相对控股模式，股权结构在集中与分散之间达到了一种平衡，既保持了国有资本对重要金融领域的控制力，防范金融风险，又通过非公资本的引入实现了资源互补，共赢发展，实践证明这一模式是有效的。业内其他学者的研究也有类似结论，如冯根福、丁国荣以及陈昕、林晓璇（2013）基于券商行业数据的实证研究表明，适度集中的股权结构有利于券商公司治理效率的提升。这主要是因为我国资本市场的发育尚不成熟，且证券业采用牌照经营，存在较高行政壁垒，在非充分竞争的市场环境下，过于分散的股权结构无法解决对经营者的有效监督，而相对集中的股权结构，由于大股东利益与证券公司价值高度相关，因而愿意积极参与公司治理，这样就大大缓解了股东与经理人员之间的信息不对称问题，有助于提高公司资源配置能力和经营绩效。[1]

（二）引入淡马锡模式，完善券商国有资产经营主体

当前国有资本对券商控股多采用国有资产经营主体的持股模式，如中原证券控股股东河南省投资集团是省发改委下属投融资平台。十八届三中全会关于国企改革提出了一个崭新思路，即促进国

---

〔1〕 参见冯根福、丁国荣："中国证券公司内部治理影响公司经营效率的实证分析"，《财经理论与实践》2011 年第 1 期，第 34 页。

有资产的资本化，以管资本为主加强国有资产监管，对国有资产经营主体的重塑与打造将成为改革重点。借鉴新加坡淡马锡模式的成功经验，券商国有资产经营主体改革的核心是构建起国有资产的市场化管理模式，国资监管机构按照权责界定依法对资产经营机构及其所属企业的国有资产运作实行监管，资本运营职责则授权于国有资产经营机构。中原证券在国资经营体制的市场化改革方面走在前列，与控股股东省投资集团的关系逐步理顺，省投资集团不再直接干预企业的自主经营，公司是否分红、年终奖如何分配等重大经营决策由中原证券董事会审议决策，省投资集团则聚焦于资本运作，通过董事会对国有企业进行间接控制与指导，企业真正成为自主经营的市场主体。

（三）优化独立董事制度

目前我国绝大多数券商引入了独立董事制度，但实践中独立董事缺席董事会会议、在做重大经营决策时“搭便车”等现象普遍存在，有待改进。首先，要从法律上强化独立董事责任，通过勤勉义务负向激励独立董事，考虑建立独立董事的责任保险制度，平衡独立董事的义务与利益的冲突。[1]其次，构建有效的信息传递机制，降低独立董事的监督成本，可考虑提高独立董事在薪酬、审计、提名等专业委员会中的比例，以保证独立董事的知情权。最后，优化独立董事的人才结构，提高具有实际管理经验的人员在独立董事中所占比重。如在中原证券的独立董事构成中，除学者之外还聘请了会计专家，并分别担任了薪酬与提名委员会、审计委员会的主任委员，对公司的风险管理、内部控制和公司发展等提出了诸多建议，对完善公司治理结构起到了重要作用。

---

〔1〕 参见张运所：“论独立董事责任保险制度”，《经济师》2005 年第 3 期，第 113 页。

（四）充分发挥监事会职能

监事会职能的有效发挥，是保证证券公司合法合规经营的必要举措，同时也是科学的公司治理机制的重要构成。为提升监事会的监督效率，券商可考虑引进具有专业资质与技能的监督力量，监事会可以考虑设置专业委员会或聘用第三方机构作为顾问，充分发挥监事会的决策监督职能，同时在全行业加强经营的合规性教育和检查，强化自律。

参考文献

1. 陈共炎："股权结构对证券公司治理机制的影响"，《经济理论与经济管理》2004 年第 3 期。
2. 陈昕、林晓璇："上市券商公司治理结构特征与经营绩效关系的实证研究"，《中国注册会计师》2013 年第 5 期。
3. 杜莹、刘立国："股权结构与公司治理效率：中国上市公司的实证分析"，《管理世界》2002 年第 11 期。
4. 冯根福、丁国荣："中国证券公司内部治理影响公司经营效率的实证分析"，《财经理论与实践》，2011 年第 1 期。
5. 平新乔等：《治理结构、证券市场与银行改革》，北京大学出版社 2003 年版。
6. 孙烽、李苗："国有金融控股公司法人治理结构优化战略构想"，《财经研究》2004 年第 2 期。
7. 王聪、宋慧英："中国证券公司股权结构、市场结构与成本效率的实证研究"，《金融研究》2012 年第 5 期。
8. 杨斌："我国证券公司股权结构与绩效关系的实证研究"，《经济科学》2008 年第 4 期。
9. 张运所："论独立董事责任保险制度"，《经济师》2005 年第 3 期。
10. 证券业协会：《证券业发展报告（2013）》。

（周小全，中原证券股份有限公司）

混合所有制与提升广西糖业竞争力研究

白松涛

混合所有制概念的提出及其理论体系的建立，是我党在长期的中国特色社会主义道路实践中不断探索和完善的，是我国基本经济制度的重要理论创新。

早在1993年，党的十四届三中全会通过的《中共中央关于建立社会主义市场经济体制若干问题的决定》就提出“随着产权的流动和重组，财产混合所有的经济单位越来越多，将会形成新的财产所有结构”，混合所有的概念初现端倪。1997年党的十五大报告、1999年党的十五届四中全会、2002年党的十六大报告以及2003年党的十六届三中全会通过的《中共中央关于完善社会主义市场经济体制若干问题的决定》都明确提出了发展混合所有制经济。2013年11月，党的十八届三中全会通过的《中共中央关于全面深化改革若干重大问题的决定》提出："国有资本、集体资本、非公有资本等交叉持股、相互融合的混合所有制经济，是基本经济制度的重要实现形式，有利于国有资本放大功能、保值增值、提高竞争力，有利于各种所有制资本取长补短、相互促进、共同发展。允许更多国有经济和其他所有制经济发展成为混合所有制经济。"从1993年党的十四届三中全会到2013年党的十八届三中全会，随着社会主义基本经济制度的不断变迁，社会主义市场经济体制的不断完善，混合所有制的概念和内涵也随之不断丰富和完善。

从宏观层次来讲，混合所有制经济是指一个国家或地区所有制结构的非单一性，即在所有制结构中既有国有、集体等公有制经济，也有个体、私营、外资等非公有制经济，还包括拥有国有和集体成分的合资、合作经济；而作为微观层次的混合所有制经济，是指不同所有制性质的投资主体共同出资组建的企业。目前我国的不同所有制投资主体主要包括国有、集体、个体、私营、外资等。改革开放以来，我国的混合所有制企业一般采取股份制的资本组织方式，目前形成的混合所有制类型归纳起来主要有两类：一是以股份制和股份合作制为代表的公有制或集体经济与私营经济或个人所有制联合组成的企业；二是以中外合作经营、合资经营企业为代表的公有制和外资联合组成的企业。

改革开放以前，我国糖业企业主要为公有制或集体所有制，企业规模小，数量多，工艺技术落后。改革开放以来，糖业快速发展，取得令人瞩目的成就。目前，我国是仅次于巴西、印度的世界第三大产糖国，2012/2013年榨季食糖产量已超过1 306万吨，其中甘蔗糖产量占91.7%。广西是我国食糖主产区，素有"蔗糖之乡"的称谓，从1992年至今已连续22个榨季食糖产量居全国第一，连续8

3. 市场经济发展时期(1997 年至今)

随着社会主义市场经济的不断完善和人民生活水平的不断提高,全国对食糖的需求有了较大幅度的增加,这给广西糖业提供了更广阔的发展空间。1997 年前后国家出台的相应措施取得了一定成效,广西糖业又进入快速发展轨道。为了使糖业健康发展,更好地处理好蔗农、制糖企业和国家之间的利益关系,广西在 2000/2001 年榨季开始实行蔗价与糖价联动政策,并制定最低甘蔗保护价,以保证在糖价波动的情况下最大限度保护蔗农和企业的利益。2001—2005 年,糖厂的所有制也发生了很大的改变,先后有 15 家国有、民营和中外合资企业集团成功组建。广西糖业发展进入市场主导、糖蔗价格联动和国际竞争力形成的新阶段。

(二)广西糖业企业所有制改革的变迁

改革开放以来,我国国有企业改革在理论研究方面逐渐形成了以产权论、竞争论和结构调整论等为主导的理论。特别是党的十五大明确提出混合所有制的概念以来,我国国有企业的改革理论不断丰富和完善,改革实践不断取得新的成效。广西的糖业企业改革同我国改革开放三十多年来国有企业改革一样,也先后经历了承包制、租赁制、引进外资、股份制、民营化等阶段和过程。

1. 所有制改革萌芽时期:承包与租赁制改革

1980 年以前,广西的糖厂都是由国家或地方政府全额拨款建设。1980 年以后,国家实行“拨改贷”政策,糖厂建设所需资金由企业向银行贷款及地方财政拨款或借款筹集,企业性质仍属全民所有制的国有企业。1988 年 4 月,为了多方筹措建设资金,广西颁布了《关于开展横向经济联合的暂行办法》,规定老厂扩建采取补偿贸易形式,新厂建设采用合资经营形式。1989 年广西历史上第一个集体所有制糖业企业——来宾凤凰糖厂利用横向经济联合方式诞生。

蔗能力39.69万吨,占全区的57.93%。国有及国有控股、外商投资及控股、民营投资及控股三大板块的产糖量之比约为22.7∶23∶54.3,工业总产值之比约为21.6∶22.2∶56.2。31家制糖企业中前8位产糖量合计占广西总产量的66.2%。其中,民营企业有4家,外资和外资控股、国有控股的混合所有制3家,国有独资企业1家。

二、广西糖业企业所有制改革的成效

经过三十多年的不断探索、实践与完善,广西糖业的国有经济布局不断优化,国有企业经济效益不断提高,国有经济活力和企业竞争力不断增强,并形成了国有及国有控股、外商投资及控股、民营投资及控股等多种所有制共存的局面。其中国有控股主要指股份制上市公司和混合所有制股份公司,外资控股主要是中外合资企业。各种所有制各具优势,并通过混合所有制实现优势互补,共同发展,资源配置效率得到了进一步提高,广西糖业取得了令人瞩目的成就。

(一)做大了总量,调优了结构

从甘蔗种植面积来看,1980年只有166.5万亩,平均亩产2.4吨,到2013年已经达到1 584万亩,亩产4.26吨,种植面积增长了8.5倍,单产提高了77.5%;从开工糖厂数量来看,1980年结构调整前为70间,到2013年达到31家制糖企业(下属104间);从食糖生产能力来看,1980年全行业日榨蔗能力合计3.84万吨,到2012/2013年榨季合计高达68.5万吨,增长了16.8倍;从食糖产量来看,1980年只有41.6万吨,到2012/2013年榨季已经达到795万吨,增长了18倍;从糖业的经济效益来看,继2000/2001年榨季全行业实现扭亏以后,到2011/2012年榨季已经连续十个榨季全行业赢利。糖业已经成为广西传统支柱产业,也是广西当前优先重点发展的

14 个千亿元产业之一食品产业的重要组成部分，2012/2013 年榨季，实现工业总产值 435.8 亿元，工业增加值 97.54 亿元，农民种植甘蔗总收入 322.6 亿元。

（二）增强了企业活力，提升了企业竞争力

广西糖业企业的所有制体制发生了根本变化，由过去单一的国有所有制形式发展到目前的国有及国有控股、外商投资及控股、民营投资及控股三分天下的局面，通过引入竞争机制增强了各类企业的市场竞争能力。通过所有制改革，企业完善了法人治理结构，提升了管理水平，引进了先进技术和设备，企业市场意识、竞争意识和创新意识进一步增强。制糖企业也由生产车间形式转变成了独立法人，并建立了所有权和经营权分离的现代企业制度。国有企业负债高、冗员多、社会负担和摊派重、经营者和员工积极性不高、劳动生产率低等各种弊端得到根本改变，国有经济比重有所降低，但企业综合实力不断提升，竞争力不断增强。同时，通过鼓励制糖企业以资产为纽带，经过结构调整和资产重组，组建了一批大型糖业龙头企业，制糖企业小而全、小而散、规模化和集约化程度低的状况也得到彻底改变，进一步提高了产业集中度，极大地发挥出规模效应。广西制糖企业整体上实现了从管理体制、生产经营、扩能技改、提高效率、降低成本到反哺“第一车间”等方面的显著改善或提高，竞争力大大增强。2012/2013 年榨季，国有及国有控股、外商投资及控股、民营投资及控股三大板块的生产能力（即日榨蔗能力）之比约为 20∶22∶58，产糖量之比约为 22.7∶23∶54.3，工业总产值之比约为 21.6∶22.2∶56.2。31 家制糖企业中前 8 家产糖量合计占广西总产量的 66.2%。这 8 大集团中，民营企业 4 家，外资和外资控股、国有控股的混合所有制 3 家，国有企业 1 家。31 家企业中产糖量 5 万吨以上的企业 19 家，占全区产糖量的 96.23%。

广西目前拥有国有及国有控股制糖企业5家(下辖20间糖厂),其中有3家是混合所有制企业(下辖8间糖厂)。2012/2013年榨季,日榨蔗能力合计13.6万吨,产糖180万吨。5家企业日榨蔗能力最低的为1.05万吨,最高的为6.08万吨,都是大型制糖企业。其中,南宁糖业股份有限公司上市前为南宁统一糖业有限责任公司,于1997年1月由6家国有企业注册法人资格后合并组建。为实现优化资源配置,调整结构,解决建厂过多、工厂规模小、原料不足三大问题,于1999年成功上市,经过多次融资用于新建和扩建项目,现已成为以制糖生产为核心、多元化经营的大型企业,是目前国内制糖行业最大的国有控股公司上市。公司现有7个直属厂和9个控股子公司,主营机制糖、各类文化用纸、生活用纸制品、蔗渣浆、酒精、复合肥等产品的制造和销售,形成日榨蔗3.6万吨、年生产机制糖70万吨、年产机制纸20万吨、蔗渣浆12万吨、食用酒精3万吨的生产能力。2012/2013年榨季产糖量61.6万吨,约占广西食糖总产量的7.7%。公司组建时年销售收入只有7亿多元,到2013年,年销售收入达到了44亿多元。

外商投资及控股制糖企业3家,下辖14间糖厂。2012/2013年榨季,日榨蔗能力合计15.2万吨,产糖183万吨。3家企业日榨蔗能力最低的为2.1万吨,最高的东亚糖业集团为9.2万吨。这些中外合资企业的建立,既给合资企业带来了先进的管理理念,也带动了整个广西糖业企业管理水平的提升。合资企业按照建立现代企业制度的要求,注重学习引进国外先进的企业管理经验,同时又与国有企业艰苦创业、团结务实等优良传统相结合,建立了一整套人事、财务、采购、生产、质量、销售、仓储、工程、农业、信息管理等系统,从而形成了一套符合广西实际的严谨、高效、科学的糖厂管理模式。此外,合资后,外方还投入大量资金进行设备更新和技术改造,从国外以及国内引进多项新技术和新设备,从原料基地开始,对制糖过程的主要工序及关键设备进行了更新换代和技术创新,企业的生产能力、技术、管理产生了质的飞跃,综合经济效益在全国制糖行业领先。其中,泰国两仪糖业集团为了投资广西糖业,先在香港成立东亚公司,后于1993年由东亚公司投资3.5亿元人民币,分别与广西南宁地区的4间糖厂合资,1998年又投资于南宁地区的一间糖厂。泰资在上述5间合资糖厂中均占60%的股份,取得了控股地位。随即建立了5个中泰合资的糖业股份有限公司,并建立董事会领导下的总经理负责制,以企业集团的规则进行运作。东亚糖业集团公司采用国际上通行的市场推动形成方式,实行符合专业生产和市场经济规律的规范化管理。秉承了泰国两仪糖业五十多年来的蔗糖生产和管理经验,结合广西资源优势,已经成为中国制糖行业最具增长活力、持续发展的企业,是全国制糖行业先进技术含量最高、成本最低、产品质量最好的企业之一,已由合资时的总资产5.05亿元、日榨蔗能力1.35万吨,发展到总资产超过40亿元、日榨蔗能力超过9.2万吨,产糖量约占广西的14.4%、全国的9%左右,综合经济效益指数跃居全国制糖行业领先行列,公司旗下的“山蜜”、“左江”、“壶城”三个品牌蔗糖荣获“中国名牌产品”称号。

广西民营投资及控股制糖企业为22家,下辖70间糖厂。2012/2013年榨季,日榨蔗能力合计39.7万吨,产糖近432万吨。22家企业规模相差悬殊,日榨蔗能力最高的广西洋浦南华糖业集团为9.45万吨,最低的永安制糖有限公司仅为800吨。洋浦南华糖业集团股份有限公司是一家跨地区,集贸、工、农、林于一体的大型民营企业集团,由原广西南华糖业集团有限公司于2012年1月整体改制设立而成,是目前全国规模最大的制糖企业。从1997年起南华糖业在海南和广西大举收购国有糖厂,十年内陆续兼并了广西和海南的20间国有糖厂、1间纸厂。从2002年起,南华糖业的扩张步伐又进一步扩展到云南、黑龙江、广东、江苏等主要产糖地区。2012/2013年榨季,公司生产能力达到日榨原料蔗9.45万吨,产蔗糖114万吨,糖业板块年销售收入近60亿元。目前洋浦南华糖业集团规模已经雄踞全国糖业企业首位。

经过三十多年的发展，广西食糖质量已达世界先进水平，全区有10个白砂糖产品荣获“中国名牌产品”称号。近年来，国家食糖产品监督检验中心对广西优级白砂糖和碳法一级白砂糖抽查合格率均保持100%，连续多年在全国同行业质量鉴评中获质量一等奖。

（三）发展了循环经济，延长了糖业产业链

广西是全国糖业循环经济的先行省区，糖业已成为广西循环经济与综合利用发展的示范产业，大部分制糖企业实现了循环经济与综合利用，形成了资源—产品—再生资源的循环经济生产模式，构建了若干条循环经济与综合利用产业链，技术和水平在不断提高。2013年，全区糖业综合利用产值约180亿元，占制糖产值的比例为40%左右。全区制糖生产的副产品蔗渣、糖蜜、滤泥等已经得到充分利用，形成了甘蔗—制糖—糖蜜—酒精—酒精废液—复合肥；甘蔗—制糖—蔗渣—制浆造纸—废液碱回收—再利用；甘蔗—制糖—糖蜜—酵母、味精—废液—复合肥；甘蔗—制糖—蔗髓—发电—蔗渣灰—肥料；甘蔗—蔗梢—养牛—种菇—肥料还田等循环经济产业链。

三、当前广西糖业企业面临的问题与困境

在2001—2012年的十余年间，广西糖业因经济效益持续良好而被称为“甜蜜的事业”。但是，近年来由于受到大量低价进口糖和走私糖的冲击等原因，国内食糖价格大幅下跌，企业纷纷亏损，农民收益下降，政府税收锐减，广西糖业再次面临严峻挑战。据统计，2013年我国白砂糖平均价格为5 569元/吨，同比大幅下跌833元/吨，跌幅达13%，但仍超出国际糖价1 000元/吨以上。据广西糖业发展局统计，广西制糖企业2012/2013年榨季实现利税总额7.68

亿元,比上榨季减少40.8亿元,下降84.2%。盈亏相抵利润总额由上榨季赢利19.25亿元,转为亏损15.25亿元,亏损面达到78.64%,是21世纪以来首次出现的全行业亏损。特别是2013/2014年榨季,截至2014年6月30日,我国平均糖价已跌至4 800元/吨以下,而生产成本为5 500元/吨以上,制糖企业每生产一吨糖亏损至少在700元以上,因而出现全行业亏损。糖价下跌同时导致甘蔗收购价下调,2012/2013年榨季对应的甘蔗联动价格是475元/吨,而生产资料价格和劳动用工成本却不断上涨,收割甘蔗的劳动力价格高的已经达到120元/吨,农民种植甘蔗甚至出现亏本,极大地打击了农民种植甘蔗的积极性,预计2014年广西甘蔗种植面积将减少10%以上。

从深层次分析,困扰广西乃至全国制糖企业的最大问题不是有效市场需求不足问题,而是制糖生产成本远高于国际生产商。2000年以来,我国食糖总产量维持在1 000—1 300万吨之间,加上少量进口,基本可以满足国内需求。因国产糖占主导地位,国内糖价主要取决于广西等产糖大省的产销情况。从1999年出现大跌以来,国内糖价总体上呈现震荡上行走势,且绝大部分年度平均糖价处于生产成本之上。特别是2011年8月,国内连续减产加上处于消费旺季、国际市场对中国需求增加以及巴西减产因素的炒作等因素叠加,导致国际市场糖价大幅上涨,国内糖价也一度攀升至历史高点,升高至近8 000元/吨,糖企获利丰厚,当年广西糖业整体赢利19.25亿元。在这个时期,企业只要产糖卖糖,即可获取可观利润,长达十年的赢利掩盖了我国糖业的短板。事实上,企业在这个阶段要做的本该是进一步加大技术改造和设备更新的力度,以此来提高生产效率,降低制糖环节的生产成本;同时,加大对“第一车间”甘蔗种植的反哺力度,提高单产,降低种植和收割劳动用工成本,以此来降低甘蔗进厂成本。但是绝大部分企业的做法是加快扩大产能,错过了产业升级的最好时机。

在行业内部,我们通过对2012/2013年榨季不同所有制成分企业的生产经营情况和经济技术指标进行比较,进一步发现其中存在的问题。外资及控股企业经济效益最好,万吨蔗利税平均约为40万元;其次是国有及国有控股企业,不到10万元;民营及控股企业还不到2 000元。从甘蔗进厂成本指标分析,最低的为外资及控股企业,最高的为民营及控股企业,相差15.3元/吨,说明外资及控股企业在蔗区管理方面较国有及国有控股企业和民营及控股企业都强。在成本控制方面,白砂糖不含税销售成本,外资及控股企业最低,国有及国有控股企业其次,民营及控股企业最高,最高和最低每吨相差200多元。进一步分析,在不含税销售成本中,外资及控股企业财务费用最低,国有及国有控股企业其次,民营及控股企业最高,最高和最低每吨相差130多元,说明国有及国有控股企业与民营及控股企业的筹融资管理能力都有待加强,财务费用有进一步下降的空间。此外,在吨糖蔗耗、百吨蔗耗标煤、甘蔗含糖分、总回收率、混合糖产率等指标方面,国有及国有控股企业与民营及控股企业都低于全区平均指标,需要进一步加强管理和技术改造,缩小与外资及控股企业的差距,降低生产成本。

四、广西糖业混合所有制改革的建议

党的十八届三中全会指出,经济体制改革是全面深化改革的重点,核心问题是处理好政府和市场的关系,使市场在资源配置中起决定性作用和更好发挥政府作用。食糖一方面具有普通商品的属性,遵循价格规律,另一方面又因其是关系国计民生的重要商品,具有与普通商品不同的特性——管制成分浓厚。各国对食糖生产和流通都实行严格的管理,尤其是当食糖价格出现剧烈波动时,国家会采取一些经济手段,如进行一定的补贴或通过储备糖机制以及进出口政策的调整等进行调控。此外,更为重要的是,糖业还具有资源型行业的特点，由于技术等原因，目前还无法从国外直接进口大量原料蔗来进行生产，国内甘蔗种植面积和产量决定了糖业企业是否能够高负荷生产，保护蔗农的积极性和维护蔗区正常的收购价格及秩序就成为糖业可持续发展的重要保障。因此，广西糖业在短期内还需要国家给予适当补贴等政策扶持，从长远看要通过改革的办法脱困。

目前，广西制糖企业中运行最好的是中外合资企业，这是一种典型的混合所有制形式，其经验值得总结和借鉴。根据广西糖业的实际，在此提出通过发展混合所有制的办法降低企业生产成本、提高效益，并通过企业反哺农业进而带动"第一车间"甘蔗种植的降本增效，从而提升行业整体竞争力，摆脱困境并实现新的发展。因此，对广西制糖企业从产权制度入手进行进一步体制改革，是广西制糖企业摆脱困境的根本出路。党的十八届三中全会为广西糖业的健康持续发展和脱困提供了路径，指明了方向。广西糖业企业的体制改革既不能国有独资，也不宜全部由民营独资，要将二者有机结合，走混合所有制道路。在具体运作方面，提出以下建议。

（一）对国有糖业企业进行混合所有制改造

国有制糖企业和其他国有企业一样，仍存在政府部门干预多、机制不灵活、法人治理结构不健全等弊端。但由于糖业的特殊性，为了行业持续健康发展和更好维护广大蔗农利益，进一步完善国有企业的实现形式，增强国有经济活力、控制力和影响力，仍然需要进一步增强"国家队"的引领和带动作用，只是其实现形式可以多样，并不一定要国有独资或绝对控股。对国有独资糖业企业进行混合所有制改造，具体有三种模式：一是进行股份制改造，二是引入外资或民营经济，三是与其他所有制企业整合为企业集团。通过对国有糖业企业进行混合所有制改造，可以实现以下几个方面的好处：一是盘活国有资产存量、扩大总量，促进国民经济快速增长；二是有利于实现政企分开，使国有企业真正成为市场经营的主体，建立完善、健全的法人治理结构；三是有利于生产要素实现最优配置；四是有利于解决国有企业包袱重、效率低等问题。

（二）对民营糖业企业进行混合所有制改造

通常行业不景气的时期也是资产重组最有利的机遇期，国有企业也可以借此机会参股民营企业，对民营企业进行混合所有制改造。民营糖业企业具有市场触觉敏锐等优势，但也存在因追求利益最大化导致的短视效应，出现对甘蔗种植业反哺力度不够，对糖业投入的大部分集中在扩大生产能力，而对技术和设备升级改造方面动力不足、积极性不高等问题。此外，也出现了制糖企业在多元化发展过程中盲目扩大对房地产和酒店等非糖产业投资规模，却又恰逢银根紧缩的大环境，面临融资难问题，导致出现资金紧张甚至断链的风险。民营糖业企业到了转变发展方式、进行体制转型的时期。这里提出通过探索民营企业的混合所有制改造来解决上述问题。在改造过程中，除了引进国有经济外，也可以探索引进外资和股份制改造的模式。

（三）对与糖业有关的科研院所进行混合所有制改造

根据广西实际，解决糖业成本高问题最重要的就是要通过科技进步提高甘蔗单产、降低入厂原料蔗成本。目前国外入厂原料蔗成本大约为 240 元/吨左右，而广西入厂糖料蔗 2013 年联动价是 475 元/吨，是国外的两倍多，而此项成本占到制糖成本的 70% 以上，因此降低入厂原料蔗成本是降低制糖成本的重中之重。广西糖料蔗生产方面主要面临三个问题：一是蔗区种植条件差，土地干旱贫瘠且大部分为坡地，水利设施落后，受干旱影响严重，基本属于“靠天吃饭”。二是良种研发及推广能力落后，当家品种台糖系列已面临种性退化、单产及糖分下降、发病率高、宿根性不好、耐旱性差等一系列问题，而目前尚未研发出可替代品种。三是糖料蔗生产机械化水平低，由于农村劳动力缺乏，糖料蔗收割人工成本高，目前已经达到120—150元/吨，占糖料蔗收购价格比重高达1/3。我国蔗糖业要与国际食糖竞争，必须依靠科技进步，实现增加糖料蔗产量，提高劳动生产率，降低甘蔗种植成本、糖料蔗收购成本和制糖成本，从而增加农民和企业收益，提高糖业整体竞争力。为解决上述问题，切实改变甘蔗及制糖行业科研开发存在的体制不顺、研发能力落后、资金缺乏、科技成果推广应用进度慢等问题，成立研发科技型股份制企业已经势在必行。具体操作方面，建议整合区内甘蔗研发、糖业设计、糖业机械设备制造等资源，成立集研发、生产和服务于一体的科技型股份制企业，同时吸引各种所有制类型的大型糖业企业集团按糖料蔗面积比例参股。

（四）进一步完善食糖储备机制

长期以来，储备糖机制在控制糖价大幅涨落方面发挥了积极而重要的作用。一方面，当大量低价进口糖和走私糖冲击导致国内糖价下跌幅度较大时，通过国家定量、定价、贴息收储食糖，减少市场流通量，平衡供求关系，稳定国内食糖价格，保障制糖企业和糖料种植农民的利益，促进制糖业健康发展。另一方面，当糖价上涨过快、过高时，国家可以通过销售储备糖平抑糖价，保持糖业可持续发展。针对收储过程中出现的问题以及国内食糖市场与国际接轨，储备机制效果逐渐减弱的状况，在没有新的机制和措施出台前，还需要探索建立“风险共担、利益共享”的混合所有制储备宏观调控平台，一方面可以解决收储资金不足问题，另一方面能够解决收储中出现的企业步调不一和诚信问题。

苦练内功，通过混合所有制改造来进一步降低企业制糖成本，通过加大反哺“第一车间”降低原料入厂成本，进而提升竞争力是糖业可持续发展的必由之路。但是，鉴于我国糖业目前面临的全行业严重亏损的严峻形势,短期内还需要通过提高进口关税或税收使用方向调节、减少进口糖、打击走私糖、给予甘蔗种植补贴或者甘蔗目标价格管理机制等政策性扶植措施帮助糖业渡过难关。

参考文献

1. 陈丽金:"论广西国有制糖企业的改制",《甘蔗糖业》2004 年第 4 期。
2. 广西壮族自治区经济委员会编:《广西糖业》,广西科学技术出版社 2007 年版。
3. 广西壮族自治区糖业发展局编:《广西糖业年报》2007/2013 年制糖期。
4. 广西壮族自治区经委:《关于把广西规模制糖抓上去的若干意见》,2007 年 4 月5 日。
5. 厉以宁:《中国经济双重转型之路》,中国人民大学出版社 2013 年版。
6. 梁晖朱、玉鹏:"2006 年广西糖业发展暨银企合作论坛在邕举行",《广西日报》,2006 年 12 月 12 日。
7. 刘泉红:《国有企业改革路径设计和整体推进》,社会科学文献出版社 2012 年版。
8. 彭按理、赵志田:"广西糖业发展新途——企业策略联盟",《广西大学学报》(哲学社会科学版) 2006 年第 2 期。
9. 汪进:"从国有投资到民营投资",《股市动态分析》2010 年第 27 期。
10. 王朱莹、黄桂恒:"国内糖业面临四大矛盾",《中国证券报》,2013 年 9 月 2 日。
11. 翁乾麟、雷志强、蒋小勇、刘波:"提高广西糖业竞争力的几点浅见",《广西商业高等专科学校学报》2003 年第 3 期。
12. 张卓元:"混合所有制经济是什么样的经济",《求是》2014 年第 8 期。
13. 钟健:"广西甘蔗糖业发展的现状及前景分析",《甘蔗》(福建)2004 年第 4 期。
14. 百度百科:"南宁东亚糖业集团", http://baike.baidu.com/view/5388576.htm 。
15. 南宁糖业股份有限公司网站, http://www.nnsugar.com/ 。
16. 求是理论网:"什么是混合所有制经济",http://www.qstheory.cn/zs/rdht/201404/t20140416_340910.htm。

(白松涛,广西青年智库研究会)

以混合所有制助推区域经济转型升级——内蒙古海勃湾区的探索

罗 青

海勃湾区位于内蒙古自治区西部，是典型的资源型工业区。近年来，海勃湾区立足地区实际，在推进经济转型和发展地方企业进程中，大胆探索和实践企业所有制改革，在建立和发展混合所有制方面进行了有益尝试。现以海勃湾区为例，就充分发挥混合所有制优势分析如下：

一、海勃湾区的基本情况

海勃湾区有着独特的资源禀赋优势，当地及周边资源富集，不但有煤、石灰石、铁、硅等三十多种矿产资源，而且黄河流经全境,加之黄河海勃湾水利枢纽工程的建成,蓄水、水力资源优势越发凸显,是内蒙古自治区为数不多的“矿水资源均衡配置”地区。近年来,海勃湾区依托资源优势,通过实施经济转型,实现了地区经济的跨越式发展,已初步构建了煤—焦(电)—化工(冶金、建材)循环和精深加工的传统产业格局。同时,新能源汽车、高档陶瓷、太阳能光伏等接续替代产业也取得了突破性进展。物流、金融、旅游等现代服务业发展迅速。

历史上海勃湾区国有集体企业改制完成较早,极大地促进了当地非公有制经济的发展。截至 2013 年底,全区非公有制经济占经济总量的比重、吸纳就业率及税收贡献率均超过 85%,民间投资已成为地区经济中最活跃的力量。一批具有一定经营管理能力的本土企业家、管理人才和熟练产业工人队伍得以发展壮大。2013 年海勃湾地区生产总值完成 226.72 亿元,固定资产投资完成 200.91 亿元,财政总收入完成 40.55 亿元,社会消费品零售总额完成 96.4 亿元,城镇居民人均可支配收入和农区居民人均纯收入分别达 2.91 万元和 1.43 万元。[1]

海勃湾区在实现快速发展的同时,仍面临着一些突出矛盾。从产业结构看,主要工业产品基本处于产业链上游;从发展环境看,存在区域竞争趋同化、资源消耗大、环境容量受限等多种潜在障碍;从产业内部看,传统产业仍处支柱地位,新兴产业刚刚起步。这些矛盾都亟待设法破解。

二、海勃湾区推进混合所有制的基本情况

海勃湾区混合所有制经济的建立和发展早在 2008 年即已启动,总体呈现出尝试早、起步稳、发展快的态势,并伴随资源型城市

---

〔1〕 海勃湾区统计局:《海勃湾区统计年鉴》(2013),第 1 页。

的转型发展，不断融入地方经济，与地区经济发展壮大、产业转型升级和企业成长进步紧密结合。可以说势头良好，优势初显，展现出较强的生命力。

从产生方式看，海勃湾区混合所有制经济产生于地方政府招商引资、推动重点项目投资建设的过程中，尚处于自发状态。具体讲，在招商引资过程中，地方政府推动以商招商，而当地企业已全部转制或新建成为民营企业（除神华集团外），因此当外地企业为国有企业性质时，则新设立的企业法人主体必然具有混合所有制的"基因"，为混合所有制经济的建立和发展打下了基础。

从合作方式看，基本上都是由国有企业（外来投资方）与民营企业（当地企业）共同出资，设立新的法人主体。

从股权结构看，新设立的法人企业基本都属于国有绝对控股的混合所有制子公司。

从治理结构看，多由居于控股地位的国有企业选派干部担任企业法人代表。在企业其他人事安排方面，则多由双方各自派出管理人员充任关键岗位。

从涉足产业看，海勃湾区混合所有制企业全部设立在原有产业链的延伸升级位置上，如煤焦化工下游的精细化工产业、冶金精特深加工产业等。而作为产业转型升级项目的装备制造业等，也多依托于当地具备比较优势的化工、矿产等产业。

经过六年多的发展，海勃湾区混合所有制企业已经成长为拉动地区经济发展和产业延伸升级的关键增长点和新的支撑点。2013年，全区混合所有制企业贡献地区生产总值的2.3%，实现税收1 600万元，吸纳就业3 152人。特别是海勃湾区煤焦化工、黑色冶金等产业的延伸发展壮大，对当地装备制造、精细化工产业的快速发展起到了决定性作用。

三、案例

本部分共研究了三个案例，分别为SQ乌海专用汽车有限公司、乌海市WT钢铁有限责任公司和乌海WC煤化工有限责任公司。

（一）SQ乌海专用汽车有限公司

1. 企业基本情况

SQ乌海专用汽车有限公司（以下简称SQ乌海公司）是某大型国有重型汽车公司（以下称国有母公司）与当地政府城投公司及地方民营企业于2010年共同出资组建的国有控股混合所有制企业。该项目产品主要覆盖天然气载货车、牵引车、自卸车、专用车四大系列，并以此为基础，研发甲醇、二甲醚汽车以及混合动力系列车型。

2. 企业股权和出资情况

SQ乌海公司注册资本22 800万元，其中，国有母公司出资8 800万元，占出资比例38.6%，为相对控股方；地方政府城投公司出资5 500万元，占出资比例24.12%；两个地方民营企业弘业投资公司、友谊精煤公司分别出资4 500万元和4 000万元，分别占出资比例的19.74%、17.54%。

3. 企业生产经营情况

截至2014年7月，SQ乌海公司工业总产值实现23 831.60万元，预计全年销量可实现3 000辆，工业总产值8.69亿元。公司产品已辐射至宁夏、甘肃、青海、京津冀等省市区，以及与我国毗邻的蒙古国。

4. 企业法人治理结构

SQ乌海公司设股东会、董事会和监事会。企业股东会由国有母公司、市区两级政府城投公司以及地方民营企业5方共同组成。董事会成员共7人，其中国有母公司推荐公司董事长及3名董事，地方政府城投公司推荐1名副董事长，两个地方企业各推荐1名董事。监事会成员共5名，其中地方政府城投公司推荐2名监事，并担任监事会主席，剩余3名监事则由其余股东各推荐1名。

公司总经理、财务总监人选由SQ乌海公司董事长提名，公司技术、生产、销售副总及总工程师等人选由SQ乌海公司总经理提名。此外，企业安全、环保、综合等部门主管人选均由SQ乌海公司提名后，经国有母公司人力资源部门组织对人选进行考察、测评、公示、审批之后，再按《公司法》和《公司章程》规定程序选任。

5. 存在的问题

SQ乌海公司作为国有控股子公司，承接了国有母公司既有的管理流程，比较严谨。但在实际运行过程中，由于实行严格审批制，存在效率不高、运转迟缓等问题。人、财、物等重要决策权均在母公司，大的投资决策需由总部做出，造成一些好的商业计划落实缓慢。例如，车辆零部件统一由母公司调配，造成上下游配套产业发展受限。

（二）乌海市WT钢铁有限责任公司

1. 企业基本情况

乌海市WT钢铁有限责任公司（以下称WT乌海公司）是某大型国有钢铁集团（以下称国有母公司）与内蒙古黄河能源科技集团公司（以下简称黄河能源公司）于2009年10月共同出资组建的国有控股混合所有制企业。WT乌海公司依托国有母公司的先进生产工艺、现代管理手段，以及黄河能源公司的资源优势，通过节能环保技术改造，生产制造高强度特种钢，结束了海勃湾区“有铁无钢”的历史，实现了地区主体产业的做大做强。

2. 企业股权和出资情况

WT乌海公司资产总额为58.75亿元，其中，国有母公司为控股方，占公司股份的51%，黄河能源公司占公司股份的49%。

3. 企业生产经营情况

WT 乌海公司下设万腾煤业、万泉矿业及千峰电力分公司等分公司与子公司,公司现有职工 2 210 人。2013 年工业总产值达 17.9 亿元。截至 2014 年 6 月底,当年累计实现销售收入 6.68 亿元。

4. 企业法人治理结构

WT 乌海公司设股东会、董事会和监事会。股东会由国有母公司和黄河能源公司双方组成。董事会成员共 3 人,其中国有母公司推荐 1 名董事长,黄河能源公司推荐 1 名董事,设立独立董事 1 名。监事会成员共 3 名,其中国有母公司推荐 1 名,黄河能源公司推荐 1 名,职工监事 1 名,监事会主席由黄河能源公司推荐。公司总经理由国有母公司提名推荐,财务总监由黄河能源公司提名推荐;公司其他负责生产、采购、销售的 8 名副总分别由双方提名推荐(涉及钢铁方面的多为国有母公司提名推荐,其他副总由黄河能源公司提名推荐);公司中层管理人员,也参照管理层由双方提名推荐。以上人选中,中层管理人员由董事长办公会研究任命,中层以上管理人员经董事长办公会研究任命并报国有母公司备案。

5. 存在的问题

WT 乌海公司尚处于发展中,需要不断完善公司经营管理机制,减少双方母公司对经营管理的介入,同时营造有利于企业独立运行的环境。

(三) 乌海 WC 煤化工有限责任公司

1. 企业基本情况

乌海 WC 煤化工有限责任公司(以下称 WC 乌海公司)是某大型中央管理化工企业(以下称国有母公司)与内蒙古黄河能源科技集团公司(以下简称黄河能源公司)于 2013 年共同出资组建的国有控股混合所有制企业。企业依托当地煤焦化资源,大力发展煤焦油精深加工,项目达产后将形成 60 万吨焦油深加工、20 万吨炭黑及

10 万吨苯加氢的生产能力。企业通过延长煤化工产业链条，带动地区产业转型升级，同时积极承接国有母公司化工项目转移，后续还将形成年产 5 万吨针状焦、5 万吨电极、14 万吨改质沥青的生产能力。

2. 企业股权和出资情况

WC 乌海公司注册资本金 2 亿元，其中国有母公司占股 51%，黄河能源公司占股 49%。

3. 企业生产经营情况

WC 乌海公司计划总投资 19.7 亿元，分两期建设。该项目一期已于 2014 年 6 月进行热负荷试车。达产后预计可实现年销售收入 28.2 亿元，利润总额 4.84 亿元。

4. 企业法人治理结构

WC 乌海公司设股东会、董事会及监事。企业股东会由国有母公司和黄河能源两家公司组成。董事会成员共 7 人，其中国有母公司推荐董事长及 3 名董事，黄河能源公司推荐 3 名董事。设监事 1 人，主要对公司的生产经营情况进行评价，列席公司董事会，无表决权。公司总经理、财务总监人选由国有母公司推荐，WC 乌海公司董事长提名，董事会任命；公司生产及安全副总、销售采购副总、财务副总等人选由双方公司推荐，经公司总经理提名，由董事会任命。其他技术、安全、环保、综合等部门主管，采取副总与主管“上下搭配”的方式，分别由双方公司推荐提名。

5. 存在的问题

WC 乌海公司继承了国有母公司的标准化管理规程，企业运行报批流程比较规范，但随之而来的是企业行政管理思维比较浓厚，运作效率不高，灵活性不强，一些不必要的影响效率的规定难以突破。企业采购、销售等生产经营行为目前已相对独立，但预算、投融资等重要决策仍在国有母公司的日常管控之下，需要进行审批、备案，程序较为复杂。

四、海勃湾区推动混合所有制取得的成效和经验

国有企业和民营企业各有各的禀赋和机制优势。海勃湾区在混合所有制经济的建立和发展过程中,两种机制优势互补,各种所有制取长补短,发挥各种所有制的机制长处,使得混合所有制企业主体、国有母公司、民营企业和地方经济都得到了长足的发展和巨大的效益。

(一) 双方共同设立的混合所有制企业在体制机制方面已经受益

从海勃湾区的具体情况来看,参与投资设立混合所有制企业的国有母公司,无论是中央企业还是省级国有企业,在技术、投资(融资)、装备、人才、管理、市场销售、上下游一体,乃至企业文化等诸多方面都具备其特有的优势,这些优势往往是地方民营企业可望而不可即的。相对国有企业,海勃湾区当地的民营企业,在其发展的过程中也形成了自身的禀赋优势,诸如土地、矿产资源、水电配套设施以及产业工人队伍等。除此之外,民营企业还具有在矿产资源开发方面的技术、管理、经营优势,在社会协调方面的能力,以及在决策和市场推广方面的灵活性等。在双方共同出资设立新的混合所有制企业过程中,这些优势自然而然地转移到了混合所有制企业名下,这些都使混合所有制企业相对于单纯的国有企业而言更具优势。

继承了双方母公司的比较优势,使得海勃湾区现有的混合所有制企业在很短时间之内就得到了较快的发展。在产业定位、技术管理水平、主要装备水平、产品销售等方面都远远超过了原有当地民营企业。而这些混合所有制企业在生产经营灵活性、社会协调能力等方面又比国有母公司更强。

（二）国有母公司通过设立混合所有制企业所得之益

国有母公司在体量、实力等方面都远远超过合作的地方民营企业，但能够合作本身就说明了其中的利益和效益。首先，通过设立混合所有制企业，使国有母公司掌握或稳定获得了其发展必需的关键资源要素。例如，WC 乌海国有母公司对当地煤焦油、粗苯等上游产品的就近利用；WT 乌海国有母公司对当地焦炭、生铁、矿石等的利用；SQ 乌海国有母公司对当地液化天然气和矿用车市场的占据等。其次，国有控股母公司通过设立混合所有制企业，用有限的投入扩大了国有资本的控制力，例如，WT 乌海和 WC 乌海两个混合所有制企业，国有母公司都占股 51%，基本实现了控制权翻倍。最后，国有控股母公司通过设立混合所有制子公司，增强了自身在经营管理上的灵活性。一些在母公司因受行政管理限制无法进行的经营活动，放到混合所有制子公司就可以顺利开展了，在一定程度上提高了国有资本的利用效率。例如，WC 乌海的国有母公司按照央企有关规定，在主营行业领域设立混合所有制企业时原则上必须做到绝对控股，但对于非主营行业领域，就可通过混合所有制子公司，以相对控股的形式，实现对其他领域的投资。

（三）地方民营公司通过参与设立混合所有制企业获得的发展机遇

首先，地方民营企业通过设立混合所有制企业实现了产业转型升级，经济效益明显增加。地方民营母公司原来多为传统产业企业，技术水平低下，产品多位于产业链上游。而随着混合所有制子公司的设立，使地方民营企业一步跨入了资本密集、技术密集，甚至高新技术产业，企业技术水平、产业定位和经济效益都获得较大提升。例如，WT 乌海公司的民营母公司原来只是以小高炉生产生铁的老旧企业，通过设立混合所有制企业一步到位地成长为年产 200

万吨高强度特种钢的大型冶金公司。WC 乌海公司的民营母公司，实现了对煤焦化资源的精深加工，产品从最初的单一焦炭，延伸到焦油精制，再到纤维材料。从产品价值增值角度测算，原煤经过洗选后产值增加 1.73 倍；经洗选、焦化后增值 4.21 倍；经洗选、焦化、焦油加工后增值 5.21 倍，而产品利润增值相应为 1.3、9.73、10.6 和 12 倍之多。SQ 乌海公司的设立则使两个煤炭企业成功涉足装备制造业。其次，在设立混合所有制企业过程中，地方民营母公司极大地提升了自己的生产经营管理水平，对管理者队伍和产业工人队伍工作水平、能力的提升是不可估量的。例如，WC 乌海公司采取国有母公司技术支持与挖掘黄河能源公司现有焦化技术工人队伍潜力“两条腿走路”的办法，培养出了一批优秀产业工人。同时，依托国有企业先进的生产经营团队，培训引导了一批本地企业管理人才，为当地企业精细化工发展奠定了人才基础。第三，地方民营母公司在设立混合所有制企业过程中，借助国有合作企业的比较优势，切实提升了自身的融资能力和市场推广能力。地方民营企业不仅借助项目提升了自己的信用等级，实现了项目贷款，也借助国有公司的市场渠道，实现了全国销售，甚至开展易货贸易。第四，有助于帮助当地民营企业克服“家族中心观念”，加速建立完善现代企业制度。从海勃湾区的情况看，参与设立混合所有制公司的地方民营企业主多为小业主出身。本企业多采取股份制形式，基本模式仍是家庭成员持股制。在混合所有制企业设立过程中，外部股东、资本的参与和法人治理结构的完善，客观上打破了家族式结构，有利于其进一步建立和完善现代企业制度。

（四）地方经济在混合所有制发展过程中得到的新发展

首先，实现了产业的跨越式发展。仅靠当地民营资本的参与和投资，海勃湾区的化工、装备制造等产业根本不可能在短期得到如此快速的发展。近年来，海勃湾区正是因为有了一批国有控股混合所有制企业的带动，主动承接发达地区优质产业转移，才使地区装备制造、新材料、新能源等产业得到了培育和发展。其次，极大地提升了当地企业的生产管理水平。国有母公司的生产管理、安全生产和现场控制水平等往往比当地民营企业更高，混合所有制企业设立之后往往成为当地企业管理的"标杆"。例如，WC 乌海公司的国有母公司本身就代表了国内焦化产业在技术管理及安全管理方面的最高标准，因而 WC 乌海公司在继承国有母公司安全管理等方面标准要求的同时，也带动了当地焦化企业生产管理水平的巨大提升。第三，混合所有制企业对当地管理人才和产业工人队伍建设发挥了跨越式提升的作用。在混合所有制子公司设立过程中，在企业建设、生产运行、管理过程中，国有母公司派驻的人员与当地民营企业干部、职工合作、共事，再加上企业的培训和规章规范，使得当地管理人员和产业工人的素质在很短时间内得到提升。而这两支队伍不会是一成不变的，他们是在当地各企业间流动的，自然对整个地区的工人队伍素质提升有所助益。第四，培养了改革发展的理念，形成了改革发展的氛围，在一定程度上促进了改革的深化。不论是 SQ 公司，还是 WT 公司和 WC 公司，它们在当地已经代表了一种企业成长壮大的模式，并潜移默化地影响着其他企业。这一理念将伴随海勃湾区的转型发展，产生深远影响。与此同时，将促进地方政府给予更加强有力的政策支持。

五、存在的问题

同前文所述，我们在调研访谈的过程中也发现，目前海勃湾区所设立的混合所有制企业，还未真正建立起科学合理的法人治理结构。

由前文所述海勃湾区混合所有制企业初步设立情况及具体企业案例，特别是从关键干部产生方式和具体治理方式来看，这些混合所有制企业的法人治理结构在相当大的程度上还处于初级阶段，停留在投资主体多元化的层次上。形式上建立了现代企业制度，但在深层次上，特别是在建立法人治理结构方面，仍处于浅表层。虽然股东会、董事会和监事会都已设立，但仍由合作双方派员组成，距离真正发挥作用还有很大差距。

关键干部的产生和选派，采取"一家一个"的形式形成制衡。例如，董事长多由大股东推荐人选，依照股份公司章程选举产生。总经理由小股东推荐人选充任或当选。而财务、安全、环保、综合等部门则基本由两大股东"分板凳"，"你正我副、你副我正"，形成相互制衡、相互监督的机制。而其中的问题是比较易见的。人员虽然是选举产生的，也符合股份公司的章程，但并未实现真正由职业经理人来充任。往往一方是国企的环节干部，另一方是家族的核心成员。这种现实的治理结构就决定了海勃湾区所设立的初级阶段混合所有制企业，虽然已经展现和释放出了这项制度的巨大活力，但客观上讲还未能真正发挥全部活力，特别是在盘活国有资本、提高国有资本配置效率、帮助国有企业减少行政部门对资源配置的干预、进一步发挥各种所有制的机制长处等方面，都远未能发挥其应有的更大作用。

通过调研我们发现，现代股份制企业章程中，董事会、董事长和总经理等职务在股东会（包括董事会）上依"一股一票"原则选举产生的机制，在实际操作中并不能克服核心干部由各方母公司"事实任命"的问题。从海勃湾区的实践来看，混合所有制子公司董事长、总经理人选都经过了比较严格的选举过程，并非来自直接行政任命。但这只是表象，实际来看各例中董事长都来自于占大股的国有母公司（多为母公司环节干部），总经理则多来自于占小股的地方民营母公司（多为家族核心成员）。而这也是混合所有制企业依照股权结构由双方母公司推荐候选人，再履行法定程序之后的必然结果。

虽然从海勃湾区的具体实践来看，这种治理结构较好地解决了国有资本和民营资本间的制衡问题，很好地打消了国有资产流失和民营资本对于受制于人、实际上仍受国家控股企业摆布这样的顾虑和非议。在具体企业经营管理行为中运行也比较顺畅、高效，并未出现推诿扯皮、相互掣肘等问题，实际效果良好。但这种人事安排不可避免地导致混合所有制子公司的核心管理层，分头贯彻各自母公司的经营策略，潜意识里追求各自母公司利益最大化等问题，这也是双方干部的选拔、评价、考核、任免制度和家族利益纽带所带来的必然结果，是机制设计所决定的。

此外，在国有母公司占股51%的情况下，混合所有制子公司的立项、设立和重大决策，依现行国有资产管理的相关规定，也往往需要获得比母公司更高层次的行政审批，例如上升到母公司的上级国有资产管理机构的行政审批层面上，从而进一步降低了经营管理和资源配置效率。

面对这些问题，海勃湾区地方政府正着手帮助引导相关企业不断改进机制设计，深度完善法人治理结构。

六、下一步的改革方向

面对前述的各种现实问题，海勃湾区已着手推动和引导现有混合所有制企业进一步深化改革，以期在一定程度上有所克服。值得欣慰的是，在党的十八届三中全会之后，中央直属的国有控股母公司在大的改革环境下，也表现出了较高的改革积极性和主动性。

从目前的情况来看，我们认为应关注两种比较现实的改革方向。其中一种较为浅显直接的改革方向是，进一步降低国有母公司的控股比例。这样做的好处在于，一则进一步扩大国有股的控制力，二则进一步减少混合所有制子公司所受的行政干预。（现行国有资产管理制度中对占股50%以上的子公司和占股50%以下的子公司管控程度不同。)

另一种更为深刻的改革方向,则是设法建立更加市场化的职业经理人制度。如前文所述,海勃湾区现有混合所有制子公司的关键干部都来自各母公司,并由此产生种种弊端,因此使用真正产生于市场的职业经理人则必有所裨益。

但是,这种职业经理人选如何产生呢?在实践中我们考虑可以主要来自两个渠道:一是国有母公司派出的干部。通过参与子公司的股权改革(职工、管理层持股计划)与原单位脱钩,逐步成为独立于原国有企业的职业经理人。二是目前混合所有制子公司所聘环节干部中的既非国有职工也非民企家族成员的群体。他们在伴随企业发展壮大的过程中,特别是在国企规范化管理和民企灵活化经营的共有文化熏陶之下,逐步成长为真正意义上的职业经理人。后者的重要性及其群体的壮大在海勃湾区的具体实践中都不容小觑。

未来,当真正产生于市场的职业经理人队伍成长壮大起来,走上混合所有制企业的各关键岗位,并真正按照市场规律,以股东利益最大化为核心目标,独立自主地开展工作之后,才会将混合所有制的巨大活力、动力真正释放出来!

参考文献

1. 海勃湾区统计局:《海勃湾区统计年鉴》(2013)。
2. 厉以宁:《厉以宁经济评论集》,经济科学出版社 2005 年版。
3. 厉以宁:《非均衡的中国经济》,中国大百科全书出版社 2009 年版。
4. 厉以宁、孟晓苏、李源潮、李克强:《走向繁荣的战略选择》,经济日报出版社 2013 年版。
5. 厉以宁:《中国经济双重转型之路》,中国人民大学出版社 2013 年版。

(罗青,中共内蒙古乌海市委)

寻求区域经济发展的内生动力——以重庆永川区为例*

王志杰　王　睿　周靖祥

党的十八届三中全会《决定》指出："国有资本、集体资本、非公有资本等交叉持股、相互融合的混合所有制经济，是基本经济制度的重要实现形式，有利于国有资本放大功能、保值增值、提高竞争力，有利于各种所有制资本取长补短、相互促进、共同发展。"《决定》把发展混合所有制经济作为我国基本经济制度的重要实现形式，既鼓励国有经济走向混合所有制经济，又鼓励非公有经济走向

* 本研究为中国博士后科学基金资助项目（2012M520087）。

混合所有制经济。具体的做法将体现于改革之中,使国有资本和民间资本都能因参与混合所有制经济的建立和发展而增加活力,提高效率,增加收益,从而切切实实地使中国经济登上新的台阶。(厉以宁,2014)

一、关注和理解混合所有制经济

早在1992年党的十四大就明确提出:“我国经济体制改革确定什么样的目标模式,是关系整个社会主义现代化建设全局的一个重大问题。”其问题的核心在于正确认识和处理计划与市场的关系。此为第一次明确提出了把社会主义基本制度和市场经济结合起来,建立社会主义市场经济体制。1997年党的十五大报告首次出现混合所有制经济,确定“公有制为主体、多种所有制经济共同发展”,用“制度”将“多元化”固定下来。2013年中共十八届三中全会的决定,对社会主义经济理论中有关混合所有制经济的地位、性质和作用做出了更加明确的表述。(厉以宁,2014)

有关“混合所有制”的较早定义是“指一个企业由不同出资人出资建立,或一个企业由不同所有制成分联合组建的所有制形式”(倪吉祥,1993)。此定义侧重微观企业层面,是多元化实现的实体对象。宏观层次,混合所有制经济的定义为:“一个国家或地区所有制结构的非单一性,即在所有制结构中,既有国有、集体等公有制经济,也有个体、私营、外资等非公有制经济,还包括拥有国有和集体成分的合资、合作经济;而作为微观层次的混合所有制经济,是指不同所有制性质的投资主体共同出资组建的企业。”[1]混合所有制和混合所有制经济在1999年、2003年尤其是2014年关注度最高,这也跟该概念的提出、国有企业改革以及十八届三中全会改革的时

---

〔1〕 “什么是混合所有制经济?”,求是理论网,引用日期为2014年4月20日。

代热点紧密联系。(见图1、图2)

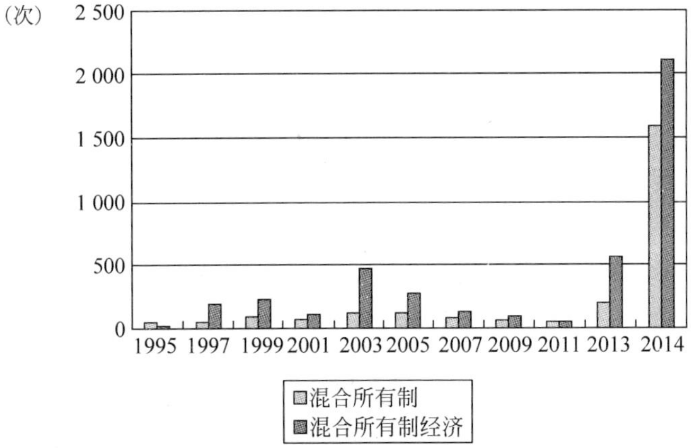

注:根据 CNKI 文献的关键词整理,最后检索日期为 2014 年 9 月 20 日。

图1　对混合所有制问题的研究

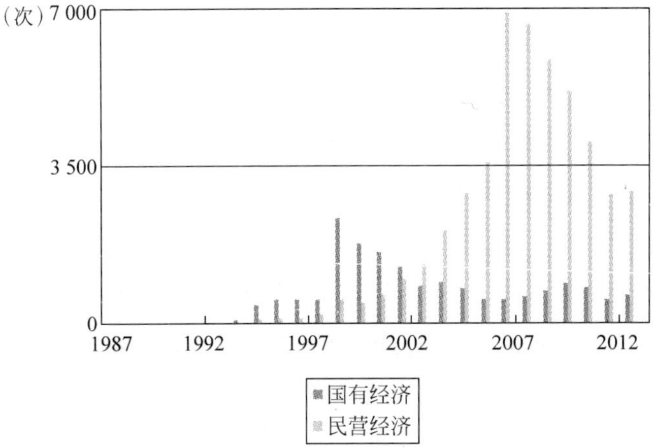

注:根据 CNKI 文献的关键词整理,最后检索日期为 2014 年 9 月 20 日。

图2　1987 年至今"国有经济"和"民营经济"的关注度

对于社会主义国家而言,国有企业是公有制的实现形式,是社会经济制度的核心及政治制度的基础。关于发展混合所有制经济,当前有两种观点引起人们的广泛关注，一种观点认为，应大力发展国有经济控股的混合经济，把发展混合经济当作扩大国有资本支配范围、巩固公有制主体地位、加强国有经济主导作用、引导非公有制经济发展的一种形式和手段；另一种观点是，应大力鼓励和发展私营经济、外资经济控股的混合经济，把发展混合经济当作非公有制经济控制、支配、利用公有制经济的一种形式和手段。（邱海平，2014）1988 年的宪法修正案第一条明确提出“国家允许私营经济在法律规定的范围内存在和发展”。十八届三中全会《决定》再次重申“两个毫不动摇”的原则，重申“公有制为主体、多种所有制经济共同发展”是中国特色社会主义基本经济制度。根据《决定》精神，未来很长一段时间，业已形成的公有制为主体、多种所有制经济共同发展的基本制度和格局不会发生根本改变。（邱海平，2014）

总的来讲，随着我国国有企业改革的深入，我国混合所有制经济得到了迅速发展，2010 年混合所有制经济占工商登记企业注册资本的 40% 以上；2012 年混合所有制经济占固定资产投资的 33%。1999—2012 年，混合所有制经济对全国税收的贡献率逐年提高，1999 年占 11.68%，2012 年为 47.03%。（张卓元，2014）而在所有制结构研究方面，则侧重于国有和非国有经济的二元划分。2010 年，按当年现价计算，非公有制资产比公有制资产多 1.7 倍，其中私营经济资产比国有经济资产还多 1.1 倍，外资经济资产比国有经济资产多 13%。（赵华荃，2012）裴长洪（2014）以不同生产资料所有制的经营性资产价值量作为衡量主次地位的边界标准，估算三次产业公有制与非公有制的资产规模及其比重变化。结果发现：截至 2012 年，中国三次产业经营性总资产约为 487.53 万亿元，其中公有制经济的资产规模是 258.39 万亿元，占 53%；第二、第三产业非公有制经济占增加值和就业规模的比重分别为 67.59% 和 75.20%。

在建立和发展混合所有制经济的过程中，可理解为三个维度，从纵向垂直维度看，根据企业所属监管或主管单位予以分类，也就是中央、地方(省管或市管)的企业。在混合所有制改革进程中,无论是央企还是地方国企,由于战略地位、功能属性、资源分配和效益目标等方面均有所差异,改革的重点、目标与思路也将进行符合区域以及企业发展实际的差异化改革方向。从行业维度看,基于我国国有企业布局的广泛性,企业的目标有公益导向或利润导向,处于垄断地位或竞争环境,由此形成三类国有企业,即公益性国有垄断企业、适度经营性国有垄断企业和竞争性国有企业。(高明化,2013)与此同时,不同企业间也存在关联发展的实际情况,既有横向关联也有纵向关联。因此在行业层面应关注不同性质的关联对企业发展所带来的影响。出于混合所有制经济发展的考量,行业层面"混合"的基本前提是"产业关联度最大化原则"。一项针对四十余名国内知名民营企业家的问卷报告显示,在"希望在哪些领域与国有企业合作"的问题中,有 47.5% 的人选择金融领域,32.5% 选择垄断行业,而选择竞争性行业、高技术产业、现代服务业的分别占到 12.5%、22.5% 和 27.5%,只有 10% 选择民生领域。(崔吕萍,2014)从企业微观维度看,主要是针对企业内部的所有制改革,重点对所有制属性进行界定,根据企业内部不同所有制属性的资本构成来调整企业的产权结构。

二、混合所有制经济与区域经济发展实践

所有制结构与经济增长之间存在着固有的内在联系,当多种所有制共同发展的格局形成后,经济体制的差异必将会引起经济增长的变化。新制度经济学已证明制度对于经济增长起着举足轻重的作用,而混合所有制作为所有制结构的一种制度设计,其结构的调整将影响经济发展的内生动力。改革开放以来,非国有制比重的提高提升了全社会劳动和资本的效率,尤其是提高了资本效率,(刘伟等,2011)而在我国工业经济增长中,所有制结构因素也使得非国有

经济成为工业经济增长的主导力量。(张海燕等,2009)所有制结构的变迁对于经济增长的影响不仅仅限于一国经济,其对于区域经济发展也具有同样的作用。混合所有制改革实际上也是多维度、多方式推进所有制结构变迁的有效方式和途径。在所有制安排下,影响区域经济增长的机制也包括对劳动力就业结构、市场准入以及外部开放联动等多方面的影响。

(一) 永川区混合所有制经济发展现状

永川区地处重庆西部,是成渝经济区重要的战略支点,在重庆五大功能区划分中属于城市发展新区。面积 1 576 平方公里,常住人口 106.8 万。2013 年全年地区生产总值(同口径)实现432.4 亿元,增长 12%;全社会固定资产投资 465.5 亿元,增长21.7%;社会消费品零售总额 188.9 亿元,增长 16.4%;地方公共财政收入 32.3 亿元,同口径相比增长 13.5%;城镇居民人均可支配收入 25 023 元,增长 11.5%;农村居民人均纯收入 11 633 元,增长 16.3%。

1. 经济发展分析

混合所有制经济占区域 GDP 的比重反映出其在国民经济的整体活跃程度和对经济总量的贡献。早在 2005 年,重庆市永川区非公比重就已经突破 60%。"十一五"期间永川非公有制经济增速达到 19.8%,超过了经济 17% 的增长速度。2010 年全区非公有制经济实现增加值 204.3 亿元,比上年增长 23.2%,在生产总值(GDP)中的比重为 68.1%,拉动 GDP 增长 13.8%,非公经济比重比 2009 年提高了 2.1 个百分点。2011 年 12 月底,永川内外资企业的增长速度都高于全市平均增长速度,非公经济实现总产值 600 亿元,增长 24%,对经济增长的贡献率达到 70%,拉动 GDP 增长 15.1 个百分点,上缴税收(地税)13.56 亿元,占比 76.62%。民营经济作为发展混合所有制经济的重要力量,具有举足轻重的作用。2012 年,永川民营经济增加值实现 281.9 亿元,占 GDP 比重高达 70.1%,按可比价计算,比上年增长11.2%。分产业看,第一产业实现民营经济增加值12.6亿元,增长4.8%;第二产业实现民营经济增加值181.9亿元,增长12%,其中工业实现民营经济增加值147.3亿元,增长14.6%;建筑业实现民营经济增加值34.6亿元,增长2.7%;第三产业实现民营经济增加值87.4亿元,增长10.6%。需要强调的是,尽管永川的非公经济比重超过了公有经济,但由于非公经济企业所带来的溢出效应进一步激发了公有经济的活力,公有经济无论是资产结构还是资产质量,其在整体经济社会发展中的主导地位都更加突出和优化。

2. 市场主体分析

建立和发展混合所有制经济是建立独立、完善、多元化的市场主体的不可忽略的一步。截至2014年6月,永川共有各类非公有制经济市场主体60 273户,其中,私营企业10 184户,个体49 444户,农民专业合作社550户,外资企业95户。在私营企业中,以个人独资企业形式为主,其次是有限责任公司(含股份有限责任公司),合伙企业数量最少。而从2014年实施工商登记制度改革以来,注册资本由实缴制改为认缴制,新注册的企业普遍较往年注册资本提高,1—6月新注册私营企业的注册资本平均值为265万元,比6月实有私营企业注册资本平均值192万元高38%;同时,不少老企业也纷纷申请增加注册资本,增资金额达到125 702万元,增资金额占期末注册资本总额比例为6.4%。从永川各类企业从事第一、第二、第三产业的数量和资金来看,目前主要以第三产业为主。

表1 2008—2011年永川区公有制企业与私营企业数量及百分比

		2008	2009	2010	2011
公有制企业	数量(个)	1 157	1 106	926	932
	百分比(%)	32	27	22	14
私营企业	数量(个)	2 429	3 027	3 211	5 774
	百分比(%)	68	73	78	86

3. 国企改革分析

作为市场经济的微观主体的企业是市场在资源配置中起决定性作用的前提与基础,也是实现混合所有制经济的重要形式。实证研究表明,引进多元化投资主体、股权适度分散带来的是企业绩效提高。(黄奇帆,2013)混合所有制企业所具备的制度优势将有利于地方国企做大做强,进一步加快国有企业战略重组的步伐,有效带动多种经济成分的共同发展与繁荣。永川现纳入统计的正常生产经营的国有企业共有 29 家。其中,投融资类企业共 13 家,经营类企业 16 家。结合永川经济发展实际与混合所有制经济改革的要求,永川进一步强化了国有资产配置能力,提升企业核心竞争力,按照国有企业的不同性质和领域对其进行了改革重组,将国有企业划分为投融资平台类、经营类和社会民生类三种类型,并采取不同的改革策略。目前,现有的 29 家国有企业已逐步改革重组为 14 家,其中投融资平台企业 5 家,经营类企业 7 家,逐步社会化企业 2 家。截至 2014 年 5 月底,资产总额 597 亿元,负债 224 亿元,资产负债率 37.5%,所有者权益 373 亿元,实现收入 8.9 亿元,利润 1.2 亿元。可以预见,通过对国有企业一系列的重组改革,永川国有企业的资产结构和资产质量将更加优化,国有资产的配置效率将进一步提高,在经济社会发展中的主导作用也将更加突出。

4. 固定投资分析

固定资产投资的所有制结构反映了不同所有制经济主体在总投资中所占的份额。从表 2 可得出,永川区全社会固定资产投资总量达到 3 825 094 万元,除 2009 年[1]略有下降外,各年呈逐年增加趋势,而非公有制企业固定资产投资所占比例均大于公有制企业投资总额。除 2009 年公有制和非公有制所占比例相当外(非公有占

---

〔1〕 2009 年固定资产投资的降低可能是受 2008 年金融危机的影响。

51.35%，公有占48.65%），其他年份非公有制企业所占比例均达到了70%以上，反映出永川区固定资产投资主要由非公有制企业主导，民间投资非常活跃，非公有制经济的发展对固定资产投资做出了重大贡献。各类型经济的固定资产投资总量波动幅度各有差异，公有制经济在整体固定资产投资中所占比重较为稳定，值得注意的是，2012年其他经济和港澳台商投资出现爆发式增长，增长了170%左右，反映出随着经济改革的深入，永川区所有制结构呈现多元化发展趋势。多种所有制经济共同发展的新格局逐步形成。

表2　重庆市永川区全社会固定资产投资　（单位：万元）

	2008	2009	2010	2011	2012
国有经济投资	403 006	576 851	782 235	783 001	917 659
集体经济投资	28 993	11 170	19 100	16 340	12 400
私营个体经济投资	362 066	486 273	1 635 991	2 082 573	951 773
港澳台经济投资	138 363	130 210	87 089	153 700	426 798
外商投资	1 050	250	12 750	4 020	0
其他经济投资	722 459	3 035	469 683	561 387	1 516 464
总计	1 655 937	1 207 789	3 006 848	3 601 021	3 825 094

数据来源：永川区2009—2013年统计年鉴。

表3　永川区全社会固定资产投资所占比例　（单位：%）

	2008	2009	2010	2011	2012
国有经济投资	24.34	47.76	26.02	21.74	23.99
集体经济投资	1.75	0.93	0.64	0.45	0.32
私营个体经济投资	21.86	40.26	54.41	57.83	24.88
港澳台经济投资	8.36	10.78	2.89	4.27	11.16
外商投资	0.06	0.02	0.42	0.11	0
其他经济投资	43.63	0.25	15.62	15.60	39.65

数据来源：永川区2009—2013年统计年鉴。

5. 劳动力就业结构分析

所有制结构是影响劳动力就业的重要因素之一,从表4分析得出,永川区不同类型企业解决就业人数除2009年外逐年增加,其中集体单位就业人数基本保持平稳状态,国有单位就业人数从2010年开始有小幅度下降趋势。这表明该地区求职劳动力逐步流向其他经济单位,随着经济主体的逐步活跃和经济发展水平的提高,公有制经济吸纳劳动力的能力正逐步下降。其他经济单位吸纳就业人员的能力迅猛提升,其职工人数在2011年大幅度提高,比2010年高出2.4倍左右,达到61 572人。这说明其他经济单位在2011年得到快速发展。从各类型单位平均工资看,国有单位的平均工资仍旧最高,而其他单位平均工资增幅最快,与国有单位平均工资的差距正逐步缩小。总体来讲,永川区所有制结构的优化有效地促进了地区就业能力的提高以及收入水平的提升,随着混合所有制企业技术水平的提升,导致相关企业劳动力的知识水平的提高和技能的增长,从而促进区域整体劳动生产率提高。

表4　永川区2008—2012年不同类型企业就业与收入表

	2008		2009		2010		2011		2012	
	从业人员	年平均工资(元)	从业人员	年平均工资(元)	从业人员	年平均工资(元)	从业人员	年平均工资(元)	从业人员	年平均工资(元)
国有	38 326	26 351	38 131	29 650	37 046	33 030	34 861	37 568	35 995	40 143
集体	2 225	15 415	2 094	17 522	2 576	19 454	2 986	26 610	2 456	25 407
其他	20 956	18 147	19 622	21 780	23 537	23 919	61 572	31 805	63 203	36 555
总计	61 507		59 847		63 159		99 419		101 654	

数据来源:永川区2009—2013年统计年鉴。

6. 工业企业与产出分析

从2008—2012年永川区规模以上工业企业个数来看,尽管统计口径有所调整,但总体规模稳定在300家以上,其中内资企业所占比重在95.48%—98.35%。相比之下,近年来港澳台投资的规模以上企业有所发展，2012 年达到 14 家，相比 2011 年增加了 55.56%。（如表 5 所示）因此，从宏观层面看，永川区规模以上工业企业已经形成了较为充分的多种所有制企业结构，而且规模以上企业表现为内资企业为主、港澳台投资企业为辅的发展格局。

表 5　重庆市永川区规模以上工业企业个数　　（单位：个）

	2008	2009	2010	2011	2012
内资企业	358	351	384	299	296
国有企业	6	6	6	0	6
集体企业	1	2	2	1	0
股份合作企业	5	6	6	4	1
股份有限公司	264	250	268	206	174
其他企业	82	87	102	88	115
港澳台投资企业	6	6	7	9	14
合计	364	357	391	308	310

注：2011 年以前，规模以上工业企业界定为年销售收入 500 万元及以上的企业，2011 年起提高为 2 000 万元。

数据来源：《永川区统计年鉴》（2009—2013 年）。

在规模以上内资企业当中，国有企业个数基本没有发生变化，并且仅占到总体规模以上工业企业的 1.6% 左右。类似地，集体企业、股份合作企业数量也较少，占比也比较低。规模以上内资企业当中，股份有限公司的数量最多，2008 年与 2009 年股份有限公司占规模以上企业总数的 70% 以上，2010 年之后略有下降，但仍占到 56.13% 以上。具体地，2010 年及之前年销售收入 500 万元及以上规模工业企业数目在 260 个左右，2011 年年销售收入 2 000 万元及以上规模工业企业仍达到 206 家，由于经营状况、企业搬迁等原因，2012 年年销售收入 2 000 万元及以上股份有限公司工业企业数目减少到 174 家。在规模以上内资企业中，除了上述企业类型外，其他企业的发展呈现为波动上升的趋势，数目从 2008 年的 82 家增长到 2012 年的 115 家，在规模以上工业企业总数中的占比则从 2008 年的 1.65% 上升到 2012 年的 4.52%。由此可以看出，在永川区规模以上工业企业数量中，以股份有限公司为代表的混合所有制工业企业占有绝对的主导地位，港澳台投资企业为辅，国有企业、集体企业、股份合作企业共同发展。

表 6　永川区规模以上工业企业现价总产值　（单位：万元）

	2008	2009	2010	2011	2012
内资企业	1 708 458	2 103 393	3 103 616	4 604 170	4 586 022
国有企业	62 271	78 844	107 888	0	290 437
集体企业	3 582	7 858	11 955	13 615	0
股份合作企业	18 068	29 455	44 410	38 915	4 455
股份有限公司	1 329 544	1 580 966	2 247 737	3 568 180	3 072 835
其他企业	294 993	406 270	691 626	983 460	1 218 295
港澳台投资企业	80 777	188 986	530 418	797 667	844 372
合计	1 789 235	2 292 379	3 634 034	5 401 837	5 430 394

数据来源：《永川区统计年鉴》（2009—2013 年）。

与企业数量的格局基本一致，永川区规模以上工业企业产值也表现为股份有限公司为代表的混合所有制企业为主导、多种所有制企业共同发展。具体地，从表 6 可以看出，永川区规模以上工业企业现价总产值已从 2008 年的 178.92 亿元增长到 2012 年的 543.04 亿元，其中内资企业产值从 2008 年的 170.84 亿元增长到 458.60 亿元。从占比来看，规模以上工业现价总产值中内资企业占比呈现逐年下降的趋势，并且已从 2008 年的 95.49% 下降到 2012 年的 84.45%。特别地，内资企业当中，股份有限公司现价产值占规模以上总产值的比值从 2008 年的 74.31% 下降到 2012 年的 56.59%。尽管股份有限公司产值比有所下降，但仍是规模以上工业产值的主要部分。与此同时，从平均意义上看，永川区国有企业、集体企业、股份合作企业、股份有限公司、其他企业、港澳台投资企业的现价产值在规模以上工业企业总产值中的占比近似为 3.04∶0.22∶0.86∶65.55∶18.78∶11.53。由此可以看出，永川区规模以上工业现价产值当中，混合所有制经济已取得了较好的发展，已形成了多种所有制企业经济共同发展的良好局面；从微观层面看，以股份有限公司为代表的混合所有制企业的发展也是永川区规模以上工业企业发展的主导力量。

7. 市场准入分析

受诸多因素制约，在改革进程中往往存在着所有制歧视，混合所有制企业远未获得平等的市场主体地位，存在着一系列的体制性障碍，如产权领域保护不平等、融资困难、税赋不公等。（李铮，2004）因此，混合所有制改革的重要目标就是要对所有制歧视予以纠正。根据目前永川国有企业改革重组后的情况分析，在经营类领域主要集中在水务、文化传播、咨询服务、金融担保等行业，均属于竞争性市场范畴。而涉及的永川区保安服务有限公司、重庆市渝西水务公司也将逐步社会化。可见，除重庆市属国有企业（如广电集团、交旅集团等）在永川拓展业务外，其他行业和领域尚未对民营企业设置限制性条件。并且重庆市近期出台的《中共重庆市委重庆市人民政府关于进一步深化国资国企改革的意见》也鼓励加快国有企业改制上市步伐以及按照市场机制有序进退，合理流动，这也为民营企业进入相关领域提供了服务保障和政策支持。

（二）面临的问题

笔者针对永川区混合所有制经济改革涉及的政府部门和企业的发展情况进行了访谈和问卷调查了解。整个调研活动历时 1 个月，通过发放调查问卷、收集企业微观数据、召开座谈会等形式展开。共计发放问卷 300 份，其中针对经济部门公务员 100 份、企业主要负责人 200 份，共回收问卷 131 份，其中有效问卷 101 份，包括政府问卷40份、企业问卷61份。面临的问题主要有五个方面。

1. 企业经营状况压力增大

调查的企业当中有81%认为企业经营状况较好甚至很好,其中认为经营状况好的占到45%左右,而认为企业经营困难、没有活力的占到了总数的13%。42.5%的企业认为,由于用工和原材料成本上升以及改革呼声加大,2013年以来企业经营状况压力逐步增大。68.42%的企业认为员工队伍的竞争力堪忧,其中认为员工职业技能不适应企业升级的企业占到36.84%,认为员工队伍文化水平偏低的企业占到31.58%,认为员工年龄偏大和行业内竞争力太差的企业各占15.79%。

2. 全方位服务企业的能力尚需加强

81.82%的企业知晓有服务机构的存在,企业了解服务信息的主要渠道依次是政府(31.58%)、电视广播报刊网络等媒体(28.95%)、行业协会商会(18.42%)、主管部门(15.79%)和上游企业(5.26%)。但在享受提供的服务内容上,仅有49.13%的企业享受了三种及其以上的服务,多数企业享受的服务较为单一,其中享受信息服务的企业占比最多,达到46.54%。享受的其他主要服务则依次为投融资服务、人才与培训服务、技术和质量服务、管理咨询服务以及法律服务,其中享受法律服务的企业仅占9.62%。

3. 经济发展预期尚有分歧

调查的企业对经济发展形势的预期判断整体上存在一定分歧。有78.17%的企业对于中国经济的发展前景比较乐观,认为不会发生快速下滑,但也有19.78%的企业认为中国经济发展前景还有待观望。这些企业对于重庆和永川的经济发展前景也持有较为相似的态度。在调查的企业当中,认为重庆和永川经济会发生快速下滑的企业以及认为当前经济形势并不明朗的企业均占调查企业总数的12.48%。不过有95.72%的公务员认为重庆和永川经济比较乐观,不会发生快速下滑。

4. 对混合所有制改革的期盼与担忧并存

93.74%的企业认为混合所有制改革对于永川经济社会的发展很重要,但是可能短期内难有较大变化。与此较为一致的是有92.3%的公务员认为所有制改革对于永川经济社会的发展非常重要,当前不改就会怠慢时机,并且公务员群体均认为我国所有制改革进程慢,还未触及深层次结构问题,要落到实处还需要很长的一段时间。对于《决定》所提出的“允许混合所有制经济实行员工持股”、“允许更多国有经济和其他所有制经济发展成为混合所有制经济”,85.82%的企业认为《决定》所提的设想很好,但是阻碍多,落实难度可能较大。在国有企业改革和分行业改革的冲击下,企业担心的最大冲击在于“改革会把企业已有的利益瓜分掉”,即影响企业既有的利益格局。而对于最有可能优先开展央企和国企的二级、三级子公司的混合所有制改革试点,57.14%的企业最担忧的问题是国企私有化,国有资产被瓜分,21.43%的企业最担忧的是混合所有制改革仍难以打破垄断格局。与此同时,57.14%的公务员认为最担忧的问题是利益被侵犯,42.86%的公务员最担忧的是不能破除垄断格局。59.09%的企业认为国有企业资产所有权的再次变迁或是二次改制,将面临的最大变革阻力在于国有股权出让的方式难以界定清楚。在国企改革的四大体制约束方面,认为“企业管理体制、人事安排体制、薪酬分配体制和投融资体制”依次是国有企业改制重要内容的企业占到多数,拥有这种观点的企业占比为40.91%。

5. 市场主导资源配置能力有待提高

46.86%的企业认为政府及管理部门对国有和其他所有制企业的管制可以动用的最主要权力是资源和产品定价权。从企业的角度看,政府在市场化改革中仍然主导着资源配置和市场价格机制。从市场经济体制看,资源的有效配置需要通过市场进行,而且要通过市场价格机制进行有效的调控。应进一步处理好市场和政府的关系,减少政府对资源的直接配置。政府既要确保经济社会的快速平稳发展,又要尽可能地发挥市场在资源配置中的决定性作用。

三、对策建议

(一) 加强混合所有制经济顶层设计

混合所有制经济应重视基本经济制度内在机制的完善,必须依托市场规律和政府的有效引导,促发混合所有制经济的内生动力。因此,要用改革的思路打破混合所有制在区域经济发展中的制度障碍,用市场机制建立起混合所有制在区域经济发展中的经济基础。随着改革的逐步深入,混合所有制经济也应逐步由政府主导向市场主导转变。在制度设计中必须结合永川的实际,立足于区域比较优势,系统考虑区域内国有企业的所属行业、战略定位、产业结构调整等诸多因素,将混合所有制改革与区域经济协调可持续发展紧密结合,努力探索与本地区市场条件相适应的改革之路,进一步明确混合所有制经济的发展方向、开放路径与具体细则,强化市场在资源要素配置中的作用,从市场机制、内部机构、法律服务等多维角度为混合所有制经济的顺利实施提供保障,提高混合所有制经济的运行质量以及企业在区域的辐射和带动能力,确保国有资本的保值增值,为永川加快打造城市功能新区提供重要的支撑条件和坚实基础。

(二) 改善区域经济社会发展环境

加快服务型政府建设,进一步优化政务环境,增强政府工作的开放度和透明度。简化、整合相关行政审批事项,推进行政审批标准化建设。加快电子政务发展步伐,逐步实现企业网上申报、审批、年检和备案的全覆盖。多渠道加大服务企业发展宣传,提升市场知晓度,提高政府服务企业发展的效率和能力。整合力量,完善国资监管、土地变更等制度与政策,优化并落实金融财税优惠政策,加大经营性、竞争性领域开放和社会资本引入,拓展混合所有制发展空间。进一步完善市场体系建设,优化市场环境,深化资源要素配置市场化改革,完善价格机制和市场竞争机制,加大力度打击不正当竞争等无序现象,促成统一、开放、公平竞争、运行有序的市场格局。全面清理和修订阻碍混合所有制经济发展的规章和政策,严格依照法律法规加强管理,保护企业合法权益,为混合所有制经济创造公平公正的法律法规环境。

(三) 推进政府投融资市场化发展

充分发挥混合所有制经济在优化政府投融资渠道、结构、比例中的特点与优势,创新国有企业投融资体制,实现投资主体和股权的多元化,与此同时,也可利用保险资金、社保基金和民间资本等多种资金来源促进混合所有制经济的发展。进一步增强地方性公共品供给能力,提高区域经济发展质量和效率,扩大政府公共领域经营性项目的投资。探索将混合所有制与 PPP(公私合作模式)等融资模式有效结合,提高资产流动性和资金使用效率,拓宽公共设施和工业园区等城市基础设施建设资金来源,鼓励各类投资者通过合资、联营、参股等多种方式参与城市建设,改变由政府或投融资平台依靠地方财政担保或以财政收入为主要还款来源的单一模式,完善城市公共事业服务价格形成、调整和补偿机制,发挥价格机制对社会投资的引导作用,努力形成多元化、市场化、规范化的融资渠道,有效解决流动性不足带来的期限错配问题以及化解地方债务的流动性风险。

(四) 深化国有企业体制机制改革

加快国有资本配置体制改革,把现存的国有企业体制转变为国有资本配置的新体制。提高混合所有制经济规范化发展程度，进一步健全现代企业制度，通过国有企业组织制度和管理体制的改革与优化，改善企业经营效率，提升企业运行效益和市场竞争力。以投资主体多元化为前提，完善“权责统一、运转协调、有效制衡”的法人治理结构，积极引入战略投资者，使其真正成为自行决策、自主经营的市场主体。进一步提高国有资本流动性，用市场化的方式补充国有企业资本，实现产权的多元化，确保国有股减持、退出、转让过程的规范化与公开化。推进市场化的职业经理人制度，建立动态化、长期化的公司董事与高管人员报酬机制，实现激励与约束机制相结合。根据企业功能定位的差异，逐步放宽竞争性市场准入条件，增强市场活力，加快国企股权比例结构优化，对投融资平台类企业进行整合、关闭、注销，做强扶优或保留骨干企业，对非公司制企业进行公司化改造，完善公司法人治理结构，同时理顺出资人关系，保留或整合公益性、政府资源控制性经营类企业，逐步退出或社会化处理一般性竞争领域的经营类企业。

（五）提高区域发展创新驱动能力

加快建立混合所有制企业主导产业技术研发的体制机制，通过鼓励混合所有制企业探索“政产学研资用”合作方式撬动区域发展的创新驱动力，进一步提升区域创新能力和创新绩效。通过释放混合所有制带来的制度红利，充分发挥企业在集聚、辐射、带动方面的科技示范效应，主动加快技术升级，推动企业成为创新研发、成果转化、科技合作、研发管理的主体。政府应进一步完善支持混合所有制企业科技发展和成果推广应用的财税、金融、产业技术和人才政策。积极推进企业与科研机构、高等院校的技术交流合作，支持地方、企业、园区共建联合研发中心、创新工作站和科技成果转化基地，提高企业的知识产权创造、运用、保护和管理水平，使其成为区域产业升级和技术创新的中坚力量。实现区域发展与企业的长期结合和深度融合，达到互相促进，共同提升。

参考文献

1. 崔吕萍："发展混合所有制经济：先扫清思想障碍"，《人民政协报》，2014 年 7 月 8 日。
2. 高明华："国企分类改革新思路"，《企业观察报》，2013 年 10 月 23 日。
3. 黄奇帆："国企改革的核心是市场化资本补充机制"，《国企》2013 年第 11 期。
4. 厉以宁："中国道路与混合所有制经济"，《中国市场》2014 年第 23 期。
5. 厉以宁："国企改革的正确思路是什么?"，人民网，2013 年 11 月 8 日。
6. 李铮："非公有制经济发展面临的'所有制歧视'及其纠正"，《现代经济探讨》2004 年第 12 期。
7. 刘伟、李绍荣："所有制变化与经济增长和要素效率提升"，《经济研究》2014 年第 1 期。
8. 倪吉祥："关于我国混合所有制形式的现状、问题和建议"，《改革》1993 年第 3 期。
9. 邱海平："公有制与现有国家制度天然共生"，《中国社会科学报》2014 年第 5 期。
10. 邱海平："坚持公有制为主体、多种所有制经济共同发展"，《中国社会科学报》，2014 年 5 月 28 日。
11. 裴长洪："中国公有制主体地位的量化估算及其发展趋势"，《中国社会科学》2014 年第 1 期。
12. 张卓元："混合所有制经济是什么样的经济"，《求是》2014 年第 8 期。
13. 赵华荃："关于公有制主体地位的量化分析和评价"，《当代经济研究》2012 年第 3 期。
14. 张海燕、于珊："我国工业经济增长中所有制结构因素计量分析"，《长春工业大学学报》2009 年第 4 期。

（王志杰，北京大学光华管理学院，中共重庆市永川区委；王睿，重庆大学可持续发展研究院；周靖祥，湘潭大学中国农村发展研究中心）

北京农村集体资产经营模式研究

于鸷隆　韩振华　李　宇

农村集体资产是指归乡镇、村集体经济组织全体成员集体所有的资产，包括集体所有的土地和法律规定属于集体所有的森林、山岭、草原、荒地、滩涂、水面等自然资源，以及各种流动资产、长期投资、固定资产、无形资产和其他资产。截至 2013 年年底，北京 14 个区县（除东城区、西城区外，其他 14 个区县均有集体资产）共有乡镇集体经济组织（简称乡组织）195 个、村集体经济组织（简称村组织）3 985 个、乡镇级集体企业（简称乡企业）1 029 家、村级集体企业（简称村企业）1 543 家，6 752 个会计核算单位共形成总资产 5 049 亿元。[1]这是首都广大农民多年来辛勤劳动积累的成果,是各级集体经济组织的合法财产,是发展农村经济和实现农民共同富裕的重要物质基础。

党的十八届三中全会明确提出,国有资本、集体资本、非公有资本等交叉持股、相互融合的混合所有制经济,是基本经济制度的重要实现形式。这为集体资产经营指明了发展方向,为集体资产走向市场找到了实现路径。随着首都的经济发展和城市化进程,北京市农村集体资产总量持续增加,为农村集体资产经营提供了内生动力。同时,农村集体经济产权制度改革的不断推进,产权界定的逐渐清晰,又为集体经济运行创造了良好条件。通过将近二十年的摸索创新,北京郊区农村探索出了与自身地理条件、资源禀赋和资产形态相适应的集体资产经营模式,本文选取有典型性的案例,分析和总结北京农村集体资产的经营模式。

一、北京农村集体资产现状分析

改革开放以来,农村集体资产规模增长迅猛。1978—2013 年,乡村集体资产由 11.4 亿元上升到 5 049 亿元,年均增长 20% 左右;(见图 1)人均乡村集体资产由 294 元增加到 15.9 万元,年均增长 20% 以上。[2]

(一) 集体总资产情况

从经营层次上看,村级总资产占比最高,占比接近六成。乡镇级层面上乡镇企业总资产所占比重较高,村级层面上村组织总资产积累

[1] 资料来源:北京市农研中心。

[2] 数据来源:北京市农研中心、北京市农村合作经济经营管理办公室。本文采用数据如无特殊说明,均来源于北京市农村合作经济经营管理办公室。

较多。(见表1)2013年全市共有182个乡镇、3 944个行政村,初步估算乡镇平均集体资产11.2亿元,村平均集体资产约0.76亿元。

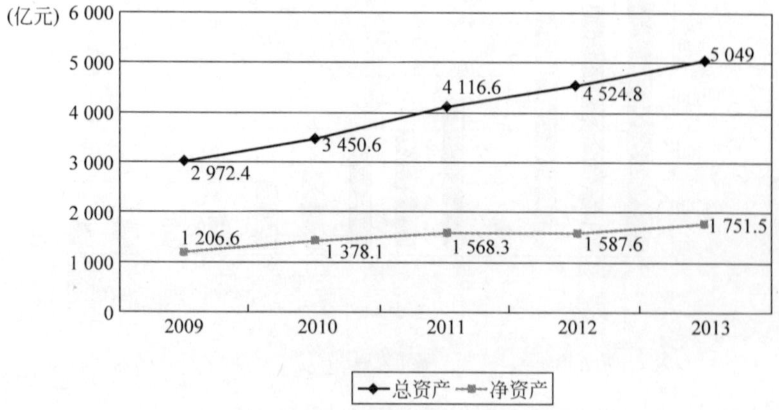

图1　2009年以来北京农村集体资产变化情况

表1　2013年北京农村集体总资产构成　　(单位:亿元)

经营层次	总资产	细分经营层次	总资产
乡级	2 034.2	乡组织	717.1
		乡企业	1 316.5
村级	3 014.8	村组织	2 330.7
		村企业	684.1
合计	5 049		

从功能区看,城市功能拓展区集体总资产最多,达到2 895.7亿元,占57.4%;城市发展新区1 795.7亿元,占35.6%;生态涵养区357.6亿元,占7%。其中,丰台区绝对数额最大,达1 073.1亿元;海淀、朝阳、通州三区集体资产超过500亿元;大兴、昌平、顺义、房山四区集体资产在200亿—500亿元;石景山、门头沟、怀柔、密云、延庆、平谷集体资产不足100亿元。(见图2)

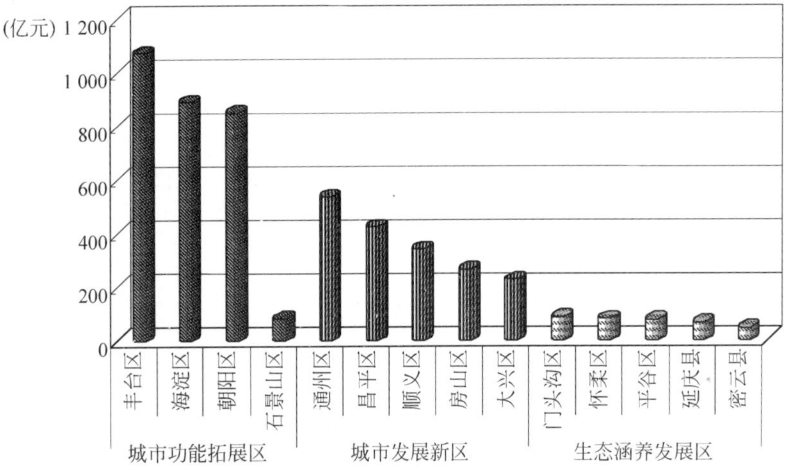

图 2 2013 年 14 个区县农村集体总资产情况

(二) 集体净资产情况

2013 年郊区农村集体净资产为 1 751.5 亿元;人均净资产 5.5 万元。从经营层次看,村级净资产占全部农村集体净资产的比重超过七成。(见表 2)从净资产占总资产的比重看,乡镇级层面净资产占总资产的比重为 24.5%,村级层面这一比重为 41.5%。

表 2 2013 年北京农村集体净资产构成 (单位:亿元)

经营层次	净资产	细分经营层次	净资产
乡级	499.2	乡组织	136.2
		乡企业	363
村级	1 252.3	村组织	1 090.6
		村企业	161.7
合计	1 751.5		

城市功能拓展区集体净资产最多,达 883.9 亿元,占 50.5%;城市发展新区 709.7 亿元,占 40.5%;生态涵养区 157.9 亿元,占 9%。在 14 个区县中,海淀区集体净资产 323.2 亿元,规模最大;海淀、丰

台、朝阳净资产超过200亿元;房山、通州、顺义、昌平、大兴为100亿至200亿元;石景山、门头沟、怀柔、密云、延庆、平谷不足50亿元。(见图3)

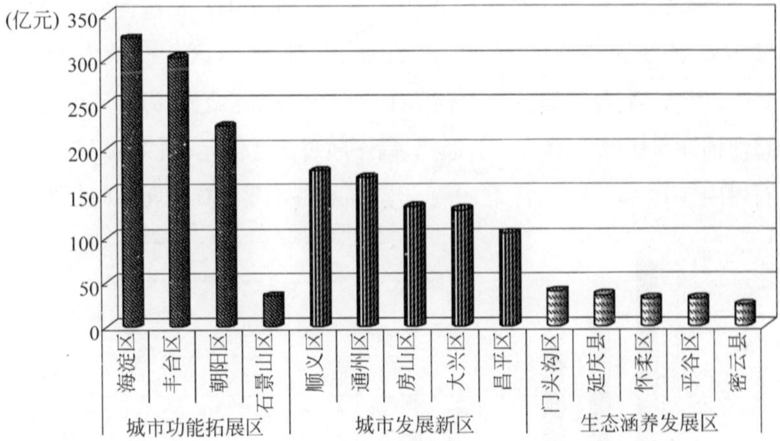

图3 2013年14个区县农村集体净资产情况

(三)集体总负债情况

2013年农村集体负债总额为3 297.4亿元;人均总负债10.4万元。2013年总资产负债率65.3%。村级组织总负债超过乡镇级总负债。(见表3)

表3 2013年北京农村集体总负债构成 (单位:亿元)

经营层次	总负债	细分经营层次	总负债
乡级	1 535	乡组织	581.5
		乡企业	953.5
村级	1 762.4	村组织	1 239.9
		村企业	522.5
合计	3 297.4		

在资产负债率上,乡镇级集体总资产负债率75.5%(其中乡组

织负债率 81%；乡企业负债率 72.4%）；村级集体总资产负债率 58.5%（其中村组织负债率 53.2%；村企业负债率 76.4%）。乡组织集体总资产负债率最高，村组织最低。

城市功能拓展区总负债规模最大，达到 2 011.8 亿元，占 61%；城市发展新区 709.7 亿元，占 33%；生态涵养区 199.6 亿元，占 6%。其中，丰台区集体总负债 771.6 亿元，规模最大；海淀、朝阳集体总负债在 500 亿—700 亿元；通州、昌平超过 300 亿元；顺义 167.9 亿元；石景山、门头沟、大兴、怀柔、密云、延庆、平谷不足 100 亿元。（见图 4）

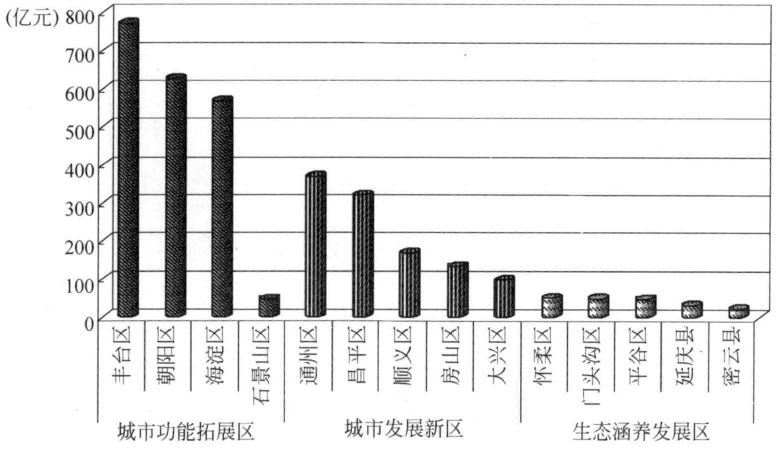

图 4　2013 年 14 个区县农村集体净资产情况

在资产负债表现上，城市功能拓展区总资产负债率最高，达到 69.5%；生态涵养区最低，为 55.8%。昌平区集体总资产负债率 75.4%，为 14 个区县最高，大兴区最低，为 42.6%。

各区县的农村集体总资产、净资产、总负债情况具有一定规律，总体表现出越靠近城市中心的区资产、负债规模越大的趋势，远山区的农村集体经济较为薄弱，与城乡结合部地区农村的集体经济规模有较大差距。造成这种现象的原因有二，一是随着城镇化进程，靠近城市中心区的农村优先取得了大量的土地变现资金，将无法核算的资源性资产变为可核算的资金性资产，由会计账外反映到会计核算账内；二是由于土地级差明显，靠近城市中心区的农村土地变现获得了相对较高的土地收益，远山区土地即使有机会变现，得到的资金回报也相对较低。

二、北京农村集体资产产权制度改革探索

城市化进程中大量农村集体土地被征用，征地拆迁中村集体获得了大量土地补偿款，引发社员对集体资产的高度关注，社员之间、干群之间、转居与未转居成员之间对集体资产收益分配难以达成共识。在这种形势下，为有效保护农村集体经济组织成员的集体资产权益和农民的利益，于1993年首先在丰台区南苑乡开展农村集体经济社区股份合作制改革试点，随后改革范围逐步扩大，直至在全市范围内展开。

北京市农村集体经济产权制度改革工作位居全国前列。目前，全市累计完成产权制度改革的乡村集体经济组织达到3 823个，其中村级3 804个，占村级集体经济组织总数的95.6%。全市新型集体经济组织的股东已达320万人，成为拥有集体资产的市民。各区县立足区域功能定位和各乡镇、村的资源禀赋优势，采取符合当地特点的、灵活多样的改革方式，走出了多种改革路子，概括起来有以下三种形式。

（一）存量资产量化型

在产权制度改革过程中，全市有98%的村选择了存量资产量化方式的社区股份合作制改革。主要是在妥善处理合作化初期的老股金和原集体经济组织成员留置资产的基础上，将属于现有集体经济组织成员的净资产划分为集体股和个人股，集体股份一般都控制在30%左右，个人股份控制在70%左右。这种股权结构既明晰

了村民的财产权益,确立了农民的股东地位,又保证了集体经济性质不改变、发展有后劲、公共服务能力有保障,成为大多数集体经济组织进行股份合作制改造的首选。例如昌平区北店村,2001 年因国家建设需要集体土地全部被征收,2003 年村民搬迁上楼,2004 年撤村建立了北店嘉园社区。当时面对部分村民要求将剩余土地补偿款全部分光吃净的压力,村集体经济组织积极推进产权制度改革,使全村 2 474 名社员成为股东。通过核算股份合作社劳龄股、户籍股、独生子女奖励股共计 38 756. 5 个,核定总资产 2. 77 亿元,其中集体股 0. 831 亿元,个人股 1. 939 亿元。村集体在股权明晰后,组建股份合作制企业,村民按股份占比进行分红和提取集体积累,促进了原集体成员增收,实现了集体经济可持续发展。

(二)“资源 + 资本”型

“资源 + 资本”型占比较少,主要集中在山区部分集体经济实力较差、集体账内存量资产较少的村。这些村充分利用集体山场等自然资源,通过自然资源与社会资本相结合的方式,积极探索乡村集体经济产权制度改革的新途径。例如密云县南石城村采取“资源 + 资本”方式兴办股份合作制旅游景区。景区共设有 910 股,其中,村集体用山场作为资源入股,占总股份的 30% ,即 273 股;村民入股金 32. 2 万元,占总股份的 35. 4% ,即 322 股;北京金凤凰旅游公司入股金 30 万元,占总股份的 33% ,即 300 股;个人(外村)入股金 1. 5 万元,占总股份的 1. 6% ,即 15 股,建立股份合作制旅游景区,按股进行经营收益分红。

(三)社员投资入股型

社员投资入股型主要集中在一些集体企业发展前景好,又急需资金扩大生产经营规模的村。这些村采取以集体资产入股,并按照自愿的原则,发动全体社员现金投资入股,组成社区型新型集体经济组织或企业,发展壮大集体经济。例如顺义区北郎中村,首先是发动社员投资入股组建股份合作制企业;其次是在股份合作制企业的基础上,吸收社会资本。股份合作制企业注册资本 8 200 万元,其中,集体历年积累 3 500 万元留作集体股,集体经济组织成员投资 3 500 万元作为个人股,并吸收外来企业和科技人员投资入股 1 200 万元。目前,企业总股本达到 9 700 万元,其中集体股 4 500 万元,比注册时增加 1 000 万元;个人股 4 000 万元,比注册时增加 500 万元。

三、北京农村集体资产经营的典型模式

随着集体资产改革的深化,资产保值增值成为首要问题。各级集体经济组织积极探索创新,引进社会资本,涌现出了各种各样的资产经营管理模式。北京在总结基层经验的基础上,提出了推进以"土地流转起来、资产经营起来、农民组织起来"为主要内容的"新三起来"工程。其核心是集体资产经营起来,通过盘活农村土地等各种资产,以新型集体经济组织的法人治理结构,保障农民的集体经济组织成员权、收益分配权,创新多元化的农村集体资产经营方式和机制,实现农村集体资产保值增值,增加农民财产性收入,用规范的利益纽带把农民组织起来。主要的经营模式有以下几类。

(一) 依托资金优势的自主经营模式

城市化夹带着丰富的社会资源进入到农村,一些农村股份经济合作社获得了大量的土地变现收入,资金非常充足。农村集体虽握有充足现金,但土地等经营性资产流失了,为防止坐吃山空,实现可持续发展,必须投资到实体经济,重新获取更多经营性资产,实现农民、集体和产业发展的多赢。

集体经济组织是股份合作制企业,因征地拆迁而获得的大量资

金不能静静躺在银行里，也不能全部分光吃净，而是要获取相对稳定的较高投资收益，细水长流，把集体企业做大，保障农民的长远生计。同时，北京城市开发建设急需各种社会资本参与，资金实力雄厚的集体企业具有得天独厚的优势。

集体经济组织自主经营首先需要满足资金充裕、有专业的管理经营团队、规范的现代企业制度等方面的条件，大多投资于土地整理、商业地产开发、保障性住房建设等领域，这些产业在北京风险相对较低、收益相对较高，同时又缓解了财政资金压力，具有一举多得的共赢优势。但在具体实践中也面临很多难题，表现在集体企业融资能力低，仅靠自有资金难以与国有企业、民营企业竞争。特别是在土地、房地产开发等项目竞标中占劣势，现代企业制度和治理结构不完善，集体资产流失现象较严重，存在自主经营中压低收益、放大亏损等内部人控制现象。但整体看，随着加强监管和集体企业融资抵押制度创新，集体企业自主经营还有很大发展空间。

比如，大兴区西红门三村，在 2004 年经村股东代表大会讨论在魏善庄工业园区征用土地 100 亩，当年引入两家规模企业。此项目每年为村集体增加收入 95 万元，年人均分红增加 1 600 元。目前，该项目已收回投资成本，稳步实现赢利。2008 年村民又以自愿入股的方式筹集资金 2 000 万元，购置商业设施 1 700 平方米，由村集体统一进行经营管理，村民每年按集资金额获得 10% 的利息分红，年终还可享受固定资产收益分红。2009 年又成立了三鑫盛世投资管理股份有限公司，公司由全体股民共同参与，以独立法人方式进行公司化运作经营，通过资产购置、异地置地等多种经营方式，实现村级集体资产运营管理公司化、投资方式多样化、经济收入多样化。为实现投资收益最大化、风险最小化，集体经济组织引入银行监管、第三方担保等，严格按照合作社章程办事，并接受政府部门的监督，建立了良好的项目甄选机制、民主决策机制、科学监管机制和风险控制机制。

（二）信托方式下的委托经营模式

自主经营对集体经济组织各方面要求很高，只有少数集体企业能在市场竞争中站稳脚跟、发展壮大。大多数集体经济组织由于资金实力不够大、管理经营人才匮乏、现代企业制度不完善等原因，而委托专业的投资机构经营管理集体资产。

比如，门头沟等区县的村镇通过与信托投资机构合作，专门设计针对拆迁村的信托产品，对信托专业化经营集体资产进行了积极探索。2012 年，门头沟区在永定镇开展集体资产信托化经营试点工作。由白庄子村和东辛称村共同投入 1.6 亿元，向北京信托购买“富民 1 号”信托产品。双方签订信托合同，按照合同约定对委托的资金、资产进行专业、规范的经营，并通过专门建立的收益分配的账户管理系统，定期将经营利润返还给信托合同约定的受益人。政府、村集体和经管部门负责提供服务，并对信托公司进行监督，不干预信托公司对信托资产的具体经营管理。“富民 1 号”集合资金信托计划是北京乃至全国首个完全属于农民的、真正意义上的农村资金信托产品。

将国际上比较成熟的信托模式引入农村集体资产经营管理中来，充分发挥信托作为专业金融手段在资金运作、资产管理、企业经营及风险管控等方面的优势，有助于大幅提高农村集体资产的经营管理效率和应对市场风险的能力，丰富了经营管理方式，拓宽了经营管理的思路，促进了农村集体资产经营管理的创新。从近两年实践看，委托经营大多比较成功，收益高出银行定期存款，风险相对可控。但从长远看，政府一定要对集体经济组织的委托行为加以指导和监管，增强集体经济组织管理人及其成员的风险意识，对受托投资企业的资质认真审核，并考虑建立担保、再保险等制度，确保集体资产安全稳定经营。

（三）吸引社会资本的联合经营模式

正如前文提到的密云县南石城村等远郊区县、山区农村，集体经济组织自身资金积累较为薄弱，唯一的优势就是山场、林地、土地等资源性资产，若能盘活存量资产，引进社会资本，也能走上一条富民强村的发展道路。

比如，延庆县八达岭镇政府与八达岭特区联合投资 500 万元，修复了 3 620 米的水关长城。按照协议，八达岭镇石佛寺股份经济合作社持有水关长城 10% 股份，每年得到 35 万元的股权收入。石佛寺村依托八达岭水关长城，把旅游业作为主导产业大力发展，投资 18 万元在停车场两侧建设了 66 个商业摊点，每户一摊，建成后每摊每年向股份经济合作社交纳租赁费 1 500 元，这些摊位既给村集体带来了收益，又给股东创造了就业机会，当年每个摊位平均收入 2 万元，石佛寺村获得了“京郊百富村”称号。石佛寺村山场资源丰富，环境优美，但一直没有进行有效的开发利用，大部分资源处于闲置状态。石佛寺村大力宣传，吸引红石新城房地产开发有限公司投资兴建“长城脚下的公社”项目，签订了土地租赁合同，租赁 6 000 多亩山地，租赁期限 50 年，租赁费总值 900 万元，按年支付。合作社现在每年都有固定的租赁费收入，为村集体经济的后续发展提供了保障。

招商引资、联合经营在确保集体资产不流失的前提下，依托土地、旅游资源等，通过参股合资、兼并、租赁等形式，与国有资本、民营资本、个体经济进行合作，形成股权结构清晰、各方利益均受保障的混合所有制经济，克服了经济薄弱村发展中面临的资金短缺、人才匮乏、经营无方等困难，引进利用了国有企业、民营企业的管理模式和营销渠道，有助于使这些村盘活自然资源，发挥优势，实现农民的增收致富。

(四)土地集约利用下的租赁模式

北京乡镇产业用地主要来源于以前的乡办及村办企业用地,以及前些年兴办的工业大院及产业园区,随着经济发展和产业层次的提升,大量企业倒闭、停产,造成资源的严重浪费。针对淘汰落后业态,实现土地节约集约利用这一命题,北京开展了提升产业层次、集约开发利用集体建设用地的探索实践,其中海淀东升科技园和大兴西红门镇就是这种"腾笼换鸟"的典型。

海淀区东升镇依托靠近中关村的区位优势,关闭原有乡镇企业,先期腾退、整合出产业用地120多亩,规划建设了东升科技园。早在2002年,东升镇就开始启动集体资产改制工作。截止到2008年,陆续完成了七个村级集体经济组织的产权制度改革工作。2009年,对乡级直属企业进行产权制度改革,成立了3个股份合作社,确立了对乡集体资产的所有者代表地位,并将集体资产量化到农民个人。其中,东升博展股份经济合作社主要从事科技物业产业发展,采用集体开发、自主运营的开发模式,投资建设东升科技园,成为农民与园区的利益连接载体。科技园解决了本地农村劳动力200余人的就业问题,安置超过280名乡镇企业职工。2011年,园区总产值30亿元,上缴地方税收达3亿元,为集体经济组织创收6 700多万元,农民分红达1 400万元,人均分红1.7万元,以"土地入股分红+园区就业收入"双重保障农民收益。

西红门镇大部分位于第二道绿化隔离带,是典型的城乡结合部地区。有工业大院27个,占地约952公顷,聚集了三千余家小型服装、加工企业与小网吧,长期存在消防安全等隐患,基础设施薄弱,环境脏乱差,人口资源环境压力很大。集体建设用地使用较为粗放低效,农民每亩租金收益仅1万元左右,而承租者转包至少能获利15万元,土地增值收益大部分被非集体经济组织的违法建设房主和经营主获取。大兴区大胆探索,将西红门镇工业大院改造作为集约利用集体建设用地的试点,通过调整规划适度增加建设用地,盘活土地资源,在保障农民收益稳步增长的基础上,探索以政府为引导、农民为主体,各村集体土地入股,设立镇级统筹的集体联营公司的运作新模式,实现“产业升级、农民就业、人口调控、环境改善”。试点将工业大院应腾退土地中的20%由绿化用地调整为产业用地,用于集体经济可持续发展,解决改造的资金问题。将工业大院剩余的80%面积拆违还绿。主要公路两侧土地以政府为主体进行绿化建设,统一管理。剩余土地在政府指导下,以村社为主体进行经营管理,主要发展以绿化空间为主的经济林带,形成绿色产业的观光产业园区,进一步发展壮大集体经济。同时,吸纳社会资金对剩余土地进行生态林、经济林或农业观光园区建设。

四、北京集体资产经营中面临的主要问题

农村集体资产从产权制度改革到经营方式创新,是适应城市化进程、保护农民和集体利益的内在要求,需要不断进行探索和实践。由于集体资产经营涉及利益的调整,关乎三百多万股东的切身利益和农村社会稳定,再加上受到乡村治理结构、传统观念、传统思维方式的影响,这种工作具有渐进式的特点,还需要针对暴露的各种问题,在实践中不断地深化改革,加以完善。当前,全市农村集体资产经营中面临的主要问题是:

(一)资产经营效益偏低

2010—2013年,全市农村集体资产收益率分别为2%、1.5%、1.4%、1.5%,而同期一年期银行存款利率分别为2.75%、3.5%、3%、3%,集体资产收益率普遍低于同期银行存款利率。净资产收益率分别为5%、3.9%、3.9%、4.4%,即使净资产收益率也仅仅相当于同期银行三年期存款利率水平。

农村集体资产经营效益不高，有管理成本高、积累提取高、经营能力低等多方面原因，但最根本的是资产构成不适应现代经济发展需要，创收能力较低。一是集体土地、林地等资源性资产较多，受现行土地管理制度限制，流转利用水平低，更多是沉睡的资产。二是经营管理水平低，投资决策随意性大，缺乏科学论证，有的是以银行存款的形式获取较低的固定利息收入，有的投资不善甚至出现亏损。这就对农村基层组织管理人员提出了新要求，必须创新经营理念，灵活运用多种经营方式，千方百计实现农村集体资产的保值增值。

（二）资产监督管理不到位

受体制限制，各级农村合作经济经营管理机构作为农村集体资产管理部门承担着具体监管职责，但没有相应的执法处罚权限，管理与处罚相脱节，管理缺乏有效手段，管理权威下降。在区县层面，农村集体三资政策管理职能归农业行政部门，业务指导由农经站具体承担。在乡镇层面，近年来随着新一轮乡镇机构改革，多数乡镇的农村集体资产监管人员队伍相当薄弱，一般只有 1 到 2 人，少数乡镇没有专职人员。在村层面，大多数村集体经济组织管理不够到位，产权改革后的新“三会”运作极不规范，资产、负债等方面的重大理财决策监督不够科学合理。

（三）债务负担较重

2013 年人均负债 10.4 万元，尽管风险可控，但有些问题需要引起重视。例如，城市功能拓展区经济实力强，但负债总额及人均负债额也相对较大，一旦集体经济出现经营不善等问题，偿债风险会骤然剧增，影响社会稳定。

农村集体经济组织债务的形成很多是历史遗留问题，比如发展集体经济融资、承担基础设施建设、农村公共服务和社会事业支出等。根本原因是城乡二元的财政投入和公共服务体制，村民委员会代行集体经济组织职能，集体经济组织承担着一些属于政府负责的提供公共服务的职能，即便有经营性收入，首先也要用于弥补政府对农村的财政转移支付和应由政府提供的社会公益事业资金的不足，从而挤压了集体经济的资本积累，有的甚至超出村级组织财力及农民的承受能力，导致收不抵支，形成大量的债务。

（四）集体产业发展水平较低

从全市总体情况看，农村集体经济发展与城乡发展一体化还不相适应，与农民的期盼还有较大差距，只有不到 1/3 的村集体实现了按股分红，新型集体经济组织发展水平还有待进一步提高。目前全市新型集体经济组织中，以一产为主的村共有 1 953 个，占 55.8%，这些村集体收入普遍偏低或者没有收入；以二产为主的有 78 个，仅占 2.2%，并且多以低端加工业为主，缺乏可持续性和竞争力；以三产为主的有 1 467 个，占 42%，其中的 80% 又以土地和房屋出租为主，产业结构单一，运行管理不规范，在城市化进程中难以持久。乡镇企业多是工业大院，囿于土地性质、配套建设和投资环境，吸引高端产业的能力不强。因此，加大对村集体经济的扶持力度，拓宽集体经济发展空间仍然是今后一项紧迫的任务。

五、政策建议

农村集体资产是郊区几百万农民多年辛勤积累的宝贵财富，管好用好十分重要。要以提高效益为核心，进一步深化农村经济体制改革、创新农村经营体制机制，发挥市场配置资源的决定性作用，推进“新三起来”，提高农村土地产出率、资产收益率、劳动生产率，推动集体资产保值增值。

（一）制定支持发展政策，壮大农村集体经济

“三农”问题在首都发展中占有重要地位，北京目前有260万农业人口，只有将集体经济组织做大做强才能更好地解决农民增收致富问题。要创造良好的集体经济发展环境，应减少限制性门槛，在税收减免、资金支持上给予更多优惠。安排专项资金用于农村发展，奖励扶持能增加集体经济收入的项目，金融机构增加信贷扶持农村发展产业。同时，加大配套改革，优化发展环境。一是深化土地制度改革，探索集约利用农村集体建设用地政策，争取试点，加强政策研究，赋予农村集体建设用地更加充分而有保障的权利。二是加大税收优惠，减轻集体经济组织负担。新型农村集体经济是在合作经济基础上改革形成的，仍属于合作经济性质，应当享受类似于农民专业合作社的税收优惠政策。三是进一步加大公共财政对农村的投入，加快推进公共服务均等化，为新型集体经济组织的发展提供良好的外部环境。

（二）完善法律法规，明确新型集体经济组织的市场主体地位

目前，大多数集体经济组织与村委会职能界定不清，承担了很多社会负担，包括村民福利、社区基础设施建设和公共服务提供等多项职能，还不是能够自负盈亏、风险自担的市场主体。关键是要进一步深化乡村治理改革，村社分开、政经分开，把集体经济组织承担的社会职能剥离开来。在确保农民利益不损失的条件下，针对新型集体经济组织面临的法律地位缺失、市场主体地位不充分的现实情况，认真组织开展调查研究，学习和借鉴国内省市的先进经验，完善有关政策法规。一是进一步明确新型经济组织的法律地位、性质、功能和职责；二是进一步明确集体经济组织成员（股东）的标准和进退机制；三是进一步明确新型经济组织外部监督管理主体；四是按照公司法，进一步深入推进集体经济产权制度改革，利用股份

合作制、股份公司制的不同优势，打破集体经济组织产权的封闭性、社区性，让集体经济组织走向市场、走向社会，成为独立的市场主体。

（三）创新监管方式，严控集体资产流失和债务风险

集体资产是农民的托底保障，管得好不好，经营得好不好，直接关系农民的切身利益。特别是征地拆迁村，集体的“钱袋子”鼓了，但经营及监管难题也随之而来，投资决策是否科学、土地流转是否合法合规、征地补偿款是否花对地方、经营合同签订是否公开透明等一系列问题，不仅农民普遍关心，也是政府监管部门重点关注解决的问题。北京也一直在积极探索，2006 年就推出了村账托管制度，加强统计、审计管理。特别是 2013 年底海淀区借鉴国资委管理模式成立了农资委，成为全国首家农村集体资产监督管理委员会，对农村集体资产进行审计、合同清理和土地监管，保障农村集体资产在阳光下运行，同时利用多种手段，促进资产增值。比如，帮助村集体企业引进职业经理人，在合适的时机推动村集体企业挂牌上市等，让农村的集体产业越做越强。

要总结各种探索改革的经验，推进农村集体资产监督管理制度建设。加强农村土地承包管理，推进产权交易平台建设，完善产权流转交易市场。采取有效措施严格控制债务风险，积极化解债务，严格控制非生产性和经营性支出，避免增加新的债务。提高集体经济科学理财、高效理财水平，进一步推进财务公开和民主理财工作，公开资产债务账面、重大资产处置情况。加大新型集体经济组织审计工作力度，开展专项资金审计和经营效益审计等专项审计，加强农民负担监管，严禁违法、违规支出，最大限度提高资金使用效益，杜绝资金、资源浪费现象。

(四) 加快建立现代企业制度,提高集体资产经营效益

集体资产经营关键是要提高效益,针对实践中存在的资金、人才、制度等方面的问题,应深化改革创新,重点是引进各类社会资本,整体提高集体经济组织的经营管理水平,在保障成员农民权益的前提下,创新发展集体经济与社会资本各种形式的混合股份制经济。一是继续推动产权制度改革进度,推进乡镇级集体经济产权制度改革,建立乡镇级的股份合作制企业,以乡镇为单位统筹集体资产的经营管理。二是规范新型农村集体经济组织运营管理,完善股东会、理事会、监事会制度和法人治理结构,规范改制后集体经济组织内部管理,健全经营管理、民主决策与监督机制。三是建立完善村级财务预决算制度,规范财务管理及资产处置程序,保障资产处置合法、公开、透明。四是鼓励集体经济组织利用资金、资产和资源,以入股、合作、租赁、专业承包等形式,实现多元化、多层次、多形式经营,激发集体经济发展活力,提高集体经济经营效益。

(五) 转变农村发展方式,提高集体产业发展层次

结合首都功能定位及区位环境资源优势,从实际出发,因地制宜,推动农村集体土地、闲置资产入市,实现农村集体土地资源化、市场化,提高集体资产收益率。大胆探索集体经济发展新模式,积极发展资源开发型、土地流转型、产业带动型、租赁经营型、招商引资型、配套服务型等多种发展模式,推动集体经济健康发展,增强集体经济实力和发展后劲。根据山区、平原、城乡结合部等不同地区的区位优势和产业结构,有针对性地探索集体经济发展的途径和方法。重点鼓励地处城乡接合部及经济社会发展水平较高的平原地区的村集体,规范发展集体物业经济和农村第二、第三产业;重点鼓励和支持以农业为主、集体资产较少的村集体,结合沟域经济和乡村旅游发展,采取“资源 + 资本”方式吸引社会资本开发新的产业

项目,进一步发展壮大集体经济,为实现按股分红创造条件。

参考文献

1. 《中共中央关于全面深化改革若干重大问题的决定》辅导读本,人民出版社2013年版。
2. 北京市农村经济研究中心2013年调查研究报告合订本,2014年6月。
3. 蔡国雄:《关于农村集体经济对北京市率先形成城乡一体化新格局作用的调查分析》,2011年10月。
4. 董克用、成得礼:“从北京看城乡结合部‘失地农民’面临的困境与解决思路”,《经济理论与经济管理》2006年第3期。
5. 关成华:“关于农村集体经济产权制度改革的实践与思考”,《前线》2009年第2期。
6. 郭光磊等:《城乡发展一体化:探索与创新》,中国农业出版社2013年版。
7. 郭光磊等:《城与乡在博弈中共享繁荣》,中国农业科学技术出版社2011年版。
8. 刘福志:《关于农村集体经济产权制度改革情况的报告》,2013年。
9. 农业部课题组:“推进农村集体经济组织产权制度改革”,《中国发展观察》2006年第12期。
10. 徐明增、张军连:“农民如何参与经营性建设用地开发——基于对南方四省的实地调查与模式分析”,《中国土地》2009年第10期。
11. 苑鹏:“乡镇集体资产的有效经营管理监督机制研究——乡镇集体企业改制后的一个新课题”,《管理世界》2000年第4期。
12. 苑鹏:“从集体资产控股公司到集体资产经营公司——对山东周村区王村镇集体资产经营公司的调查”,《改革》1998年第5期。
13. 郑风田、赵淑芳:“论城市化与农村集体资产改制”,《财经问题研究》2006年第1期。

(于鸷隆,北京大学光华管理学院;韩振华,北京市人民政府研究室;李宇,北京市人民政府研究室)

混合所有制经济与县域经济发展——以安徽省阜阳市颍东区为例

刘焕性

混合所有制经济的提法始于十五大报告，十八届三中全会通过的《中共中央关于全面深化改革若干重大问题的决定》（简称《决定》），强调要积极发展混合所有制经济，指出国有资本、集体资本、非公有资本等交叉持股、相互融合的混合所有制经济，是基本经济制度的重要实现形式。《决定》一方面提出“三个允许”：允许更多国有经济和其他所有制经济发展成为混合所有制经济；国有资本投资项目允许非国有资本参股；允许混合所有制经济实行企业员工持股，形成资本所有者和劳动者利益共同体。另一方面，

《决定》还提出了“两个鼓励”：鼓励非公有制企业参与国有企业改革，鼓励发展非公有资本控股的混合所有制企业。这不仅预示着我国“非公即私”的企业所有制二元结构在政策理论上将被逐渐打破，也是新形势下中国特色社会主义市场经济的又一次创新和发展。

县域经济是国民经济的基础单位，如何发展县域经济一直是我国经济社会发展中的一个很大的课题。20世纪八九十年代，从计划经济到市场经济的逐步过渡中，大批的国有企业尤其是市县层级的中小企业因经营不善而破产改制，带来了很多的社会问题和后遗症，有些甚至一直影响到了现在。同时，在县域范围内逐步发展起来的民营经济，又普遍面临质量、规模和效益偏低偏小等问题。在此情况下，在公有制经济和非公有制经济中发展混合所有制经济，激活国企，扶持民企，壮大企业规模实力，提升竞争力，不失为一种可以尝试的发展县域经济的手段。

2013年7月到2014年7月这一年时间中，笔者在国家级贫困县（区）——安徽省阜阳市颍东区挂职扶贫，对该地区的经济发展和国企改制情况进行了一些调研分析，并结合混合所有制经济发展问题进行了一些思考。现以颍东区为例，对混合所有制经济与县域经济发展做一些探讨。

一、颍东区混合所有制经济发展情况

（一）颍东区经济发展概况

颍东区位于安徽省阜阳市，面积685平方公里，人口65万，其中农业人口52万。2012年全区财政收入5.36亿元，城镇居民人均可支配收入18 754元，农民人均纯收入5 327元，三项收入指标远低于安徽省平均水平，在全省44个市辖区中处于最末位，是一个典型的县级农业区和贫困区，同时也是国家扶贫开发工作重点区、省级皖北连片扶贫开发重点区,经济社会发展基础较为薄弱。2013年颍东区实现地区总产值110亿元,剔除市直企业下划因素,实现生产总值89亿元,比2012年同比增长13%(现价),与2009年(35亿元)相比翻了一番。2009—2013年,连续5年平均增长20.5%(现价)。规模以上工业企业完成产值162亿元、增加值62亿元。其中,区属规模以上工业企业完成产值73亿元、增加值22亿元,分别增长21%和30.2%。农业总产值34.6亿元,增长4.8%。实现社会消费品零售总额22.5亿元,增长23.9%。固定资产投资84.2亿元,增长25.8%。2013年全区财政收入6.79亿元,城镇居民人均可支配收入21 100元,农民人均纯收入6 130元。[1]纵向比较虽有发展,但横向比较差距依然较大,发展底子薄、基础条件差的现实未有明显改观,经济社会发展的任务依然繁重而突出。

(二)颍东区国有企业发展与改革情况

为进一步加快阜阳市属国有企业改革,促进阜阳工业经济快速发展,2009年6月3日,阜阳市政府出台了《阜阳市属国有企业改革若干问题的实施意见》,提出"以产权制度改革为核心,进一步搞活企业,盘活国有存量资产,妥善处理好历史遗留问题,实现社会稳定,促进我市经济社会发展"。总体目标是:"根据企业的不同情况,通过资产重组、股份制改造、破产、解散等方式,扶持一批有发展潜力的骨干企业,培育新的经济增长点;淘汰退出一批经营困难、扭亏无望的企业;妥善安置职工,确保社会稳定。"[2]

颍东区列入阜阳市国有企业改革攻坚计划的国有企业有24家,涉及生产、流通等行业,其中,工业企业8家,商业等其他类型企

[1] 参见《颍东区2012年统计年鉴》和《颍东区2013年统计年鉴》。

[2] 参见阜阳市政府《关于印发阜阳市属国有企业改革若干问题实施意见的通知》,2009年6月3日印发。

业16家；职工人数3 190人，其中，在职人数2 256人，离退休人数934人。为了推进国有企业改革工作，颍东区专门成立了国有企业改革办公室和国有企业改制指挥部，统筹协调有关主管单位对改制企业进行逐个分析和分类推进。一是对没有资产、无法筹措和支付改制成本的企业，在全区或系统内与有资产、有能力支付改制成本的企业链接在一起，实施“捆绑式”改制，解决无法支付改制成本企业的职工安置问题，比如，在物资协会6家企业中进行了“捆绑式”改制尝试，取得了很好的成效。二是对阜阳颍光印染有限公司、阜阳市肉类冷冻加工厂、阜阳市工业布有限公司等有经营活动的工业企业采取“退二进三”的办法。“退二”就是在原企业的基础上另辟新地重新建厂；“进三”就是在原企业所在地进行房地产开发，建设部分经济适用房，以解决部分职工住房困难问题。该办法的实施不仅使有限的资源得到合理配置，还解决了职工的就业和住房困难等问题，同时为地方增添了税源，降低了城区污染，得到了绝大多数职工和投资者的赞同。三是采取“摘红帽子”的方法。对实际是集体性质，却戴着国有企业“红帽子”的个别企业采取“摘红帽子”的办法，实事求是地恢复企业原貌。四是继续依托区土地收储中心，对土地进行收储，由区土地收储中心支付职工安置费用，土地由政府挂牌出让。截止到2014年6月，颍东区全面完成国企改制任务的有18家，置换职工身份1 777人，安置费用14 104万元，其余6家企业的资产审计、评估和制定改制方案、职工安置方案等程序工作已完成，待改制资金筹措到位后，即实施具体的安置工作。

（三）颍东区混合所有制发展情况

阜阳市的混合所有制企业很少。目前，颍东区范围内不论是民企还是国企都没有混合所有制企业。颍东区所属的国有企业共有两部分：一是原有区属24家企业，这部分企业已经基本改制结束，为发展混合所有制奠定了一定的基础。二是2013年5月阜阳市下划颍东区的原市属企业。这部分企业共有 8 家,其中工业企业 4 家,分别是安徽昊源化工集团有限公司、安徽省阜阳同力实业有限公司、阜阳轴承有限公司、阜阳卷烟厂。建筑业企业 4 家,分别是安徽和顺建设集团有限公司、阜阳市水利工程公司、阜阳建工集团第二劳务有限公司、安徽省阜阳市瑞翔劳务有限公司。这部分企业也不是混合所有制企业。颍东区未来如果发展混合所有制经济,这 8 家企业可以是潜在的主体企业。

二、颍东区发展混合所有制经济的主要阻碍

颍东区在近几年的国有企业改革过程中,面临的传统问题有以下几个方面:一是畏难情绪较大。需要改制的国有企业大部分存在着内部情况复杂、资产质量不高、负债额度大等问题,致使部分企业负责人存在畏难情绪和求稳怕乱的思想,一定程度上影响了国有企业改革工作。二是职工安置成本比较高,改制成本筹措困难。有的企业资产少、效益低;有的企业资产质量不高,资产变现难;有的企业甚至是无资产、无经营活动。再加上历史遗留下来的债务处理难度较大,一些企业无力支付改革成本,影响了企业改革和改制的工作进展。三是不稳定的因素依然存在。少数职工借改革之机,提出一些不符合政策和法律的诉求,并希望通过信访等行为达到个人目的。除了以上问题之外,颍东区发展混合所有制经济还面临以下几个方面的阻碍:

(一) 整体经济水平不发达

受历史、地理、自然等因素的制约,颍东区经济社会发展滞后,缺乏混合所有制经济发展的基础。一是"先天不足"。1996 年建区之初,颍东区经济总量在全市 8 个县市区中排在最后一位,全区生产总值仅有 13 亿元,财政收入仅为 2 590 万元(含农业税 1 179 万

元）；城区面积不足10平方公里，仅占全区总面积的1.5%，其中大部分面积是“城中村”和“棚户区”。颍东还是全省洼地面积比例最大的县级行政区域，境内相连的蒋湾、倪家湾、乌江湾“三湾”洼地面积382平方公里，其中耕地39万亩，分别占全区总面积的56%、耕地面积的63%，洼地高程23—26米（其周边27—29米）。而且旱涝灾害十分频繁，据统计，仅1998—2007年，“三湾”洼地受灾农作物面积高达190万亩，受灾130多万人次，直接经济损失超过4亿元。[1]二是工业“腿短”。建区之初，颍东工业基础十分薄弱，区内仅有的几家企业，均处于停产或半停产状态。近年来，全区工业发展较快，但工业体量小、企业总量少，且缺少投资大、牵动性强、产业链长、附加值高的大企业、大项目。此外，颍东经济开发区起步较晚，2008年12月才批准筹建，园区基础设施建设相对滞后。三是城乡基础薄弱。城区配套设施、公共服务设施不完备。区内两条省道拓宽升级改造区级资金配套困难，农村主次干道路受损严重，456座乡村危桥未修复和改造，在物流交通方面存在一定问题。农村教育设施落后，师资力量不强，文化站点覆盖率低，区内职业教育和培训不足，劳动力科技文化素质不高，一些科技含量高、智力密集型的企业难以布点和发展。

（二）思想观念上顾虑较多

当前，对于国有企业推行混合所有制，区内部分人群在思想观念上还存有三个误区。一是有意否定，因为一旦国企实行了混合所有制就会触动他们的既得利益，比如行政级别、特殊待遇等。因此，他们不仅加以反对，还散布一些谣言。对于这类人需要剖析其用意和本质，加强政策宣传。二是困惑或担忧，他们担心推行混合所有制会发生国有资产流失。三是认识不清，不明白混合所有制经济到

---

〔1〕 参见颍东区地方志办公室编：《颍东区志》。

底是怎么回事,跟原来的企业有什么不同。对于后两种认识,应加大政策的引导和宣传,提升人们对混合所有制经济的认识和了解,打消各种顾虑和疑惑。

对于民营企业发展混合所有制,区内部分民营企业家的疑虑也不少。因为目前国内实行混合所有制的一些企业,现代企业制度实际上并没有完善到位。民营企业和投资者虽然加入了董事会,但是国企一股独大的现象并不少见,最后的决策和管理往往还要听命于国企的上级管理部门,再加上一些国企的经营管理现状不佳,民营企业家担心投资和介入的风险过大。因此,要消除民营企业的顾虑,就必须深化改革,建立起完善的现代企业管理制度,真正发挥市场的决定作用。

(三)民营企业发展水平较低

区内民营经济自身发展上还存在一些问题,制约了混合所有制企业的发展。一是资本规模还较小,颍东区大型民营企业集团数量还较少,绝大多数民营企业还不具备参与国有企业股权多元化改革的实力;二是民营企业治理结构还不规范,企业家行为随意性仍很大,公司治理的规范水平也有待提升,这不利于混合所有制企业的形成,即使组建了混合所有制企业,也难以形成规范的公司治理结构;三是民营企业家族式管理问题严重,企业管理现代化水平低,企业管理科学化、现代化受到家族人员素质的严重制约。这使得民营企业难以在公司管理方面与国有企业融合,可能导致管理冲突和文化冲突。

(四)外部宏观环境的问题

统一开放、竞争有序的市场体系,是各类所有制经济公平竞争、共同发展的基础,也是混合所有制经济发展的重要保障条件。总体而言,我国还没有完全形成公平、开放、透明的市场规则。从法律体系看，现有法律还不能完全保证各种所有制经济同等受到法律保护，不能完全保证各种所有制经济依法平等使用生产要素，公开、公平、公正参与市场竞争，发展混合所有制经济的法律环境还有待完善。尤其是，产权保护和产权流动的法律保障制度有待进一步完善。产权是所有制的核心，产权清晰、权责明确、保护严格、流转顺畅的现代产权制度是混合所有制企业组建和持续健康发展的最基本保障，我国在现代产权制度建设方面还有许多工作要做，这种大环境决定了颍东区发展混合所有制经济还有很长的路要走。

三、对于颍东区发展混合所有制经济的建议

颍东区国有企业的发展问题较多，负担很重，如不加以改革，问题会越积越多，而加以改革，就要尝试多种方法盘活、激活国有资产，实现国有资产的保值增值。因此，为了使区里的中小型国有企业焕发生机，壮大县域经济，混合所有制不失为一种可以尝试的方式。

（一）破除思想障碍，转变对发展混合所有制的认识

十八届三中全会对社会主义经济理论中有关混合所有制经济的地位、性质和作用做出了更加明确的表述，把发展混合所有制经济作为我国基本经济制度的重要表现形式，既鼓励国有经济走向混合所有制经济，又鼓励非公有制经济走向混合所有制经济。作为全国扶贫重点县（区），颍东区应抓住安徽省委省政府支持皖北加快发展、阜阳市委市政府支持颍东跨越发展的机遇，在所有制结构和实现形式上解放思想，破除非公有制经济与公有制经济的“对立论”。在所有制管理权限上解放思想，破除条块分割、画地为牢的既得利益格局，加快跨所有制、跨行业的重组，大力发展混合所有制经济。在非公有制经济发展上，解放思想，破除不思进取、小富即安的

现状,鼓励民营经济树立与时俱进、冲出“家族制”迈向股份制的思想,积极参与发展混合所有制经济,实现跨越式发展。

(二)整合优势资源行业,做大做强一批企业

结合颍东区资源、区位和产业发展实际,借鉴其他地区发展非公有制经济的做法和经验,选择一批对全区经济有重大影响的重点行业,开展企业重组整合,争取本区域内的行业发言权。同时结合招商引资工作,进一步做大做强区内的支柱产业,采取民营资本、国有资本均衡持股的混合所有制,实现投资主体多元化。目前,颍东区中小企业和非公有制企业的产业结构、产品结构层次整体还较低,产业整体效益差,市场竞争能力弱。要加强对竞争力强的民营企业的扶持力度,引导他们在更高的层面来寻求合作,以现代企业制度来规范约束企业行为,进行资产重组,进而组建较大规模的民营企业产业集团,积极争取国家资源配置和产业政策的倾斜,逐步提高区内民营企业的竞争力。

(三)拓宽民营投资领域,加快公用事业领域对外开放

对区内公用事业领域引入竞争机制的行业和企业,加快改革步伐,促进公用行业非经营性资产转化为经营性资产,实行市场化运作。实施公用事业领域对外开放,公用行业企业可通过股份制改制、出让经营权、委托经营等多种形式引入社会资本。着力构筑起具有区域特色的混合所有制经济模式,形成以本土企业为主体,以市场为导向,政府提供产业、行业发展保障服务的经济自主增长新格局和区域强劲发展的新效应。大力倡导“政府主导、市场运作”的经营城市模式,采取国有相对控股,积极引进战略投资者。在积极引进外资的同时,要鼓励民间资本以联合、联营、入股等多种方式参与基础领域,并通过资本置换、资源补偿、特许权招投标、选择项目法人等方式,拓宽投融资渠道,推进投资主体多元化。

(四) 改善经济发展环境,解决环境建设中的深层次问题

优化区内政务环境,构建一个高效、公正、廉洁的政府,坚决整治行政"不作为"和"乱作为"的问题。优化法制环境,对所有行政审批和行政收费项目进行严格审定,并在网上公布,增强政府工作的开放度和透明度,严格禁止乱收费、乱罚款和乱摊派。优化政策环境,抓好政策法规的贯彻落实,清理、废除不利于混合经济发展的规章制度,完善促进经济快速发展的政策措施;优化社会环境,在全区树立起"环境是生产力、发展是硬道理"的理念,努力营造良好的经济发展环境。

(五) 推进制度创新和管理创新,鼓励企业建立现代企业制度

应积极鼓励具备一定规模的民营企业改组为股份公司,着重改进内部组织结构和管理结构,逐步实现所有权和经营权分离。鼓励非公有制企业通过相互参股,职工持股,参与国有、集体企业资产重组和产权改革等多种形式,建立多元和开放的产权结构,促进混合所有制经济发展。

对于国有企业,应进一步完善国企现代企业管理制度。改革国企治理结构,强化市场在要素和权利配置中的作用。因为国企的行政性治理结构和强势的"内部人"控制,使得民营经济和民间资本在进入国企时心有疑虑。如果相关企业已经实行了公司制,首先要从董事会的变革入手,使董事会具有更广泛的社会代表性。在此基础上,对经营层的选聘要更多地依靠市场,尽量减少直接的行政干预。

在政府层面上,应及时清理有关政策法规。凡不利于保护各类市场主体的合法权益、不利于各类市场主体平等竞争、不利于调动产权主体积极性的规定,应该及时修改或者废止,并向社会公布清理结果。凡是出台涉及私有财产及其运用的政策规章,应邀请法律

专家参与制定或进行咨询。政府和有关部门做出的可能对当地各类市场主体的产权产生重大影响的决策事项,决策机关应当举行听证。

(六)继续推进国有企业改革,着力建设混合所有制企业

颍东区所属的国有企业共有两部分。一部分是原有区属24家企业,这部分企业已列入阜阳市国有企业改革攻坚计划,截至目前,全面完成改制任务的有18家,而且部分企业在股份制改制时已开始引进其他投资者。比如阜阳颍光印染有限公司、阜阳市肉类冷冻加工厂、阜阳市工业布有限公司等工业企业都引进了战略投资者,通过股份制改制,实施了改革,成为投资主体多元化的股份制企业,这为进一步发展成为国有资本、集体资本、非公有资本共同持股的混合所有制企业奠定了良好的基础。还有一部分国有企业和采取“摘红帽子”的集体企业,由于经营不善、效益低下,还没有及时推进改制,对于这部分还没有完成股份制改制的企业,股份制改制和发展混合所有制可以一并改革实施。

对于颍东区已经完成改制的国有企业,可以通过以下几种途径积极发展混合所有制。一是吸收集体资本参股。国有企业中的一部分股份可以给集体企业,形成集体资本股份。二是吸引民营资本参股。一些经营良好的民营企业,参与到国有企业,占有一定的股份,既能解决国有企业的资金问题,又能够改善国有企业的管理水平。三是对于经济效益优良的国有企业进行上市,获得自然人资本。通过上市,还能够促使国有企业的经营机制市场化,建立完善的法人治理结构。四是推行员工持股。国有企业可以根据自身的情况,给予企业高层管理人员、高层技术开发人员以及其他被认为做出重大贡献的人员一定股权;或者推行全员持股,即本企业的员工都可以成为企业的持股人。通过员工持股,形成国有企业的人员激励。五是吸引外资合作参股。国有企业和外资合作,既可以获得

外商资本的支持，还能够获得或利用外资企业较好的技术、管理、品牌等。

（七）大力发展民营企业，鼓励参股或控股混合所有制企业

颍东区的民营经济发展水平低，资本规模还较小，大型民营企业集团数量很少，民营企业治理结构也不规范，民营企业家族式管理问题严重。民营企业的这种发展状况，对颍东区的混合所有制发展具有较大的限制和妨碍。要发展混合所有制经济，首先就要大力发展民营经济，采取积极的政策与措施以支持和鼓励区内民营企业发展，同时支持和鼓励民营企业在混合所有制方面进行积极发展或积极参与。

这体现在三个方面，一是民营企业积极参股国有企业或集体企业。民营企业可以选取发展态势良好或者与自己有业务关联的国有企业和集体企业，进行投资参股。这既能扩大民营企业的投资范围，又能加强与国有企业、集体企业的业务关系，防范和化解市场风险。二是对于一些经营不善的国有企业或集体企业，民营企业如果有能力扭亏为盈，可以进行控股，形成民营资本控股的混合所有制。这对民营企业与国有企业或集体企业的发展均是有利的。三是民营企业积极地吸引和接收国有企业和集体企业参股于民营企业。吸引国有企业参股，不仅能够有效解决民营企业面临的融资难问题，带来较多的发展资金，还能对民营企业给予技术和管理方面的支持，提升民营企业的经营实力；此外，还能为民营企业带来一定的业务，充分发挥民营企业为国有企业进行业务配套的能力。

四、颍东区带给我们的启示

（一）混合所有制可以作为发展县域经济的积极尝试

发展混合所有制有利于消除各方阻碍，确立市场调节在资源配

置中的决定性作用，也有利于盘活国有资本，充分发挥国有和民营各自的优势，发展地区经济。十八届三中全会之后，发展混合所有制经济面临可以预见的政策机遇，对于县域经济而言，这也是引导本土企业和外来投资进行整合重组、做大做强的机遇。因此发展混合所有制不失为发展县域经济的一种积极尝试。

（二）划清政府与市场的界限十分重要

全面深化改革的核心问题是处理好政府和市场的关系，任务是要建立起统一开放、竞争有序的市场体系。因为政府对于市场过多过度的干预，尤其是对于国有企业的干预，对于经济发展和资源配置的效率都有很大的影响。因此，划清政府与市场的界限十分重要。政府做好政府的事情，市场做好市场的事情，避免政府对市场不必要的干预。国有企业构成复杂、行业多样、定位各异，实施混合所有制改革应该具体问题具体分析，不能一概而论、搞“一刀切”。20世纪90年代的国企改制中，一些地区曾出现行政命令式的“一刀切”改革的现象，改制过程不规范、不合理，造成的后果很严重。目前不科学的政绩观尚未彻底扭转，“上面一倡议、下面‘一窝蜂’”的现象时有发生。发展混合所有制经济，应坚持按市场规律办事、以法治思维推进、各方平等自愿及有利于企业更好发展的原则，杜绝“拉郎配”、“一刀切”等非理性行为。

（三）县域发展混合所有制应以非公有制经济壮大为基础

十八届三中全会指出，公有制经济和非公有制经济都是社会主义市场经济的重要组成部分，都是我国经济社会发展的重要基础。民营经济是县域经济最有潜力、最具活力的增长点，没有民营经济的大发展，就没有县域经济的大跨越。目前我国多数的县域经济都以民营企业为主体，要发展混合所有制经济，就要以壮大民营企业、发展非公经济为基础，这样才有可能将混合所有制经济做大做强，将县域经济做大做强。

发展混合所有制经济,是实现公有制和非公有制经济互相融合、优势互补的制度创新,是全面深化改革的必然选择。作为县域经济发展的一个新课题,如何发展混合所有制经济还需要从理论和实践上进行不断的探索研究和总结。随着混合所有制经济的逐渐发展,我们对这些问题的看法也会逐渐成熟起来,混合所有制经济也会为县域经济乃至整个国民经济的发展做出积极贡献。

(刘焕性,北京大学光华管理学院)

发展混合所有制农业经营体系，助推贫困山区内生性发展——以湖北省恩施市为例

黄国华

鼓励和引导工商资本到农村发展适合企业化经营的现代种养业，发展混合所有制农业产业化龙头企业，加快构建新型农业经营体系，是新时期我国大力发展农业农村的重要举措。恩施市是恩施土家族苗族自治州下属县级市，属于典型的多山欠发达地区。虽然近年来各级政府不断加大扶贫开发投入力度，但恩施市农民平均收入与全国农民平均收入、当地城镇居民平均收入相比差距仍然较大。本文基于对恩施市自然地理条件、农业经营现状、社会资本特点、农业技术分布等的分析，提出发展国有、集体、民营混合所有制农业经营体系符合当地禀赋

条件,是创新农业生产经营体制机制、优化生产要素配置、实现贫困山区内生性发展的重要手段和途径。为更好地推动混合所有制农业经营体系发展,建议进一步完善农村土地管理制度,加快农村产权交易市场建设,完善股份合作经营主体治理结构等。

一、纵向看:恩施市农业农村经济快速发展

(一) 农民人均纯收入快速增长,贫困人口逐年递减

2004—2013 年,农民人均纯收入从 1 638 元增长到 5 329 元,增长了 2.25 倍,年均增长 14%。(见图 1)近年来,恩施市加大扶贫工作力度,加快整村推进工作,减贫工作取得重大成效。全市已经启动并完成 326 个重点贫困村(村组合并前共 597 个村)的整村推进项目建设任务,在此基础上 2013 年又实施了 12 个重点贫困村整村推进工作,完成扶贫搬迁 537 户,农民的经济收入和生活水平有了较大提高。全市贫困人口从 2011 年底的 25.5 万人(2011 年,国家将贫困线调整为 2 300 元),下降至 2013 年 20.9 万人,累计减少 4.6 万人。

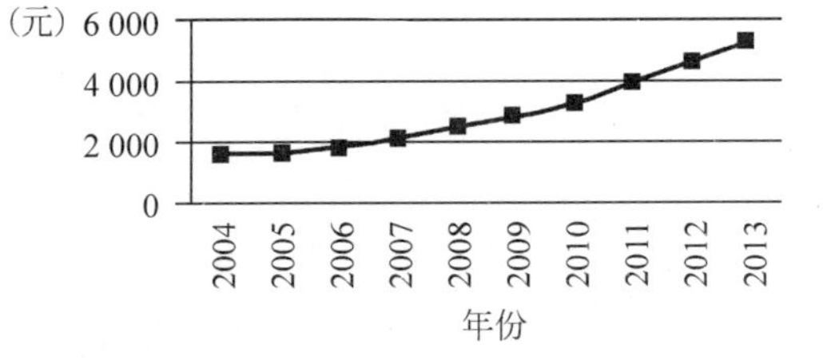

数据来源:《恩施市国民经济和社会发展统计公报》。

图 1　2004—2013 年恩施市农民人均纯收入

(二) 农林牧渔业产值增长速度较快,生产结构不断优化调整

农林牧渔业总产值从 2004 年的 20.1 亿元增长至 2013 年的 40.8 亿元,增长了 1 倍,年均增长 8%。在农林牧渔业总产值快速增长的同时,生产结构也不断优化。农业产值比重从 2004 年的 63.36% 下降到 2013 年的 56.59%。(见表 1)其中,粮食耕种面积

表 1　恩施市农林牧渔业产值及结构

年份	总产值	农业		牧业		林业		渔业		农林牧渔服务业	
		产值（亿元）	占比（%）	产值（亿元）	占比（%）	产值（亿元）	占比（%）	产值（亿元）	占比（%）	产值（亿元）	占比（%）
2004	20.12	12.75	63.36	6.95	34.53	0.30	1.51	0.04	0.18	0.08	0.42
2005	21.21	13.43	63.32	7.29	34.37	0.34	1.60	0.04	0.19	0.11	0.52
2006	21.55	14.25	66.10	6.77	31.39	0.34	1.60	0.04	0.19	0.16	0.72
2007	23.18	14.28	61.62	8.40	36.22	0.30	1.30	0.04	0.19	0.16	0.67
2008	25.83	16.47	63.75	8.83	34.18	0.31	1.22	0.05	0.19	0.17	0.65
2009	28.11	17.95	63.85	9.58	34.09	0.35	1.24	0.05	0.17	0.18	0.65
2010	31.84	20.52	64.47	10.63	33.38	0.43	1.37	0.06	0.19	0.19	0.60
2011	35.29	21.42	60.70	12.69	35.96	0.87	2.46	0.06	0.18	0.25	0.70
2012	37.99	22.19	58.41	14.58	38.38	0.89	2.34	0.06	0.17	0.27	0.70
2013	40.80	23.09	56.59	16.33	40.02	1.01	2.48	0.08	0.19	0.28	0.70

数据来源:《恩施市国民经济和社会发展统计公报》。

不断下降,经济作物面积快速增长。2013 年,全市发展“两烟”种植面积 11.2 万亩,产量达 28.8 万担;茶园总面积 30 万亩,跻身湖北省“三大茶叶大县”之列;播种蔬菜面积 40 万亩;新建中药材基地 5 万亩。牧业产值比重快速上升,从 2004 年的 34.53% 上升到 40.02%。其中,2013 年生猪出栏 105 万头,连续 7 年被评为“全国生猪调出大县”和“全国生猪良种补贴县市”。

二、横向看:恩施市农业农村发展差距仍然较大

(一)农民纯收入远落后于湖北省和全国平均水平

2004 年,全国和湖北省农民人均纯收入分别为 2 936 元和 2 897 元,恩施市分别仅为全国和湖北省平均水平的 56% 和 57%。此后,虽然恩施市农民人均纯收入取得较快增长,但由于全国和湖北省平均发展速度也非常快,恩施市与全国和湖北省平均水平相比基本维持在 51%—60%,差距没有明显缩小。(见表 2)

表 2　恩施市与全国、湖北省农民人均纯收入比较

年份	全国(元)	湖北省(元)	恩施市(元)	恩施市/全国(%)	恩施市/湖北(%)
2004	2 936	2 897	1 638	56	57
2005	3 255	3 099	1 649	51	53
2006	3 587	3 419	1 849	52	54
2007	4 140	3 997	2 172	52	54
2008	4 761	4 656	2 519	53	54
2009	5 153	5 035	2 815	55	56
2010	5 919	5 832	3 250	55	56
2011	6 977	6 898	3 946	57	57
2012	7 917	7 852	4 619	58	59
2013	8 896	8 867	5 329	60	60

注:全国数据和湖北省数据来源于国家统计局网站,恩施市数据来源于《恩施市国民经济和社会发展统计公报》。

（二）农业产出水平相对较低

受山多地少、平均海拔较高、机械化水平较低等因素影响，恩施市农业产出水平明显低于全国和湖北省平均水平。从农民人均农林牧渔产值看，2004 年恩施市农民人均农林牧渔产值为 3 157 元，分别为全国和湖北省平均水平的 66% 和 63%。2013 年，恩施市农民人均农林牧渔产值增长到 9 134 元，但与全国和湖北省平均水平的比值却分别下降到 59% 和 47%。（见图 2）从单位面积粮食产量看，2013 年，恩施市粮食平均亩产 203 公斤，仅为湖北全省平均值的 54%，全国平均值的 59%。（见表 3）

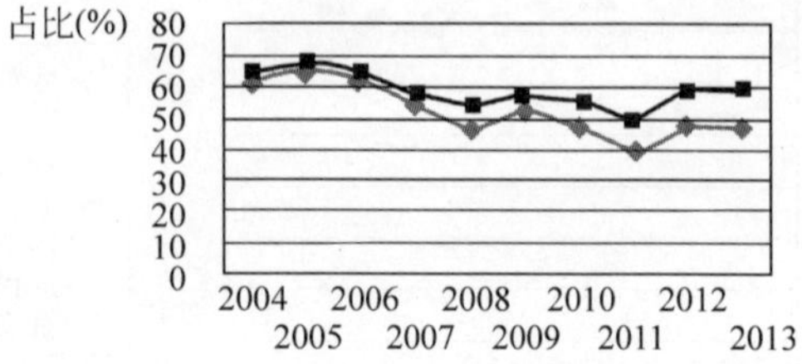

恩施/湖北	63	66	64	54	47	52	48	38	47	47
恩施/全国	66	69	66	57	53	58	56	48	60	59

注：全国数据和湖北省数据来源于国家统计局网站，恩施市数据来源于《恩施市国民经济和社会发展统计公报》。

图 2　恩施市与全国、湖北省农民人均农林牧渔产值比较

表 3　恩施市与湖北省、全国单位面积产量

年份	全国（公斤/亩）	湖北省（公斤/亩）	恩施市（公斤/亩）	恩施市/湖北（%）	恩施市/全国（%）
2008	330	380	194	51	59
2009	325	384	199	52	61
2010	332	379	207	55	62
2011	344	386	186	48	54
2012	353	389	203	52	57
2013	358	392	211	54	59

注：全国数据和湖北省数据来源于国家统计局网站，恩施市数据来源于《恩施市国民经济和社会发展统计公报》。

（三）农村居民与城镇居民收入水平差距较大

2004 年，恩施市农民人均纯收入为 1 638 元，同期城镇居民人均可支配收入 5 329 元，农民人均纯收入仅为城镇居民人均可支配收入的 23%。随后该比例平稳增长，截至 2013 年该指标达到 29%。从人均生活消费支出指标看，2013 年恩施市农民人均生活消费支出 4 690 元，城镇居民人均生活消费支出 13 468 元，农民人均消费支出仅为城镇居民的 35%。（见图 3）

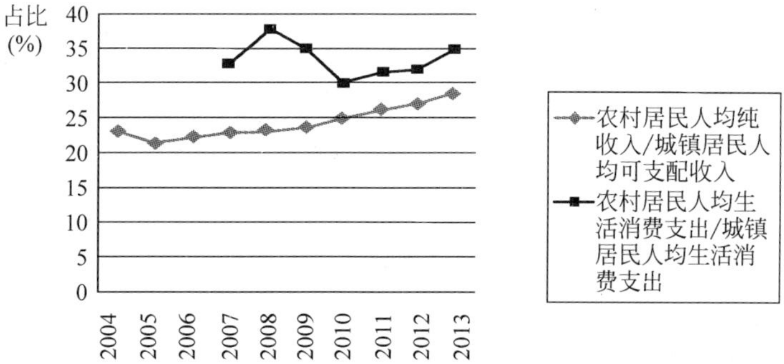

数据来源：《恩施市国民经济和社会发展统计公报》。

图 3　恩施市农村居民与城镇居民收入水平比较

三、农业经营体系发育不足制约了恩施市农业农村发展

农业经营体系包括农业生产经营主体以及为其提供各种经济、技术支持的服务主体。农业经营体系发育成熟度决定了农业生产效率和农产品价值实现，直接影响贫困山区脱贫和农民增收。目前，恩施市农业经营体系仍然以农民家庭分散经营为主要经营形式，使用比较简单落后的生产工具，运用传统农业耕作技术和方法，农业经营的专业化、商品化、社会化程度不高，新型农业经营主体发育不足。

(一)新型农业经营主体数量相对较少

新型农业经营主体主要有三类:专业大户,主要采用家庭经营的方式,专门从事种植业、养殖业并达到较大经营规模;专业合作经济组织,主要以农户经营为基础,实行资金、技术、采购、生产、加工、销售等互助合作;农业产业化重点龙头企业,主要从事农副产品加工或流通,带动基地和农民从事产业化生产。与全国平均水平相比,恩施市新型农业经营主体发育不足。据农业部调查显示,截至2012年年底,全国共有合作社68.9万多个,实有入社农户5 300多万户,约占全国农户总数的20%,即平均932个农村居民拥有1个合作社;全国各类龙头企业近12万个,即平均5 352个农村居民拥有1个龙头企业。相比之下,2012年恩施市仅有专业合作社348个,平均1 306个农村居民拥有1个合作社;龙头企业仅有69个,平均6 586个农村居民拥有1个龙头企业。

(二)新型农业经营主体发展水平不高

目前,恩施市专业合作经济组织多数处于初级发展阶段,运行机制不健全,缺乏凝聚力、约束力和号召力。农业产业化龙头企业规模普遍较小,实力较弱,例如,销售收入5亿元以上的龙头企业数量为0,销售收入1亿元以上的龙头企业仅有5个。(见表4)此外,龙头企业产业发展链条短,产品附加值不高,品牌“多、杂、乱”的问题比较突出,辐射带动农户的能力不强。以茶叶企业为例,全市现有各类茶叶加工企业257家,绝大部分为初加工企业,规模小,效益低,年销售收入2 000万元以上的规模企业仅6家,从事茶叶精制加工的企业仅2家,无一家茶叶产品深加工企业。

表 4 恩施市新型农业经营主体统计情况 （单位:个）

	2013	2012
新型农业经营主体总数	813	733
1. 专业大户	170	138
2. 专业合作经济组织	430	348
（规模以上的专业合作经济组织）	52	48
3. 龙头企业	74	69
其中:销售收入 5 亿元以上的龙头企业	0	0
销售收入 1 亿元以上的龙头企业	5	3
销售收入 2 000 万元以上的龙头企业	33	24
销售收入 500 万元以上的龙头企业	62	56
4. 专业市场	3	3
其中:交易额 5 000 万元以上的专业市场	2	2
5. 其他	136	175

数据来源:恩施市农业局统计。

（三）新型农业经营主体与农民利益联结不够紧密

恩施市农业经营主体的运作方式主要有三种:一是合同方式。农业经营主体通过合同等契约方式向农户收购或销售农副产品,农户根据合同组织安排农产品生产。二是联合协作方式。农户通过资金、技术、劳动等联合形成互助性经营主体,主要为成员提供农业生产有关的各类服务。专业合作社属于典型的联合协作方式。三是股份合作方式。比较常见的是土地股份合作社,即农户以农村土地承包经营权入股合作社,把土地承包经营权变成股权,按照股权比例进行利润分红。也有一些由龙头企业出资金,农户以土地承包经营权折价入股,建立股份合作社。

从农业经营主体与农民利益联结紧密程度看,合同方式属于商品契约关系,经营主体与农民之间的利益联结机制较弱。由于农户个体力量薄弱,在资金、技术、生产资料、信息等方面都依赖企业,因此在合同约定和执行过程中,企业往往具有更大的话语权,而农户通常较为被动和弱势。联合协作方式在商品契约关系的基础上,增加了一定的组织契约关系,即农户既是经营主体的产品供应商、农资购买者,也是其投资者、管理者,因此经营主体与农户之间的利益联结机制相对较强。但在实践过程中,由于经营主体内部管理松散,普通参与者对于组织的发展关心不足,"搭便车"问题突出;牵头组织者需要付出相当多的时间和精力,但缺乏相应的剩余索取权,往往激励不足。因此,如果缺乏强有力的核心人物,经营主体往往会陷入名存实亡的境地。股份合作方式是近年来在联合协作方式基础上发展起来的一种组织性更强的经营方式。由于农户是股东,参与经营和分红,激励性大大增强,经营主体与农民利益联结最紧密。然而,目前恩施市 41% 的新型农业经营主体采取了合同方式,50% 的新型农业经营主体采取了联合协作方式,只有 7% 的新型农业经营主体采取了股份合作方式。(见表 5)总体来看,农业经营主体与农户的利益联结不够紧密。

表 5　新型经营主体　(单位:个)

	2013	2012
新型农业经营主体总数	813	733
1. 合同关系	332	302
2. 联合协作方式	408	358
3. 股份合作方式	56	56
4. 其他	17	17

数据来源:恩施市农业局统计。

四、发展混合所有制农业经营体系是贫困山区实现内生性发展的重要手段和途径

近年来,已经出现一些以股份合作方式为主要形式的混合所有制农业经营主体,例如集体与民营混合形成的股份合作社,国有、集体、民营混合形成的农业产业化企业等,适应了恩施的地理条件、生

态环境、人力资源、资本存量等禀赋条件，优化了资源配置，促进了农业产业化水平的提高。更为重要的是，这种发展不是政府或者外部投入的结果，而是源自农业经营体制机制创新，属于内生性发展，不仅效率更高，而且具有更强的可持续性。

（一）有利于充分发挥农业领域国有、集体、民营经济各自的比较优势

恩施市农业领域中的国有、集体、民营经济分别具有不同的比较优势。从农业生产资料看，农村集体经济组织拥有土地，以及开展生产必要的基础设施和生产工具。从资本要素和运营管理看，民营企业有资本优势，而且长期参与市场竞争，熟悉市场运作规则，了解市场动态走势。从农业生产技术看，恩施国有农科院和大专院校掌握了大量的农业科研成果。例如，湖北民族学院（位于恩施）对当地特色药食两用植物绞股蓝进行了几十年研究，开展了普查征集种质资源、筛选育种亲本、良种选优、丰产栽培、产品开发等工作，掌握了该植物产业化所涉及各环节的多项技术。国有、集体、民营经济三者通过股份合作制形式联合，实现了资本、土地、技术等生产要素的优化组合，更好地适应了市场竞争，提高了资源配置效率。

（二）符合山区特色农业产业资产专用性较强的特点

恩施山多地少、海拔落差较大等自然地理条件，决定了粮食种植不符合当地的比较优势，茶叶、茶油、魔芋、绞股蓝、中药材等特色农业产业更适合当地发展。与粮食等大宗农产品相比，特色农业产业的资产专用性更强，在当前社会信用体系不健全、法律执行难度大的情况下，农户与企业都容易产生机会主义：从农户方面看，特色农作物加工企业的机械设备只能用于加工相关特定农作物，企业没有其他选择，临时抬高价格符合农民利益；从企业角度看，农户种植的农作物只能出售给本企业，临时压低价格符合企业利益。因此，

对于当地特色农业产业,传统的市场订单合作方式不确定性大、交易成本高、效率较低。集体资本与民营资本或国有资本混合形成的股份合作经营主体,将农户与企业实行纵向一体化,用经营主体内部的组织规范代替了市场合约,用无限次重复博弈代替一次或有限次博弈,可以大大降低双方的机会主义,从而降低交易成本、提高经营效率。从近年来恩施一些股份合作经营主体的发展实际情况看,混合所有制经营主体促进了特色农业快速发展:一是稳定了生产。农户和企业是利益共同体,不用再为农作物收购价格反复协调。二是促进了农业标准化生产。通过对农户实行统一生产标准、统一操作规程、统一产品质量、统一农资供应,普及农业投入品安全使用知识,引导农民合理施肥、科学用药、科学采收,从而实现农业的标准化生产。三是促进品牌建设。一家一户由于生产规模小,注册商标运行成本高,品牌档次不高,难以做大做强。通过对农户生产的相同农产品统一注册商标,打造品牌,提高农产品档次和售价。目前恩施已打造出大山鼎、花枝、施裕、香你香亲、草舍鹊、立早、山这边等品牌。

(三)促进现有农业经营主体治理结构完善

与现行最普遍的专业合作社的"一人一票"治理结构相比,以股份合作制为主要形式的混合所有制农业经营主体,通过在集体经济中引入民营、国有资本,在"一人一票"的基础上增加了"一股一票"的治理方式,增强了资金投入者的经营决策权和收益分配权。这种治理结构,由于引入外部资金投入者,避免了合作社被少数内部人控制的问题,同时也有利于激励资金投入者特别是核心人物发挥更加积极的作用。近年来,恩施多家龙头企业牵头组建股份合作社,在加快农业产业化、提高农民收入等方面,都取得了较好成效。一方面,大股东是龙头企业,有比较先进的生产技术与销售渠道,农户能够得到专业化社会服务,生产经营费用得以降低,生产能力和产品质量得到很大提高,也能够较好地规避市场风险。另一方面农户是股份合作社的股东,能够参与分享股份合作社经营收益,从而更加关注股份合作社的经营状况。

(四) 适应了欠发达地区资本相对匮乏的禀赋条件

由于恩施市属于欠发达地区,社会资本、金融资源明显不足。截至 2013 年底,恩施市银行和小额贷款公司等的贷款余额总计 238.52 亿元,人均贷款余额 3.1 万元[1],不仅远远低于东部发达地区(如上海市 18.4 万元、广东省 7.1 万元[2]),也低于全国平均水平 5.6 万元。如果再考虑到资本市场融资因素,由于恩施市利用资本市场融资十分有限,与国内发达地区的差距可能更大。恩施市社会资本匮乏问题,反映在农业产业领域的一个具体表现就是农业龙头企业规模小,2013 年恩施市龙头企业平均固定资产总值仅为 1 014 万元,银行贷款只有 346 万元。因此,多数龙头企业没有足够的资金实力去大规模长期租赁农村土地。实行龙头企业与集体经济组织混合建立股份合作经营主体,农民以土地入股经营主体,有利于缓解龙头企业的融资压力,将有限的资金投入到厂房建设、设备购置、产品研发、市场开拓等方面,提高经营效率。

五、促进混合所有制农业经营体系发展的建议

目前,制约恩施市混合所有制农业经营体系发展的难点,主要是产权交易不顺畅,生产要素难以自由流动,无法按照比较优势进行优化组合配置。为此,需要进一步完善农村土地管理制度,加快农村产权交易市场建设,破除产权交易障碍,为多种所有制要素资

[1] 按照常住人口 76.45 万人计算。如果按照户籍人口 81.43 万人计算,人均贷款余额为 2.9 万元。

[2] 均按照常住人口计算。

源自由流动、组合提供条件。在此基础上,通过在集体经济组织中引入社会资本、国有资本,加快治理结构改造,建设成经营高效、运作规范、机制灵活的现代混合所有制经营主体,促进贫困山区实现内生性发展。

(一) 完善农村土地管理制度

土地是农村最重要的生产要素。明晰的权属关系、扎实的管理基础,是开展土地流转、折价入股等的前提条件,是发展混合所有制经济的基础。一是修改相关法律法规,赋予农民完整的土地权能。例如,现行《担保法》规定,耕地、宅基地、自留地、自留山等集体所有的土地使用权不得进行抵押,需要根据农村改革发展新形势,加以修改完善。二是促进农村土地有序流转。目前,恩施市土地流转水平比较低,不利于农业规模化经营,也不利于释放农村富余劳动力。例如,截至2013年年底,全国承包耕地流转面积3.4亿亩,占耕地总面积的16.7%;而恩施市耕地总面积为70.5万亩,仅流转了3.4万亩,占耕地总面积的4.8%,土地流转比例远低于全国平均水平。因此,一方面要引导各类农业经营主体转入土地承包经营权;另一方面要将城镇公共服务覆盖到农民工,使得农村富余劳动力有更强意愿转出土地。三是夯实农村土地管理基础。目前,恩施市农村土地承包经营权归属不清、纠纷较多。从2011年至2014年上半年,全市土地承包经营权纠纷共发生1 673起,其中权属不明709起,面积不实354起,“四至”不清507起,空间位置不准103起。主要原因是,过去农村集体土地确权登记发证以及流转管理不规范。例如,村组确权确地时,“纸上分田”,敷衍了事,出现确权不确地和农户有地无证、有证无地现象;由于文化基础相对较差,在发包土地的过程中,履行的合同表述不清,甲乙双方的权利、责任和义务不明确;大量土地流转没有签订书面协议,也没有按照规定到相关部门登记备案。因此,要切实加强农村土地承包经营权证书发放和土地流转管理等基础工作,确保田块、面积、承包合同及承包经营权证书四者相一致。

(二) 加快农村产权交易市场建设

发展混合所有制经济的一个重要条件,是国有、集体、民营等各类产权都能够自由流动、自由交易、自由组合。相较于民营产权,集体产权交易的难度要大得多,除了部分产权界定不清晰外,缺乏高效的农村产权交易市场也是一个重要原因。目前,北京、上海、重庆、成都、武汉等多个省市成立了农村产权交易所,提高了农业市场化的程度,推动农村产权要素流动和价值显化,促进农村资本与民营资本、国有资本结合,对于进一步提高农业产业化水平、发展农村经济都发挥了十分重要的作用。恩施作为一个贫困山区,目前农村产权交易市场建设还比较滞后,一定程度上制约了现代农业经营体系的发展。对此有三条建议:一是建立健全农村产权交易制度。与国有产权、企业股权等交易相比,农村产权交易有项目分布广、数量多、规模小等特点,需要在借鉴相关产权交易基本原则的基础上,设计适合农村产权交易特点的交易规则,对交易内容、方式、出让申请受理、信息发布、受让意向登记、交易签约、款项结算、鉴证、监督等做出规定,保证农村产权交易公开、规范、高效、便捷。二是加强农村产权交易平台建设。搭建统一、高效的农村产权交易平台,有利于提高农村产权交易透明度、降低交易成本、规范交易行为。目前,恩施已有运行比较成熟的国有产权交易平台,可以在此基础上增加农村产权交易内容,提高现有交易平台的使用效率,节约平台开发时间。由于恩施市地处山区,交通十分不便,农户外出的经济和时间成本都很高,为切实方便农户开展农村产权交易,应通过互联网将交易平台的终端延伸到村镇。三是加强部门之间的统筹协调。农村产权涉及面广,管理分属不同部门,包括国土、房产、农业、林业、水务、知识产权等。为此,需要做好相关部门之间的协调,避免农村产权交易的“碎片化”。

(三)健全混合所有制农业经营主体治理结构

农村集体经济组织存在的一个突出问题就是治理结构不完善。有的认为组织成员都是乡里乡亲,没有必要按照规定建立相应的治理结构;有的形式上建立起了治理结构,但成员都不重视自己的权利和义务,不按照规则执行,内部管理十分松散,治理结构形同虚设。弱化的治理结构导致一些农村集体经济组织要么完全被个别人控制,集体资产被少数人侵蚀;要么缺乏活力,难以有效组织农户开展生产,名存实亡。通过引入外部民营资本或国有资本实行股份合作,构建混合所有制经营主体,一大好处就是为完善集体经济组织的治理结构奠定了基础。因此,需要以此为契机,大力推进运营激励机制创新。一是完备股权权能、推进股权流转。赋予股东完备的股权权能,即不仅允许股权的内部流转,还要放开对外流转,让股东享有完整的流转权、抵押权和收益权。二是完善激励机制。赋予董事会经营管理层更大的决策权,引入经营班子年薪制和风险抵押金制。三是实行职业经理人制度。由于贫困山区信息相对闭塞,与大市场距离比较远,长期以来缺乏现代化企业运营方式的熏陶,多数农村居民难以有效胜任现代农业经营主体管理要求,需要聘请既熟悉当地农业生产特点,又具备现代管理理念、懂得企业管理的职业经理人掌舵,提高组织管理效率。四是加强和规范管理。强化财务、人事、议事决策等各项制度建设,防止组织资源被个别人控制,提升管理科学化、规范化水平。

参考文献

1. 陈建华:“发挥农村产权交易市场在规范农地流转中的作用”,《农民日报》,2014 年 1 月 18 日。
2. 恩施市农村经济管理局:“恩施市农村土地承包经营权纠纷现状调查”,

2014 年。
3. 恩施市农业局:“恩施市新型农业经营主体发展现状调查”,2014 年。
4. 恩施州农委办:“关于培育新型农业生产主体提高农民组织化程度的调研报告”,2012 年。
5. 恩施州农委办:“湖北恩施培育新型农业生产主体的调研报告”,2013 年。
6. 黄祖辉、俞宁:“新型农业经营主体:现状、约束与发展思路——以浙江省为例的分析”,《中国农村经济》2010 年第 10 期。
7. 厉以宁:“混合所有制与社会和谐”,《中国企业家》2014 年第 2 期。
8. 柳李莉、张晓群:“保护农民土地权益的思考”,《农村经济管理》2009 年第 2 期。
9. 刘自敏:“新型股份合作社逐渐兴起”,《中国集体经济》2013 年第 20 期。
10. 钱克明、彭廷军:“关于现代农业经营主体的调研报告”,《农业经济问题》2013 年第 6 期。
11. 杨长勇:“恩施州现代农业发展情况调研报告”,2012 年。
12. 苑鹏:“‘公司 + 合作社 + 农户’下的四种农业产业化经营模式探析——从农户福利改善的视角”,《中国农村观察》2013 年第 4 期。
13. 王培章、汪上:“‘公司 + 农户’经济模式中的地方政府行为探讨”,《经济研究导刊》2010 年第 17 期。
14. 王志强:“恩施州农民专业合作社发展情况调研报告”,《中国农民合作社》2013 年第 10 期。
15. 文宗瑜:“农村土地产权交易市场的建立及其监管”,《国有资产管理》,2010 年 5 月。

(黄国华,恩施市人民政府)

混合所有制中的员工持股探索——以中国瑞林为例

傅帅雄　刘雨青

党的十八届三中全会明确指出，允许国有经济与其他所有制经济发展为混合所有制经济，国有资本投资项目允许非国有资本参股，允许混合所有制经济实行企业员工持股，形成资本所有者和劳动者的利益共同体。

一、混合所有制中员工持股的理论探索

发展混合所有制的意义是什么？为什么要发展混合所有制？为什么可以允许混合所有制企业实行员工持股？

首先，目前我们可以看到，国有企业通过股份制改革实现了股份多元化经营，进一步明晰了产权和责任，在一定程度上打破了计划经济体制障碍，为国有企业注入了新的元素，激发了国有企业的活力，让国有企业能够相对独立地参与市场竞争。但国有企业改革单靠股份多元化是远远不够的，股份多元化只是国有企业改革的第一步，国有企业改革的目标是在股份多元化的基础上建立独立的法人治理结构，即建立股东会、董事会、监事会和总经理聘任制、任期制、责任制等体制，并使它们充分发挥作用。通过现代企业管理体制的构建，让国有企业成为真正独立的市场主体，参与市场竞争。因此，发展混合所有制的意义就在于通过国有企业和民营企业相互参股，打破国有股一股独大的局面。在混合所有制企业中，国有资本的投资方和民间资本的投资方一律处于平等的地位，从而形成相互制衡的管理机制，在此基础上进一步完善和构建独立的现代法人治理结构，使之成为真正的自行决策、自主经营的市场主体。另外，混合所有制的发展有利于资源的进一步优化整合，有利于资源配置效率的提高，有利于各种所有制取长补短，发挥各种所有制的长处，增强企业的活力与实力。

对于为什么可以允许混合所有制企业实行员工持股这一问题，从理论上讲，物质财富是由资本投入者和劳动力投入者共同创造的，创造出来的物质财富应该由资本投入者和劳动力投入者共同分享，但目前中国国有企业的分配方式是，物质财富由资本投入者享有，而劳动投入者拿到的却只是被划作成本的工资。因此，从利润分配这一角度而言，现在国有企业的利润分配制度并不合理。同时，在这种条件下，劳动投入者的工作积极性得不到充分的调动，从而影响整个公司的生产效率，不利于公司的健康可持续发展。

那么为什么不能通过股权激励制度的建立，提高劳动投入者的工作积极性呢？通过股权激励，不仅让公司管理和技术骨干有了主人翁精神和使命感，主动将自我的职业发展、收入增加与公司的效益和长远发展联系起来;同时对普通员工而言,股权激励也是一种看得到的希望,自己也可以通过辛勤努力成为管理人员或技术骨干,那时也能获得公司的股权激励。这样一来,整个公司的人员积极性就都被调动起来了,从而实现公司效率的提高。

但这里存在一个问题,民营资本的企业可以实行股权激励制度,因为企业的产权是归民营资本的股东所有,只要董事会决策通过,便可以按章实施。而国有企业不同,国有企业的产权归国有资本的股东所有,如果实行股权激励,那么国有资本就变成了个人所有,这时候就会有不同的声音:认为国有企业实行股权激励会导致国有资产流失。这样一来,国有企业领导谁都不敢在薪酬股权激励制度上进行创新改革,怕被扣上窃取国有资产的大帽子。那么,按照这个思路,混合所有制企业允许员工持股的理论依据是什么呢?第一,物质财富是由资本投入者和劳动力投入者共同创造的,创造出来的物质财富应该由资本投入者和劳动力投入者共同分享。第二,混合所有制中,管理人员和技术骨干持股的比例由董事会决定,对此,民营资本的股东可以有较大的发言权,这相对于过去国有资本一股独大而言,形成了一种利益制衡,在一定程度上可以避免国有资本的流失。第三,国有资本是否流失,关键在于股权退出机制的设计。在混合所有制中,管理人员和技术骨干可以持股,并享有股份的利润红利,但如果持股人员选择离开,不再为公司继续工作时,所持股份就应该由公司优先回购,而且回购价格也应区别于市场价格,按既定条件收回。这样一来,就有效地避免了国有资本流失这一问题。

什么样的混合所有制企业最适用于员工持股制呢?应该是人力资本投入在产出贡献中占比高,人力资本具备较高技术含量且市场相对稀缺的智力型服务企业,比如咨询公司、设计公司、研究机构等。在这些企业中,员工是价值创造的主体,人力资本投入者的工作积极性在很大程度上决定着企业的发展,接下来将以南昌有色冶金设计研究院的改制过程为例,研究和探讨混合所有制中的员工持股问题。

二、混合所有制中员工持股的案例分析

(一) 企业概况

南昌有色冶金设计研究院成立于1957年,先后隶属于冶金工业部、中国有色金属工业总公司、国家有色金属工业局,2000年下放江西省实行属地化管理,为省政府直属正厅级企业化管理的事业单位,2004年列为省国资委出资监管企业。

南昌有色冶金设计研究院业务以工程设计咨询为主,拥有冶金、市政、建筑等多项甲级设计咨询资质,通过了质量环境和职业健康体系认证,在冶金、市政、环境保护、民用建筑等领域积累了丰富的设计经验,业务不仅遍及全国三十多个省市自治区,还拓展到亚洲、非洲的多个国家,在深圳、杭州等地设有分公司。截至2005年年底,全院共有在册职工950人,离退休人员560人,总资产21 299万元,净资产11 847万元。

(二) 存在问题

第一,国家政策与行业改革的需求。勘探设计行业按照建立社会主义市场经济体制的战略部署,应该由事业单位改为科技型企业,并通过体制改革逐步成为适应市场要求的法人实体和市场主体。

第二,市场竞争激烈。勘探设计行业属市场开放程度较高的市场竞争性行业。如不加快改革步伐,难以适应市场竞争的需要。

第三,体制性障碍限制发展。南昌有色冶金设计研究院经过二十多年的改革与发展,虽然在市场开拓、技术积累和企业管理等方面取得了一定的成绩,但由于以前的改革始终未涉及产权改革,因

此,制约企业发展的许多深层次矛盾无法得到解决,仅靠内部机制改革很难取得长效。

第四,人才流失。勘察设计行业快速发展,设计人才的流动明显加快,江西地处欠发达地区,如果没有好的企业前景,不建立长期有效的激励机制,管理技术骨干很容易流失。

(三)改制的模式

南昌有色冶金设计研究院采用分立式改制模式,分立式改制模式是指:在改制过程中,公司将其业务划分为主营业务和非主营业务,并将其相关资产、债务、人员进行重新划分。公司的经营者通过增量出资,以公司主营业务资产为主体,发起设立新的股份有限公司,并引进投资合作伙伴,承担原公司的发展职能。而非主营业务资产则通过资产重组成立新的有限公司,主要用于安置企业的原有非在岗人员。该模式整体上可以概况为“无形资产促发展,有形资产保稳定”。按照这一改制模式,南昌有色冶金设计研究院一分为二,改制为两个公司:

管理技术骨干、省国资委和战略投资者出资成立股权多元化的新公司——中国瑞林工程技术有限公司,南昌有色冶金设计研究院从事的设计咨询业务和资质全部转入中国瑞林工程技术有限公司。其中管理技术骨干占49%,中国有色金属建设股份有限公司占23%,江西省国有资产监督管理委员会占18%,中国中钢集团公司占10%,中国瑞林具有混合所有制的典型特征。

南昌有色冶金设计研究院全部资产重新注册一家国有独资公司——江西南冶资产管理有限公司,主要开展资产租赁、物业管理和离退休人员管理。江西南冶资产管理有限公司收入由三部分构成,一是留存现金的资本收益,二是房产租赁收益,三是江西省国资委同意将其股权收益留给南冶资产公司。经过估算,这三部分收益完全可以保障江西南冶资产管理有限公司员工的收入以及原南昌有色冶金设计研究院离退休人员的待遇。

(四) 改制的特点

1. 员工持股比例相对较高

股权结构是改制的核心问题,中国瑞林工程技术有限公司设置较高员工持股比例的依据:一是谁是企业发展最重要的资源,谁就应该获得最多的剩余价值索取权。设计院是人力资本型企业,管理技术骨干是企业发展最大的资源和无形资产,理应参与企业发展增量分配,应该获得较多的股份。二是设计院属于工程咨询业,应具有独立性、公正性和科学性,不应成为某企业下属的设计院,企业不应控股。三是公司所属行业,不涉及国家安全,应该成为更市场化的法人主体,国有比例应适当减少。因此,在股权结构的设置上采取了管理技术骨干占 49%、中国有色金属建设股份有限公司占 23%、江西省国有资产监督管理委员会占 18%、中国中钢集团公司占 10%的由政府、国企、员工共同持股的股权多元化结构。

2. 将中国瑞林的职工股所持股权设为"条件股"

中国瑞林的职工股设为"条件股",职工股采用"股随岗设、岗变股变、人离股转"模式,即股份多少是根据所在的岗位确定的,职工岗位发生了变化和调整,其享有的股份也会随之进行变化和调整,还有最为关键的退出机制,当持股人员辞职离开瑞林公司时,其之前享有的股份需要按条件由瑞林公司收回。将职工股设为条件股的好处有以下几点:①公司并不是采取普惠制,只有管理者和技术骨干才可以持股,这对于公司员工而言本身就是一种工作上的激励。②管理者和技术骨干不仅可以通过持股参与公司的利润分红,更关键的是有了股东意识,将自己的利益、责任、压力与公司的长远发展和整体利益紧密联系起来,建立起长期有效的激励机制。③管理者和技术骨干可以享受到利润分红和股本增值带来的实惠,但一旦选择离开公司,股权不能带走,只能以约定条件由瑞林公司收回,这既为企业员工持股制度提供了可持续的动力,也在很大程度上避免了资产的恶性流失。

3. 建立长效科学的战略投资者评选机制

南昌有色冶金设计研究院改制选择中国瑞林的战略投资者时,借鉴国外人力资本型企业的股权设置经验,结合企业的实际情况,建立了长期科学的评选制度。①对投资者自身规模、实力等资质的测评,②确定投资者对中国瑞林发展定位和企业文化的认可,③要求投资者承诺提供具体市场开发项目为中国瑞林发展做支撑。同时,还根据入股协议约定的条件,将战略投资者所持股权设为条件股,充分发挥股权对战略投资者的长期激励和约束作用。

4. 建立健全"三会"决策机制

产权是所有制的核心和主要内容,是建立现代企业制度的基础。公司员工和股东成为利益共同体,股东会对董事会授权,董事会对经营层授权,公司能快速灵活应对市场,科学高效进行决策。公司没有一股独大的现象,重大决策事项必须考虑到全体股东的利益才可能通过,员工股东和监事会共同起到对董事会和经营层的监督作用。

5. 改制后取得的成果

(1) 效益提高

从2007年开始正式挂牌到2012年年底,中国瑞林工程有限公司营业收入累计51.02亿元,年均增长率为28.4%,其中2012年营业收入14.25亿元,与改制前的2006年相比增长347%;累计实现利润总额6.6亿元,年均增长率为33.8%,其中2012年利润总额为1.84亿元,与改制前的2006年相比增长474%。2007—2012年中国瑞林工程有限公司上缴税收累计4.548亿元,年均增长率为25%,其中,2012年上缴税收1.24亿元,与改制前的2006年相比增长了282.2%。

（2）人才汇集

2007 年以来，公司核心员工基本没有流失，还出现回流现象。许多高级专家和国际化人才纷纷加盟中国瑞林。中国瑞林新增加全国工程设计大师 1 名、全国有色行业设计大师 5 名、国（省）政府津贴专家 6 名、教授级高级工程师 51 名、硕士博士 207 名，并先后有一大批人才获得江西省科学技术特别贡献奖、江西省突出贡献人才奖、全国优秀科技工作者、江西省科技创新特别奖以及入选赣鄱英才 555 工程领军人才、江西省青年科学家培养人才、江西省新世纪百千万人才等各类人才工程。

（3）科技创新

2007 年以来，中国瑞林共获得国家及省部级以上科技进步奖 35 项，其中国家科技进步二等奖 4 项，获省部级科技进步一等奖 13 项。获国家及省部级优秀工程设计、优秀工程咨询、优秀工程勘察、优秀工程建设标准奖 183 项。其中阳谷祥光铜业年产 40 万吨阴极铜工程荣获 2010 年度国家优秀设计金奖（国家优秀设计最高奖项）。获得国家专利局授权专利 285 项，其中发明专利 53 项、国际专利 5 项，参与组建了国家铜冶炼及铜加工工程技术研究中心等 5 个创新战略联盟和博士后工作站。开发出具有自主知识产权的 NGL 炉、摇炉等冶炼关键设备及技术，并获"国家创新型试点企业"、"江西省第一批创新型企业"称号。

（4）品牌提升

改制后，新公司注册为中国瑞林，公司由行业院所改为综合院所，随着一大批项目的建成，形成了一批相互信任、有着良好合作关系的国内外客户群，有效地保障了中国瑞林不断获取稳定项目。2007 年以来，先后荣获国家各部委授予的全国五一劳动奖状、"全国有色金属行业先进集体"、"中国有色工业科技先进单位"、"创新型优秀企业"等称号。中国瑞林承担设计、建设监理的我国首次采用世界上先进的"双闪"铜冶炼工艺的山东阳谷祥光铜业有限公司年产 40 万吨阴极铜(一期 20 万吨)工程荣获我国建设项目环境保护最高奖——“国家环境友好工程”奖。

三、混合所有制中员工持股的若干思考与建议

(一) 统一思想、坚定信念

南昌有色冶金设计研究院在改制前多次召开各级改制专题研讨会,经过深入研讨,全面整理了改制工作思路,在改制的必要性、指导思想、基本原则、改制方式、建立完善的法人治理结构和选择战略投资者等重大问题上,统一思想,达成共识,坚定了改革的信念。企业改制过程是否顺利,与企业内部思想是否统一密切关联。因此,在改制之前需要通过内部访谈、摸底测试、问卷调查等方式广泛征集企业员工对改制的意见和建议,同时,在改制座谈和宣传过程中,一定要让改制单位的员工深刻认识到,改制是企业保持竞争优势和长远发展的需要,改制是大势所趋,从思想上统一战线,争取绝大多数企业员工对改制的支持。

(二) 深入调研,明确改制思路和方向

南昌有色冶金设计研究院的成功改制基于充分的前期调研准备工作。南昌有色冶金设计研究院在确立“产权股权多元化”原则下的改制思路后,又深入全国已改制或正处于改制过程中的勘探设计国有企业展开调研。调研发现,目前勘探设计类的国有企业改制,也是重点围绕企业产权股权的结构重置而展开的,在改制过程中也存在一些问题,如股权分配没有设计条件股、股权分配根据改制前的岗位确定、股权流动性差、股权过于集中以及战略投资者选择不当。同时,在对国外业务形态相似的大型勘探设计公司进入深入调研时,进一步明确了勘探设计行业属于知识服务型企

业,人力资源的数量与质量是决定其核心竞争力的关键要素之一。基于以上的调研分析,南昌有色冶金设计研究院结合企业自身实际,确定了混合所有制改革方向,并提出了"有形资产保稳定,无形资产促发展"的思路,把原来的资产留给离退休人员,作为他们老有所依的基础;设计院员工进入新的企业,向市场要效益,寻求增量资产。

(三)把握重点,精心设计

改制是一种利益的重新分配和调整,因此,在企业改制过程中,一定要把握一个原则:改制的出发点是企业发展,改制的落脚点是员工利益。因此,改制方案要充分体现企业发展及出资人和员工各方面的利益诉求,设置合理的股权结构,建立有利于改制后企业发展的公司治理结构,使骨干员工与企业形成利益共同体,从而激发企业的内生动力。

南昌有色冶金设计研究院制定改革方案主要有两个方面的考虑,一是勘察设计企业作为智力型中介服务机构,具有科学性、独立性、服务性,不要附属于其他企业,要平衡战略投资者所带来的资源与设计院本身的经营决策的关系。二是价值导向,员工是企业发展最大的资源和无形资产,理应参与企业发展增量分配,最终形成了由员工、政府、国企共同持股的股权多元化结构。

(四)设置员工持股条件

改制后的中国瑞林工程有限公司在员工持股上采取"股随岗设、岗变股变、人离股转"的方式(这里指的员工持股不是全员持股,而是重在突出激励效用的管理人员和技术骨干持股)。"股随岗设"主要指员工所持的股份是根据岗位所设定的,不同岗位的员工可以持有的股份不同,越是关键的岗位、越是技术含量要求高的岗位,员工可以持有的股份就越高。"股随岗设"这种模式打破了以往按工龄、按职务、按级别持有股份的惯例,充分尊重了智力服务型企业以人力资本为核心的特点,根据岗位对企业的贡献以及关键程度进行股份设置。在某一岗位上的员工,由于工作出色推动企业效率提高,员工作为企业持股人也因而直接受益,这样一来,就充分调动了员工的工作积极性,使企业员工在思想上实现了从"要我发展"向"我要发展"的深刻转变。"岗变股变"是指当员工的岗位发生变化时,其所持的股份也会随之变化。也就是说,当员工足够优秀,可以胜任更为关键的岗位或技术含量要求更高的岗位时,其所持有的股份也会随之增加,享受到的利润分红也会变多,这一模式进一步激发了员工的工作积极性。"人离股转"是指当企业员工换岗或者离岗时,原来所持的股份不能带走,只能转让给接替这一岗位的其他员工。这一模式,对于岗位提升的员工来说,他到了更为关键的岗位或技术含量要求更高的岗位时,虽然按要求转让了原有的股份,但在这一新的岗位可以持有更多的股份,享受到更多的企业利润分红,这对于岗位提升的企业员工而言,也是一种激励,而转岗后空出来的岗位以及该岗位所设置的股份也会由接任的员工持有。对于工作不认真或不能胜任原有岗位的员工也会按照企业规定对其岗位进行调整,岗位调整后,其之前所持有的股份不能继续持有,必须转让给工作认真并能胜任该岗位的员工持有。这样一来,通过员工之间股权的相对流动,进一步完善了企业的激励和惩处机制,更有利于企业的健康快速发展。另外,"人离股转"从企业发展的角度而言也是对离岗员工恶意套利行为的一种制约,防止企业资产流失。按照"人离股转"的要求,员工要辞职离岗,其所持有的股份不能直接在市场出售套利,而只能按照规定价格由企业优先收购,这一模式在充分肯定员工在企业发展中所做出的贡献的基础上,保证了股份的内部流转,避免资产的流失以及员工恶意套利行为的出现,确保企业的持续健康发展。通过条件股的设置,有利于建立健全全员持股和期权激励合理进退、动态调整的运行机制,增加员工财产性收入，共享改革发展成果。

（五）兼顾发展与稳定

改制过程中要正确处理改革、发展、稳定的关系。按照南昌有色冶金设计研究院的改制方案，资质、经营业务和技术人员全部进入中国瑞林，南昌有色冶金设计研究院全部资产重新注册一家国有独资公司——江西南冶资产管理有限公司。南昌有色冶金设计研究院改制涉及六百多名离退休人员的权益保障是否可以得到落实，直接关系到改制后江西南冶资产管理有限公司的稳定，同时也影响到改制后的中国瑞林的发展，这也正是此次改制的一个难点。根据改制方案设定，离退休人员的待遇由江西南冶资产管理有限公司担负，江西南冶资产管理有限公司的收益则由三部分组成，一是留存现金的资本收益，二是房产租赁收益，三是国资委同意将其股权收益留给南冶资产公司。这样一来，江西南冶资产管理有限公司的资本收益、房产与设备租赁收益以及股权收益，为离退休人员提供了稳定的经济保障，确保了江西南冶资产管理有限公司的稳定，同时也为改制后的中国瑞林的发展创造了良好的条件。另外，中国瑞林和南冶资产主要负责人交叉任职，对改制过程的推动和稳定起到重要作用。企业改制过程中，需要兼顾稳定与发展之间的关系，南昌有色冶金设计研究院改制后，中国瑞林和南冶资产共同构建的“责任共担、利益共享”的机制模式，值得借鉴和思考。

（六）企业无形资产评估

智力服务型企业的整体资产，不仅体现为有形资产，更多的是大量无形资产。许多咨询设计类企业在面临改制时，无形资产的评估与处置一直是改制的一个难点问题。南昌有色冶金设计研究院按照“解放思想、规范操作”的原则，改制过程中在无形资产评估和处置方面做了大胆探索和尝试,采用招标方式公开选定评估机构,以割差法计算无形资产(割差法是用企业的总体价值扣除各项有形资产和可辨认的无形资产价值后的差额,以之来确定企业剩余无形资产价值的一种评估方法)。在无形资产处置过程中,则根据资产形成的原因以及未来可发挥的作用,对其进行合理分类处置。按照这一模式,不仅使国有资产整体价值得到充分体现,而且充分尊重了智力服务型企业以人力资本为核心的特点,确保了技术骨干人才队伍的稳定。另外,在企业改制时,资产监管部门一般都认为资质属于无形资产,需要进行评估。然而,企业资质评估却存在这么一个问题,企业资质是行政许可,不属于法人财产,也不属于政府特许经营权,因此,其价值很难评估。对于很多咨询设计类企业而言,在其改制过程中,也会面临资质是否应该作为无形资产评估以及如何评估这一问题,因此,在这一点上仍然需要资产监管部门加以明确。

(七)有待解决的问题

对于混合所有制企业员工持股问题,在法律层面还存在一些障碍,我国《公司法》规定有限公司股东不得超过 50 人,非公开发行的股份公司股东不得超过 200 人。中型以上的企业,特别是中型以上的人力资本型企业,管理人员和技术骨干入股,人数往往会超过 50 人甚至 200 人。在这种情况下,股东在注册时只能采用信托持股、委托代持或设立平台公司等方式,加大了投资者的投资成本。因此,建议对原有的《公司法》进行修订,取消或修改现行《公司法》对股东人数的限制条款。

(傅帅雄,北京大学光华管理学院;刘雨青,南昌大学马克思主义学院)

现代农业综合配套改革与混合所有制经济——以黑龙江为例*

罗来军

2013年4月，国务院总理李克强主持召开国务院常务会议，部署黑龙江省先行开展现代农业综合配套改革试验工作，标志着《黑龙江省"两大平原"现代农业综合配套改革试验总体方案》正式获得批准。2013年8月，黑龙江省松嫩平原和三江平原现代农业综合配套改革试验工作会议在哈尔滨召开，确定第一产粮大省黑龙江全面启动中国首个现代农业综合配套改革试验，为全国农村改革和现代农业发展"趟路子"。在开展现

* 本文为农业课题"现代农业综合配套改革关键问题与发展措施研究——以黑龙江为例"前期成果，并受国家"新世纪优秀人才支持计划"支持。

代农业综合配套改革试验的过程中,重视、支持和鼓励混合所有制经济的建立和发展,能够对改革的顺利推行和最终成功起到重要作用。下面对该问题进行深入分析,着重探讨现代农业综合配套改革中建立和发展混合所有制经济的具体途径和措施。

一、黑龙江现代农业综合配套改革的现实背景

黑龙江省的农业发展取得了辉煌成就,在现代农业发展上走在了全国前列,劳动生产率、农业机械化率、农业标准化率均处于国内领先水平。黑龙江省农业产出水平总体上逐年攀升,比如粮食作物的播种面积、单位产量和总产量从2000年到2012年均有大幅度的增长,其中2012年的播种面积279.8万公顷,是2000年的1.5倍;单位产量773.1十千克/公顷,是2000年的1.7倍;总产量2 163万吨,是2000年的2.7倍,增长态势参见图1。与此同时,也存在一些必须重视的问题:

(一)农业生态环境污染较重,资源保护不力

1. 污染排放严重,存在破坏性开发

工业三废、农用化学品、生活污水、垃圾、人畜粪便等导致了较严重的农业生态环境污染;农业不合理生产方式对生态环境也产生了较大的破坏作用,局部地区还存在着对耕地、水以及矿产资源不合理的开发与利用,造成资源浪费,并加剧生态失衡。虽然农畜产品加工产业所产生的环境污染比较小,但是在大力发展农畜产品深加工的情况下,对其产生的污染也要给予足够重视,否则会带来较重的污染问题。以肇州为例加以说明,表1列举了三废单位排放量。

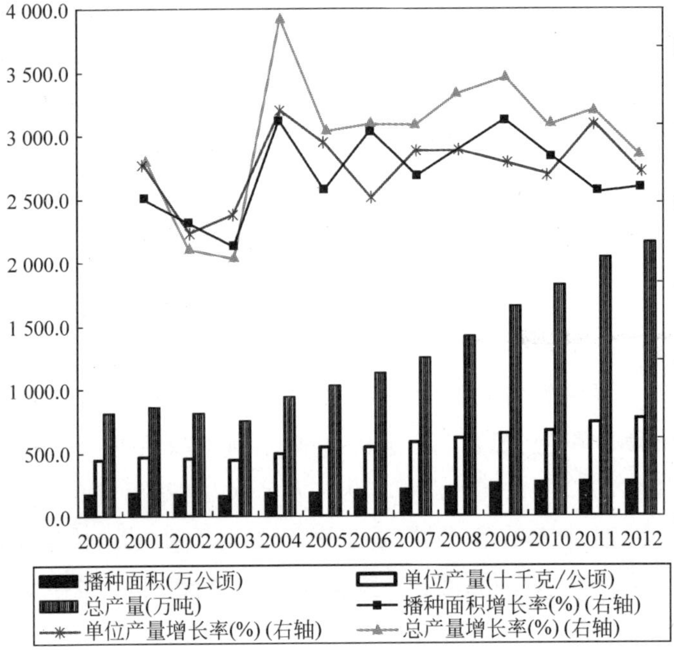

图1　黑龙江垦区2000—2012年粮食作物增长情况(双轴图)

表1　黑龙江省肇州2011年农畜产品精深加工产业园区三废单位排放量

指标	数额
单位工业增加值废水产生量	7.9吨/万元
单位工业增加值固废产生量	0.1吨/万元
单位工业增加值COD排放量	0.95公斤/万元
单位工业增加值SO_2排放量	0.95公斤/万元

2. 土地肥力下降,水土流失严重

农业生产过度依赖化肥,不施有机肥,黑龙江省单位面积氮肥年使用量为世界氮肥平均用量的3.8倍,土壤中积累了大量过剩的硝酸盐。由于土壤侵蚀严重和用养过度失调,黑龙江省黑土肥力明显降低,土壤里的有机质由垦前的11%左右下降到不足5%,部分地区还不足2%。黑龙江省水土流失面积已达到1 378.3万公顷，占土地总面积的30%左右，其中耕地流失面积占耕地总面积的25%左右，土壤质量下降，有些地区的黑土已经基本流失殆尽，耕地耕层越来越薄。黑龙江省土地盐渍化面积以2.6%的年增长速度在不断扩大。

3. 森林质量下降，生态功能衰退

一方面，珍贵的树种减少，如红松、樟子松等；另一方面，保持水土、涵养水源、保护生物多样性等功能显著的天然林、混交林比例减少。

4. 草原面积逐年减少，草原生产力不断下降

黑龙江省草地集中连片，主要分布在松嫩平原和三江平原两大平原地区。新中国成立初期全省有草原1 066.7万公顷，目前仅为新中国成立初期的40.6%，平均每年减少12.4万公顷。

（二）新型农业经营主体发展不足，面临的问题较多

黑龙江省在新型农业经营主体发展方面已经做了较大的探索，但目前的发展水平还比较低。新型经营主体发展不足，总量少，家庭分散经营仍占主导，而且结构不合理，生产性主体比重大，服务性主体比重小。以黑龙江省“两大平原”农民合作社为例，种植业合作社占总数的58.3%，流通、运输、加工等第二、第三产业合作社仅占18.8%，农工贸一体化、“产加销一条龙”式的全产业合作社处于空白。黑龙江省农民合作社经济实力不强，60%的农民合作社资产规模在50万元以下，30%的农民合作社经营土地在500亩以下，90%以上的农民合作社局限在本村组建和生产经营，龙头企业数量少、规模小、带动力不够强。80%以上的农民合作社产权不够明晰，利益分配和监督约束机制落实不到位，管理不够民主，机制不够健全，财务不够规范，社员权益没有得到较好保障，导致农户入社积极性不高。农户入社率仅有6.5%，低于全国平均水平13.5个百分点。据统计，规范化合作社仅占总数的11.4%，比全国低5.6个百分点。

（三）农村金融服务落后，企业融资困难

在“四大行”逐渐退出农村市场的背景下，作为直接面向“三农”服务的新型农村金融机构如村镇银行、小额贷款公司等发展缓慢，农业和农村信贷担保体系没有建立起来，农民和企业筹资难度大，难以满足现代农业建设的资金需求。融资渠道比较单一，黑龙江省农业产业化发展的融资渠道主要依靠财政支农、银行贷款、招商引资、民间借贷、上市融资，但是上市融资的比例非常小。目前活跃在农村金融市场上的主要金融机构是农村信用社，为了规避金融风险、实现自身利益最大化，农村信用社发放的多数贷款金额很少，期限以短期为主，贷款利率浮动幅度较大。农村信用社的贷款结构不尽合理，在供给总量上远远不能满足农民进行规模化种植业、养殖业和农产品深加工业等现代农业生产的需求，金融供给严重失衡。商业性金融机构又倾向于将资金用于支持优势地区、优势产业和优势企业，从而导致一般地区、一般企业和农户信贷受限，缺乏应有的信贷支持。

（四）农业技术水平低，发展速度慢

1. 技术市场发展缓慢，农业科技创新体系缺失

在美国、英国、日本等发达国家的现代农业建设中，科技进步对农业总产值的贡献率已超过 80%。黑龙江省在这方面起步晚、基础差，对科技成果转化应用的力度和贡献在国内都较弱，与国外发达国家相比差距更为悬殊。黑龙江省每百亩耕地平均拥有科技人才 0.01 名，明显低于全国每百亩耕地平均拥有 0.049 名，更低于美国每百亩耕地就拥有 1 名农业科技人才的水平。黑龙江省的主要农产品，由于生产成本高和品质差，不仅在国际市场竞争优势不强，在国内市场也受到严峻的竞争冲击。农业科技创新体系缺失，使得一些对推动农业增产、促进农民增收具有重大作用的先进技术和科

技成果未得到很好的推广与应用。绝大多数开发项目只是一般性农业适用技术推广项目,还达不到高科技含量、高附加值、高出口创汇、高市场占有率的要求。先进的耕种技术没有在辐射区得到广泛的推广与使用。

2. 政府对农业科技投入不足

农业科技投入不足。由表2可以看出,农技人员占农业从业人员的比重虽然呈递增趋势,但增长幅度极小,由2007年的0.48%到2012年的0.57%,几乎没有变化;农业技术人员增长率基本上逐年下降,由2007年的12.68%下降到2011年的-0.27%,但2012年上升到了5.75%;农业科学科技经费支出占财政支出的比重由2007年的8.46%下降到2011年的6.6%,呈逐年递减的趋势,而且所占比重较低。从上述三个指标可以看出,黑龙江省多年来的农业科技投入严重不足。黑龙江省对农业科技投入不足,从多个方面妨碍了农业科技的进步,以及相关生产经营活动效率与竞争力的提升。

表2 黑龙江省农业科技投入水平 (单位:%)

	2007	2008	2009	2010	2011	2012
农技人员占农业从业人员比重	0.48	0.50	0.52	0.53	0.53	0.57
农业技术人员增长率	12.68	5.57	3.60	2.58	-0.27	5.75
农业科技经费支出占财政支出比重	8.46	8.24	6.62	7.65	6.60	—

3. 农业技术推广存在严重问题

农业技术推广机构设置不够合理,分布广泛,机构臃肿,耗资量大。由于机构设置不够集中,导致低水平重复建设,大量浪费政府资金;还由于设置杂乱,造成农业技术推广机构出现断层状况。农村技术推广机构很少能够进行农业综合化验,办公、实验设备陈旧,培训手段和培训内容落后。农业技术推广缺少保障经费,部分机构尤其是基层推广部门严重缺乏日常费用以及科技活动资金。农业技术推广人员整体素质不高,学历普遍较低,专业结构不匹配,还缺乏农业技术专业培训机构,无法对农业技术推广人员和农业从业人员进行高水平的培训与指导。

二、现代农业综合配套改革与混合所有制的关系

建立和发展混合所有制经济对现代农业综合配套改革的推行具有重要作用。

(一) 混合所有制能有效促进现代农业综合配套改革任务的完成与改革目标的实现

建立和发展混合所有制能够直接作用于综合配套改革十大任务中的五项,也间接有利于其他五项任务。创新农业生产经营体制需要培育壮大股份合作社、龙头企业等新型生产经营主体,在这一过程中发展混合所有制,能够帮助新型生产经营主体建立完善的法人治理结构,形成现代企业制度。建立现代农业产业体系的关键是培育和发展具有强大核心竞争力的现代农业企业或企业集团,混合所有制会在其中起到重要作用。在深化土地管理制度改革的进程中,可以探索土地折股和入股,在混合所有制中推行土地股权的做法。在建立和发展混合所有制的过程中,企业会更重视竞争优势的培育,这会促使企业重视科技的使用与研发,同时,科技入股会直接推动企业科技发展,这些显然是健全农业科技创新的重要工作。通过混合所有制,吸引城市企业、资金、技术和人才下乡发展,并繁荣农村经济,即加快了城乡一体化发展。

(二)混合所有制能有效解决黑龙江省现有的经济问题与发展挑战

混合所有制的建立和发展,有助于培育和发展核心竞争力强大、法人治理结构完善的农业企业,这显然能够有效解决新型农业经营主体发展不足的问题。国有资本、集体资本、民营资本以及其他资本交叉持股,相互融合,既解决了部分融资问题,又能够进一步提升融资能力。随着混合所有制的建立和发展,一方面,企业实力增强,能够提供更多的技术使用与研发投入,加大农业科技的发展力度;另一方面,科技入股以及其他股份的加入,也会带来先进的农业技术。对于污染的防治和资源的保护,企业对污染处理技术、低碳技术、节能环保技术等先进技术的研发和应用,会增强降低污染和保护资源的力度和效果。

本文梳理了黑龙江省现代农业综合配套改革有关事项的系统性关系,勾勒出顶层设计框架,而建立和发展混合所有制经济的实际操作主要体现于现代农业综合配套改革的主要任务内容及其执行实施环节。笔者把有关的重要事项以及彼此之间的关联绘制成图 2,来展示现代农业综合配套改革与混合所有制的关系。

三、现代农业综合配套改革中混合所有制发展途径和措施

混合所有制经济的市场运行载体是国有资本、集体资本、非公有资本等交叉持股、相互融合的混合所有制企业。下面分别针对国有企业、集体企业和民营企业,探讨在现代农业综合配套改革过程中建立和发展混合所有制企业的具体途径和措施。

(一)针对国有企业的混合所有制发展途径与措施

黑龙江省进行现代农业综合配套改革,所涉及的产业领域是农

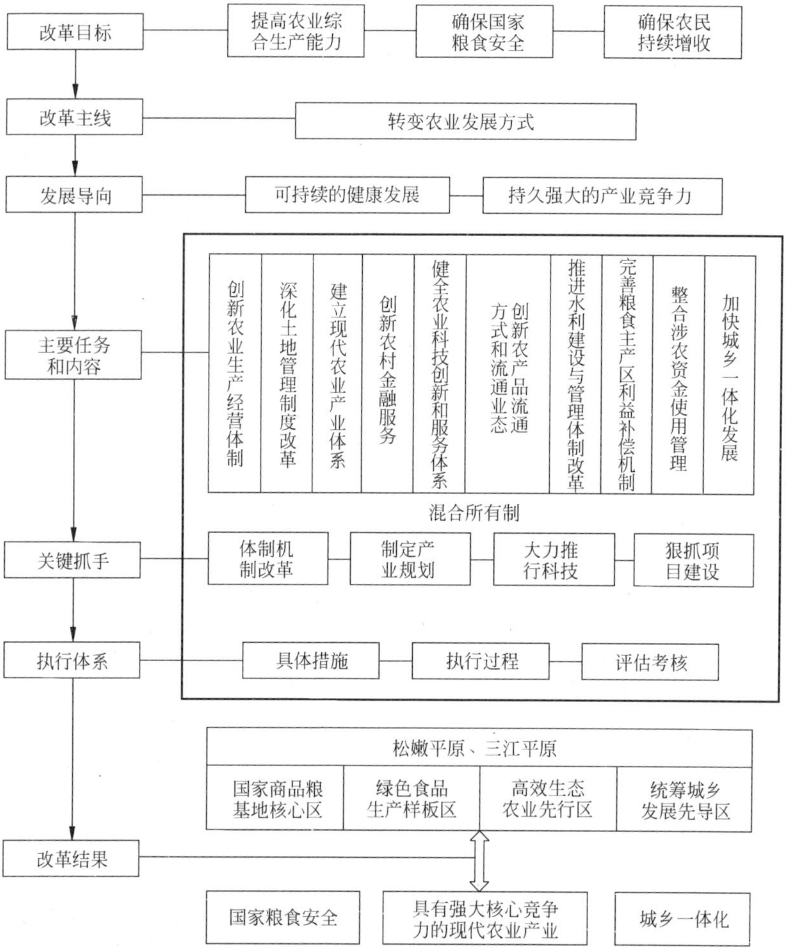

图2　黑龙江省现代农业综合配套改革顶层设计框架及混合所有制实施环节

业，而农业不涉及国家安全等因素；与此同时，农业方面的很多生产与经营活动适合市场化运营，具有良好的竞争性。为此，黑龙江省可以在农业领域的国有企业大力发展混合所有制。其建立和发展混合所有制的途径和措施如下：

1. 集体资本

国有企业可以吸纳集体企业的资本参股，持有和增加集体资本股份。参股的集体资本等资本不仅仅来源于黑龙江的集体企业等企业,还可能来自于全国其他地方。但本文在分析集体企业等企业时,仅分析黑龙江省的情况。

黑龙江的农业国有企业接收集体资本和民营资本参股,需考虑两大现实因素:一是,农业国有企业的规模相对较大,但是其下游的农业种植基地比较分散,规模效应不明显。而农业种植基地的经营多属于实力较弱的集体企业、民营企业以及农户,农业种植方式比较落后,农业机械化规模不大,难以达到集约化生产的要求。如果国有企业让业务关联的集体企业和民营企业参股进来,进行统一的协调与整合,就能把比较分散的农业种植基地建设成集中连片、机械共享、统一作业的基地,实现源头农产品规模化种植与生产。二是,农业国有企业的优势往往在于加工与制造方面,而市场观念不强,采购与销售过分依赖传统的商业流通渠道。农产品的供应企业和市场观念强的营销企业很多是规模较小的集体企业与民营企业,但多数国有企业与它们没有形成稳定的合作关系,供产销链条不顺畅。如果国有企业让供应和营销环节的集体企业和民营企业参股进来,形成混合所有制企业,就能够促进产业链条的理顺与整合,构建"供产销一条龙"、农工贸一体化的产业链条,有效降低供应与营销环节的成本与风险。

2. 民营资本

国有企业可以吸纳民营企业的资本参股,持有和增加民营资本股份。黑龙江的农业国有企业接收集体资本和民营资本参股的情况在上面已做分析。接下来分析民营资本控股的情况。

十八届三中全会通过的《中共中央关于全面深化改革若干重大问题的决定》提出了"两个鼓励":鼓励非公有制企业参与国有企业改革,鼓励发展非公有资本控股的混合所有制企业。国内专家指出:根据行业特点,农业这一行业适合建立和发展非公有资本控股的混合所有制企业。黑龙江省在进行现代农业综合配套改革的过程中，对于经营管理一般或者不善、资产状况不好的国有企业，可以探索优先让民营资本或其他非公有资本进行控股，如果有必要减持国有股份，也可以探索国有资本的合理退出。

3. 上市

企业上市是实现混合所有制的一个重要途径和方式。黑龙江省在现代农业综合配套改革过程中，可以采取切实的政策支持、鼓励和推动具有市场竞争优势、经济效益良好的国有企业，充分利用国内外多层次资本市场，实现企业整体上市，或者核心业务资产上市，或者部分经营性资产上市，实现投资主体多元化，纳入国内外的自然人资本，在产权制度上变革为公众公司。通过企业上市，更利于发展成为确立市场化经营机制和建立完善法人治理结构的混合所有制企业，实现现代企业制度。

对于已上市的国有企业，可以探索股权流转、国有股减持、增资扩股、发行可转债等方式，以此优化股权结构，完善和提升混合所有制。

4. 员工持股(高管持股与全员持股)

所谓高管持股就是厉以宁(2014)分析的产权激励制度，指出产权激励制度主要适应于企业高层管理人员、高层技术开发人员以及其他被认为做出重大贡献的人员。产权激励制度的最大好处是调动这些人的积极性，并留住人才，防止他们被其他企业挖走。根据厉以宁(2014)在国内的调研，民营企业实行产权激励制度比较顺利，而国有独资企业、国家控股企业实行产权激励制度受限制过多，以致很难实行。黑龙江省进行现代农业综合配套改革，为了吸引国有企业的优秀管理人才和技术人才，可以研究让行政部门及时进行松绑，支持和协助产权激励制度的实施。

全员持股就是厉以宁(2014)指出和分析的普惠性质的员工持股制，凡是本企业的员工都可以成为企业的持股人。全员持股有利于增加员工的凝聚力，调动员工的积极性，提高员工的责任感。在员工持股制的实施上，厉以宁(2014)指出既可以"一制双轨"，也可以"两制并存"。在黑龙江省现代农业综合配套改革过程中，国有企业发展混合所有制时，可积极探索和实施产权激励性质的高管持股，以及普惠性质的员工持股，探索和试行"一制两轨"或"两制并存"的实际做法。

5. 科技入股

所谓科技入股，是指对科技进行折股，获得企业股份。科技是第一生产力。然而，我国很多企业在建设强大持久核心竞争力方面真正缺乏的是先进科学技术。黑龙江省进行现代农业综合配套改革，如果要想建设成具有强大持久核心竞争力的现代农业产业，就必须大力推行科技，真正确立和落实"靠科技促发展"的模式。使科技股份成为混合所有制多种股份中的一种，将是"靠科技促发展"的一种重要探索。为此，希望我国在科技入股方面进行积极的探索与尝试。

黑龙江的多数农业企业对农产品的精深加工能力低，投入市场的大多数农产品只经过了初级加工，精深加工的产品少；虽然很多企业都想对产品做精深加工，但是产业链条短、科技水平低、设备不够先进等因素致使加工程度只有40%，远低于发达国家80%的农产品加工率。自身研发先进技术和购买先进技术与设备，往往均需大量资金，在我国融资普遍困难的情形下，科技入股可以有效解决企业资金短缺与使用先进技术之间的矛盾。

在黑龙江省现代农业综合配套改革的进程中，农业国有企业可以尝试与拥有农产品精深加工技术和先进高新技术的国内外单位(大学、科研院所、科研机构、企业等)和个人进行合作，对它们的技术进行折股，通过科技入股来引进和使用先进技术。

6. 外资

积极吸引外资，是发展和改革国有企业的重要方式之一，探索通过合资合作、兼并收购、参股控股等方式，利用国外企业的资本、技术、管理、品牌、市场渠道，等等。

（二）针对集体企业的混合所有制发展途径与措施

黑龙江省涉农的集体企业面临着许多问题，比如产权模糊不清、企业规模小、业务发展混乱、企业管理落后，这些问题至今仍困扰着很多集体企业的发展。黑龙江省可以利用现代农业综合配套改革的契机，积极推动集体企业转向混合所有制企业，逐步建立完善的法人治理结构，形成现代企业制度。

1. 国有资本

集体企业发展混合所有制，可以引进国有资本股份。如前文所述，黑龙江农业国有企业与集体企业、民营企业具有诸多联系，国有企业可以吸纳集体资本与民营资本股份。同样的道理，集体企业与民营企业也可以吸纳国有资本股份，加强相互之间的协调与整合。

2. 民营资本

黑龙江的集体企业和民营企业有着许多共性，一般情况下企业规模都较小，业务发展都不太清晰，而且比较单一，缺乏战略规划，抵抗风险的能力差，管理水平不高，等等。黑龙江的集体企业和民营企业进行相互参股，彼此壮大实力，共享资产与信息，抱团发展，是对双方都有利的一种方式。同一区域的集体企业和民营企业，业务上相互关联较多，还有一些业务重合，通过相互参股，并进行业务的合并，形成发展合力。

对于经营困难的集体企业，可以积极探索破产、拍卖、转让、租赁、兼并、收购、股份合作等方式，进行改造和重组，其中寻求经营管理能力好的民营企业来控股，形成和发展混合所有制是一种较优的方案和出路。

3. 上市

集体企业上市情况同国有企业比较类似（参阅前文分析），但主要是在国内上市，而规模很大和具有国外业务的集体企业也可以在国外上市。

4. 员工持股(高管持股与全员持股)

正如前文所述,国有独资企业、国家控股企业实行产权激励的高管持股受限制过多,以至于很难实行。而集体企业实行高管持股也是很困难的。集体企业实行普惠性质的员工持股制即全员持股,比国有企业具有更大的必要性和重要性。因为与国有企业相比,集体企业的治理结构和管理水平较落后,这种情况下员工的工作态度将对企业发展具有较大影响。黑龙江省在现代农业综合配套改革过程中,集体企业也需要积极探索和实施产权激励性质的高管持股,以及普惠性质的员工持股,探索和试行"一制两轨"或"两制并存"的实际做法。

5. 科技入股

前文已指出,黑龙江的多数农业企业科技水平低。总体上看,集体企业的科技水平比国有企业更低,不少集体企业把低价多销作为主要的经营战略,不重视技术的发展和运用。在黑龙江省现代农业综合配套改革的进程中,集体企业与国有企业同样需要积极地尝试与拥有农产品的精深加工技术和先进高新技术的国内外的单位(大学、科研院所、科研机构、企业等)和个人进行合作,发展混合所有制,通过科技入股来引入和使用先进技术。

6. 个体资本

个体经营者、个体工商户、农户以及一些个人拥有一定数量的资金资本,这些非公有资本也会寻求其他的投资机会。集体企业可以探索给个体资本提供参股的机会,在混合所有制中发展个体资本股份,既能够扩展集体企业的融资来源,又能够充分发挥民间资本的投资功能。

7. 外资

集体企业利用外资的方式与国有企业基本相同,参阅前文的分析。

（三）针对民营企业的混合所有制发展途径与措施

黑龙江省涉农民营企业可以分为两大类：一类是经营管理比较落后的企业，以家庭制企业居多，管理缺乏专业化和规范化，容易形成集权式的家长制管理模式，难以吸引优秀人才加盟，技术水平低，劳动生产率不高。另一类是经营管理比较先进的企业，既有家庭制企业，也有股份制企业。这类企业往往采用先进的管理制度，能充分发挥民营企业的活力，技术水平较高，企业效益良好。这两类企业在现代农业综合配套改革中均应积极发展混合所有制，但第一类企业发展混合所有制比较困难，需要破除家庭制的思想束缚。

1. 国有资本

在分析集体企业发展混合所有制吸收国有资本股份时，已同时分析了民营企业，对此不再重复。

2. 集体资本

黑龙江集体企业和民营企业相互参股在集体企业发展混合所有制的部分已做了分析，也不再重复。

3. 上市

经营管理比较落后的民营企业很难达到上市的基本条件，但是，经营管理比较先进的民营企业，是比较容易实现上市的，这部分民营企业应积极地上市。上市地点主要是在国内，有国外业务和很优秀的民营企业也可以在国外上市。通过上市进一步实现投资主体多元化，推动经营机制市场化，建立完善的法人治理结构，形成更加多元的股份制企业或混合所有制企业。

对于已经上市的民营企业，可以通过股权流转、增资扩股、发行可转债等方式，吸纳国有资本、集体资本以及各类机构投资者投资，进一步丰富股权类型，提升混合所有制和强化现代企业制度。

4. 员工持股（高管持股与全员持股）

根据厉以宁（2014）在国内的调研，民营企业实行产权激励制度比较顺利。实行高管持股比较顺利,是因为民营企业没有行政部门的约束。一些民营企业也有实行高管持股与全员持股的障碍,比如经营管理比较落后的家庭制民营企业,往往不愿意或者不敢实行股份多元化;而实行员工持股对这类企业的发展又往往具有较大的好处。为此,在黑龙江省现代农业综合配套改革过程中,不仅是经营管理先进的民营企业要积极探索和实施"一制两轨"或"两制并存"的员工持股,经营管理落后的民营企业更要积极探索和实施。

5. 科技入股

在科技入股方面,民营企业同集体企业的情况比较类似,参阅前文的分析。

6. 个体资本

在吸纳个体资本股份方面,民营企业与集体企业基本相同,参阅前文的分析。

7. 外资

民营企业利用外资的方式与国有企业、集体企业基本相同,参阅前文的分析。

对上述的多种资本方式进行综合,概括出在混合所有制中多种可能的交叉持股、相互融合模式,具体情形参见图3。

对混合所有制的建立和发展还需做两点说明:

首先,需要探索和推行多样化的入股内容和方式。入股的内容和方式可以是现金,也可以是资源(如土地资源、森林资源、矿产资源、水力资源、海洋资源、风力资源、太阳能资源)、设备设施(如厂房、机器),以及原材料、技术、管理技能,等等。积极尝试土地折股和入股对解决土地流转和发展混合所有制都是有价值的探索。黑龙江利用现代农业综合配套改革的契机,可以积极和大胆地探索上述多样化的入股方式,在混合所有制的建立和发展上做出开拓和创新。

同时,允许并探索其他资本方式控股或相对控股。其他资本方式控股或相对控股可以有多种情况,在此举几个例子。比如,厉以

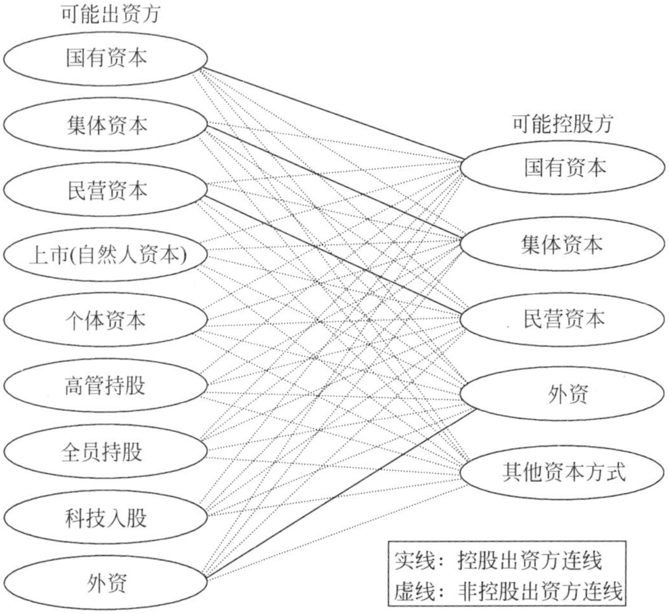

图3　混合所有制各资本方交叉持股、相互融合模式

宁(2014)提出在原有“国有企业下的集体所有制”实践基础上试点实施的混合所有制，母企业持股比例最好在20%—30%，其余的资本或者来自母企业员工的自愿参股，或来自子企业新招收员工的自愿参股，也可以来自其他民营企业的自愿参股，这样的股权结构可以形成几方投资者相对控股的均衡状态。再比如，一些规模较小的企业或工厂，可以由全部的职工持股，共同拥有，共同决策。我在天津考察时，发现了这种情况，管理效率很可观。再举一个例子，企业高管群体控股，即企业的高层管理者拥有企业的全部或主要股份。这种方式在全国有不少，比较成功的企业大多是中、小、微企业。

在黑龙江现代农业综合配套改革顶层设计的框架下，本文针对黑龙江的农业企业（国有、集体、民营），探讨了建立和发展混合所有制的具体途径和措施，还提出一些新的想法。在开展现代农业综合配套改革的实际操作中，黑龙江省可以积极探索建立和发展混合所有制的多种方式,助推改革蓝图尽快尽好实现。

参考文献

1. 程志强:“创新发展视角下中国经济体制改革重点研究”,《中国市场》2014年第3期。
2. 程志强:“对我国土地信用合作社实践的思考——以宁夏平罗为例”,《管理世界》2008年第11期。
3. 黑龙江省社会科学院课题组:“粮食主产区农业现代化问题研究”,《学习与探索》2013年第12期。
4.《黑龙江省“两大平原”现代农业综合配套改革试验总体方案》。
5.《黑龙江省现代化大农业发展规划(2011—2015年)》。
6. 厉以宁:《中国经济双重转型之路》,中国人民大学出版社2013年版。
7. 厉以宁:“顶层设计关乎改革成败”,《理论参考》2014年第1期。
8. 厉以宁:“国企体制改革分两个层次”,《先锋队》2013年第35期。
9. 厉以宁:“中国道路与混合所有制经济”,工作论文。
8. 罗来军:“现代农业综合配套改革抓手分析——以黑龙江为例”,工作论文。

(罗来军,中国人民大学经济学院、国家发展与战略研究院)

混合所有制、股东制衡与经济绩效——基于2013年中国上市企业的分析

郝阳

一、问题的提出

十八届三中全会以来,混合所有制已经成为国内学术界的热点问题之一。如何界定混合所有制企业?混合所有制对于经济绩效有怎样的影响?国内学术界对于这些方面的实证研究还相对匮乏。

混合所有制研究属于股权结构研究的一个分支领域,然而国际学术界的相关文献很少。混合所有制具有很强的中国特色,对于它的研究将是中国学术界对国际经济学界的一个独特贡献。但遗憾的是,国内至今具备原始资料意义的实证文献还很少。张

文魁(2010)的研究是笔者所知的对于混合所有制的研究中最为全面、最有参考意义的。张文魁利用950份调研问卷和1998—2007年上市公司数据,对中国企业混合所有制的发展和经济绩效做了相对全面的考察。徐莉萍(2006)、刘星等(2007)考察了股权制衡对不同性质企业的影响。然而,这些文献对于混合所有制企业的定义并不统一,对其股权结构的处理不够仔细,实证结果的政策含义也不够清晰。

学术界一般用第二至第N大股东持股比例之和除以第一大股东持股比例所得的数值来衡量股权制衡度。我们认为这个指标并不能准确衡量股权制衡情况,尤其是不能描述混合所有制企业的实际情况。股东性质(国有股东、非国有股东、财务投资者)、关联关系(股东之间的血缘关系、控股关系及其他一致行动人关系)和持股比例都会影响股东之间的合作与制衡关系。第一,企业法人可能比基金等财务投资者更加关心企业长期发展问题。第二,不同股东间的制衡程度也与他们之间的关联关系密切相关。第三,国有股东的最终控制人都是国家,这决定了它们之间可能是共同行动而非制衡的关系。本文认为,必须从混合所有制的内涵出发,综合考虑股东性质、关联关系和持股比例,准确衡量股权制衡度。

在以上理论和实践背景下,我们提出如下几个问题:

1. 如何从股权结构上科学定义混合所有制企业?
2. 怎样合理刻画混合所有制企业的股权制衡情况?
3. 中国上市公司混合所有制的发展现状如何?
4. 股权制衡对企业的经济绩效有怎样的影响?

本文结构如下:在第二节,本文给出了混合所有制的定义,对中国上市公司的混合类型进行了划分,定义了基于股东性质和关联关系的非国有股东制衡度。第三节介绍了数据处理方法,概述了中国上市公司混合所有制的发展现状。第四节研究了股权制衡与经济绩效的关系。本文发现,在国有控股企业中,非国有股东的制衡效果存在倒

U形关系，最优制衡度在50%—80%。混合所有制对民营控股企业的影响并不确定。第五节总结了本文的创新点、不足和政策建议。

二、混合所有制企业的定义与“非国有股东制衡度”

（一）混合所有制企业的定义

混合所有制的实质是利用不同性质股东之间的合作和制衡来完善公司的法人治理结构，提高企业经济绩效。这要求不同性质（国有、非国有）股东既有能力也有意愿参与董事会治理。

本文定义混合所有制企业如下：加总关联股东持股比例，在剔除财务投资者和剔除持股比例小于5%的股东以后，既包含国有股东又包含非国有股东的企业是广义的混合所有制企业。广义的混合所有制企业按照股东性质的不同可分为：国民混合企业（国资+民营），国外混合企业（国资+外资）和民外混合企业（民营加外资）。其中，国民混合企业又被称作狭义的混合所有制企业。（见表1）

表1　企业股权结构类型定义

股权结构类型		定义
广义混合所有制企业	国有民营混合企业（狭义混合所有制企业）	同时包含国有、民营股东
	民营外资混合企业	同时包含民营、外资股东
	国有外资混合企业	同时包含国有、外资股东
非混合所有制企业	国有非混合	大股东只有国有股东
	民营非混合	大股东只有民营股东
	外资非混合	大股东只有外资股东
	其他	只包含H股、股权投资机构、基金、社保基金、四大资产管理公司以及无法确认类型的企业。

注：表内的所有定义都是指在合并关联股东、剔除财务投资者和剔除持股比例小于5%的股东以后的情况。

（二）合理刻画股权制衡度

学术界一般用第二至第N大股东持股比例之和除以第一大股东持股比例所得的比值来衡量股权制衡度。我们发现，在混合所有制企业中，这个比值并不能很好地反映股权制衡的实际情况。我们举如下两个例子：

第一个案例是广东开平春晖股份有限公司（股票代码000976），从它的股权结构中可以看出，考虑关联关系对于研究股权结构至关重要。

春晖股份的名义第一大股东是广州市鸿汇投资有限公司，持有12.15%的投票权，但它只是名义的第一大股东。由于名义第二、第三大股东都由开平市资产管理委员会控制，它们是一致行动人关系，所以实质的第一大股东是开平市资产管理委员会，其持股比例为12.8%。由此可见考虑关联关系对于掌握实际股权结构非常重要。

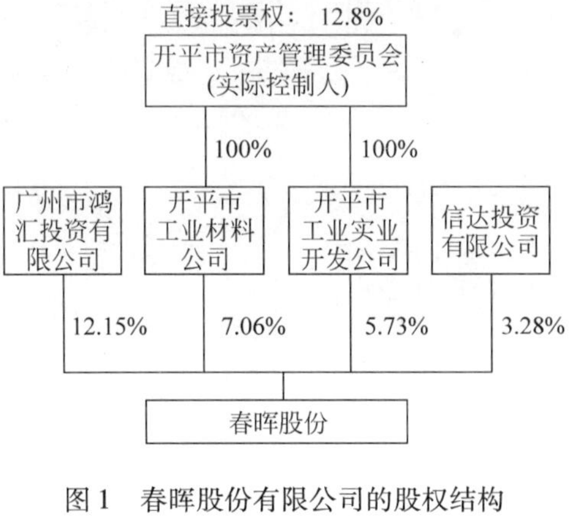

图1　春晖股份有限公司的股权结构

第二个案例是山东地矿股份有限公司（股票代码000409）。该公司的股权结构图更为复杂一些。第一，年报显示，山东省地矿局是山东地矿股份有限公司的实际控制人。在计算第一大股东实际控股权的时候，应该把山东地矿集团和地矿测绘院的持股比例相加。

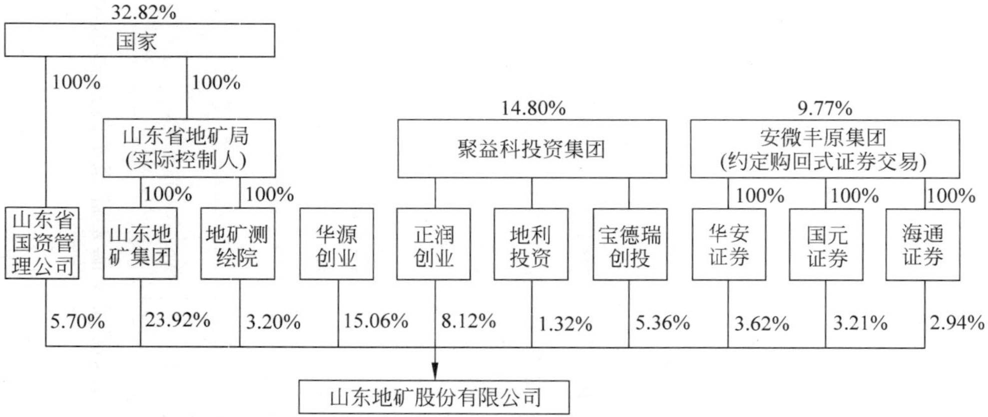

图 2　山东地矿股份有限公司的股权结构

第二,地利投资是持股比例低于5%(1.32%)的股东,按照常理而言不会对董事会决策产生明显影响。但是由于地利、正润、宝德瑞是一致行动人,1.32%的持股量应该被计入聚益科投资集团,从而影响股权制衡程度。第三,山东省国资管理公司和山东省地矿局都是山东省的国资单位,在公司决策中可能是实际意义上的一致行动人。把所有国资股东合并为一个"国有股东"也许可以更好地反映股权制衡的实际情况。

结合理论和上述两个企业案例,我们提出了四种衡量股权制衡度的方法,它们分别代表了对于股权制衡的四个层次的理解,定义如下:

1. 名义制衡度1

以名义第二到第十大股东的持股比例之和为分子,以名义第一大股东持股比例为分母。它是学术界最为常用的股权制衡度,其计算公式如下:

$$名义制衡度1 = \frac{\sum 其余股东持股比例}{第一大股东持股比例}$$

以山东地矿为例:

$$名义制衡度1(山东地矿) = \frac{5.7 + 3.2 + 15.06 + 8.1 + 1.3 + 5.36 + 3.62 + 3.2 + 2.94}{23.92}$$

$$= 2.03$$

2. 名义制衡度2

将持股比例小于5%或者股东性质为财务投资者的股东剔除,计算公式如下:

$$名义制衡度2 = \frac{\sum 剔除后的其余股东持股比例}{第一大股东持股比例}$$

以山东地矿为例:

$$名义制衡度2(山东地矿) = \frac{5.7 + 15.06 + 8.12 + 5.36}{23.92} = 1.43$$

3. 非关联股东制衡度

我们将前十大股东中的关联股东持股比例分别加总[1],称这些互不关联的股东为非关联股东。例如在山东地矿中,我们将山东地矿集团和地矿测绘院合并起来,把山东省地矿局看作第一大股东,其持股比例为27.12%。公式如下:

$$\text{非关联股东制衡度} = \frac{\sum \text{其余非关联股东持股比例}}{\text{第一大非关联股东持股比例}}$$

以山东地矿为例:

$$\text{非关联股东制衡度(山东地矿)} = \frac{5.7 + 15.06 + (8.12 + 1.32 + 5.36)}{23.92 + 3.02} = 1.32$$

4. 非国有股东制衡度

对于国有企业而言,我们还可以特别地计算一个非国有股东对国有股东的制衡度。以非国有股东持股比例之和为分子[2],以国有股东持股比例之和为分母。公式如下:

$$\text{非国有股东制衡度} = \frac{\sum \text{其余非国有股东持股比例}}{\text{国有股东持股比例}}$$

以山东地矿为例:

$$\text{非国有股东制衡度(山东地矿)} = \frac{15.06 + (8.12 + 1.32 + 5.36)}{23.92 + 3.02 + 5.7} = 0.91$$

从山东地矿的例子中可以发现,四种股权制衡度可能相差很大,它们分别代表了对于股权制衡的四个层次的理解。

---

[1] 再将持股比例小于5%或者股东性质为财务投资者的股东剔除。

[2] 同样是首先合并股东关系并剔除持股比例小于5%或者股东性质为财务投资者的股东。

三、中国上市公司混合所有制的发展现状

（一）上市公司股权结构数据库的制作

本文研究对象是2013年全部上市A股公司，共计2 516家，是横截面数据。公司基本信息来源于万德（WIND）和国泰安（CSMAR）数据库，公司治理数据来源于国泰安公司治理数据库。我们利用2013年年报手工整理了25 160家股东的股东性质，最终确认了24 403家股东的股东性质，无法确认的有757家。其中，持股比例高于5%且股东性质为“无法确认”的只有39家。我们把所有股东划分为如下四类：

表2 股东性质的划分方式

股东性质	详情
国家	各级政府、国有资产管理公司、国有投资公司和国有法人
民营	境内非国有法人，境内自然人
外资	境外法人，境外自然人
其他	H股，股权投资机构，基金，社保基金，四大资产管理公司，无法确认

本文利用年报手工录入了股东关系，将存在血缘关系、控股关系或者一致行动人关系的股东比例进行合并，合并后的股东性质保存为两者当中的母公司或者持股量较大的公司的股东性质。存在关联关系的上市公司共有1 320家，占全体公司的50.4%，这说明考虑关联关系是非常必要的。

（二）中国上市公司混合所有制发展现状

我们按照最终控制人的类型和股权结构类型对2013年所有上

市公司进行了统计,结果如下。[1]

在2 513家上市企业中,只有256家(约10%)属于国家民营混合所有制企业,即狭义的混合所有制企业。在978家国有企业当中,有147家(约占15%)属于广义的混合所有制企业。绝大多数企业仍然是非混合类企业,包括836家国家非混合类企业和1 191家民营非混合类企业。广义的混合所有制企业比例为17%,仅仅略高于张文魁(2010)对2008年的300家上市公司的统计结果(14%),这表明混合所有制企业的比例在近年来没有显著提高。

从资产总额上来看,混合所有制企业资产总额为13 843亿元,占非金融类企业总资产的5.1%。中央国有企业当中,只有1 595亿元的资产实现了国民混合所有,只占到全部央企资产的1.14%。地方国有企业有9.55%的资产实现了国民混合所有,远远高于央企的混合所有比例。

混合所有制企业的非国有股东制衡度在0.56左右,这与张文魁(2010)对2008年300家上市企业抽样得到的混合度(0.53)比较接近。

最终控制人为国有或民营,股权结构类型为国民混合、国有非混合或民营非混合的企业总计2 322家。它们可以被分为六类企业(中央混合、中央非混合、地方混合、地方非混合、民营混合、民营非混合),是本文实证研究的对象。下文中如果没有特别指出,混合所有制企业特指国家和民营资本混合企业,即狭义的混合所有制企业。

---

[1] 因为数据缺失,我们没有统计证券代码为600087、594和2717的三家上市企业。由于统计方式的技术性差别,本文的统计结果中出现了一些貌似错误的结果。举例而言,如果国有机构在国外设立分支机构来控股某家企业,那么此企业的年报中显示大股东为境外法人,但是最终控制人却是中国政府。这些例外很少,并不影响本文的统计和结论。

表 3　混合所有制企业数量统计

按股权结构分类 / 按最终控制人分类	国民混合	国外混合	民外混合	国有非混合	民营非混合	外资非混合	其他	总计
中央国有企业	34	9	1	269	10	3	1	327
地方国有企业	82	16	5	530	14	4		651
集体企业	1		2		8			11
民营企业	112		90	5	1 083	9	4	1 303
外资企业	3	4	20	2	26	33		88
公众企业	16	8	13	23	37	3	3	103
其他企业	8	2		7	13			30
总计	256	39	131	836	1 191	52	8	2 513

表 4　混合所有制资产总额统计(剔除金融类企业)

(单位:亿元)

按股权结构分类 / 按最终控制人分类	国民混合	国外混合	民外混合	国有非混合	民营非混合	外资非混合	其他	总计
中央国有企业	1 595	2 929	105	133 788	631	821	3	139 871
地方国有企业	7 243	2 860	652	64 100	489	492	0	75 835
集体企业	19	0	45	0	916	0	0	980
民营企业	3 083	0	3 681	62	36 192	188	98	43 304
外资企业	70	336	461	22	911	848	0	2 648
公众企业	1 659	625	1 265	1 684	1 079	54	345	6 712
其他企业	174	28	0	153	877	0	0	1 233
总计	13 843	6 779	6 209	199 809	41 096	2 403	477	270 584

表5　混合所有制企业与非混合企业的绩效(剔除金融类企业)

	中央 非混合	中央 混合	地方 非混合	地方 混合	民营 非混合	民营 混合
企业数量	252	30	473	74	1 037	105
托宾Q	1.74	2.31	1.62	2.02	2.66	2.52
t－test for Q	P＝0.04		P＝0.56		P＝0.28	
总资产报酬率	4.46	6.13	5.31	6.07	6.49	6.16
t－test for ROA	P＝0.14		P＝0.28		P＝0.62	
投入资本回报率	3.42	6.51	4.19	4.73	6.05	5.21
t－test for ROIC	P＝0.008		P＝0.006		P＝0.42	
国家有效持股比例	49.61	34.60	46.91	35.44	0.00	12.42
其他股东出席比例	9.00	20.80	7.33	19.53	17.40	21.25
名义制衡度1	0.51	1.11	0.45	1.17	0.95	1.38
名义制衡度2	0.18	0.76	0.14	0.68	0.50	0.79
非关联股东制衡度	0.07	0.55	0.07	0.59	0.18	0.54
非国有股东制衡度	0.00	0.51	0.00	0.46	—	—
资产(单位:亿元)	530.90	53.17	135.52	97.87	34.90	29.36
有形资产/总资产	33.81%	45.15%	36.15%	33.69%	53.87%	49.82%
成长性	7.99	15.32	10.27	16.91	16.32	15.58
ST比例	12%	13%	5%	15%	5%	9%

托宾Q、总资产报酬率和投入资产回报率是比较有代表性的三个经济指标,我们对其进行了1%水平Winsor处理,去除了极端值对平均值的影响。其他股东持股比例由股东大会出席股东比例减去实际第一大股东持股比例所得。成长性是2013年的总资产同比增长率。2013—2014年ST比例指2013—2014年期间涉及ST(摘帽、戴帽)的公司。

通过对比四种股权制衡度可以发现,四种股权制衡度之间存在显著差别。以中央控制类举例,第二至第十大名义股东对第一大名义股东的制衡度是0.51,但是剔除持股比例小于5%的股东和财务投资者以后,股权制衡度骤降至0.18。在加总关联股东持股比例以后,制衡度更是降至0.07。

对组间进行简单的均值比较可以看出,混合所有制对于国有控股企业的经济绩效有促进作用,对于民营控股企业的作用效果不确定。此外,国有企业绩效明显低于民营企业绩效,这也符合以往的实证结论。

四、实际控制人性质与最优股权制衡度

股权制衡对于国有企业和民营企业的影响可能不同,我们分别考察国有和民营两类企业。我们采取的是 OLS 回归,回归方程形式如下:

$$\text{Performance} = \alpha + \beta_1 \text{EBD} + \beta_2 \text{EBD}^2 + \beta_n \text{Control} + \varepsilon$$

在本文中,我们一共考察了 7 种测量企业经济绩效(performance)的指标,它们分别是四种托宾 Q 指标(来源于 CSMAR,回归结构中报告的是其 Tobin's Q 3[1])、总资产报酬率(ROA)、总资产净利率(ROA2)和投入资本回报率(ROIC)。所有绩效指标都经过了 1% 的 Winsor 处理以剔除极端值影响。公式里的 EBD(股权制衡度,equity balance degree)代表我们所提出的四种股权制衡度的其中一种。我们加入了股权制衡度的平方项来考察可能的非线性效应。在控制变量(control)中,我们参考以往文献,使用了总资产的对数值、风险(用最近 24 个月的 Beta 值代表)、成长性(总资产同比增长率)和负债率。行业的划分标准是 Wind 一级行业标准。本文也尝试加入资产结构(有形资产/总资产)和流动性(经营活动产生的现金流量净额/营业收入),但是它们并不总是显著,所以在这里没有汇报相关结果。

我们在回归中剔除了 2013—2014 年涉及 ST 的企业,剔除了发行 B 股、H 股、三板、海外股的企业,剔除了金融类企业。有 39 家企

---

[1] 其他三种 Tobin's Q 的实证结果比较相似。

表 6　国有企业的股权制衡度与公司绩效

	1	2	3	4	5	6
	ROA	ROA	ROA	ROA	ROIC	Q
名义制衡度 1	0.245					
	(0.687)					
名义制衡度 1 的平方项	−0.157					
	(0.261)					
名义制衡度 2		0.193				
		(1.006)				
名义制衡度 2 的平方项		−0.165				
		(0.682)				
非关联股东制衡度			0.745			
			(1.409)			
非关联股东制衡度的平方项			−1.035			
			(1.233)			
非国有股东制衡度				3.565*	4.158*	0.975***
				(1.869)	(2.324)	(0.340)
非国有股东制衡度的平方项				−3.481**	−4.269**	−0.601**
				(1.541)	(1.915)	(0.280)
总资产(对数)	1.295***	1.294***	1.293***	1.315***	1.543***	−0.289***
	(0.162)	(0.162)	(0.162)	(0.162)	(0.201)	(0.029)

续表

	1	2	3	4	5	6
	ROA	ROA	ROA	ROA	ROIC	Q
风险	−2.606***	−2.612***	−2.595***	−2.591***	−2.906***	−0.196**
	(0.469)	(0.470)	(0.470)	(0.468)	(0.582)	(0.085)
成长性	0.054***	0.054***	0.055***	0.056***	0.084***	0.003 8**
	(0.009)	(0.009)	(0.009)	(0.009)	(0.012)	(0.002)
负债率	−0.095***	−0.095***	−0.095***	−0.095***	−0.134***	−0.008 8***
	(0.009)	(0.009)	(0.009)	(0.009)	(0.012)	(0.002)
行业	控制	控制	控制	控制	控制	控制
样本量	653	653	653	653	653	653
Adj−R 值	0.288 6	0.288 1	0.289 1	0.293 7	0.328 3	0.346 1

注：*、**、*** 表示估计系数在 10%、5%、1%置信度水平显著。

业包含无法确认股东性质且持股量超过5%的股东,我们对它们也予以剔除。

表6总结了最有代表性的6个结果。从回归结果(1)—(4)可以看出,所有制衡度的作用方向是一致的,但是只有非国有股东制衡度通过了统计检验。这说明股权制衡可能是有效的,只有非国有股东制衡度可以准确刻画国有企业的股权制衡情况。在稳健性检验中,我们考察了所有7种绩效指标(5%、1%、0% Winsor处理),把国有企业分为中央、地方两组分别回归,大部分结果依然相似。非国有股东制衡度的调整R值也更高。以上稳健性检验说明,非国有股东制衡度的效应不是数据挖掘的结果。

前三种股东制衡度的计算中,假设国有股东之间是制衡关系,而非国有股东制衡度的计算中,假设国有股东之间是合作关系。前者不显著而后者显著,这说明国有股东在公司治理当中主要体现为合作而非制衡的关系。简单的股权多元化,甚至是国有股东之间的制衡并不能显著提升企业价值。在国企当中,真正能够产生权力制衡从而提升企业价值的是非国有股东。

如果仅仅加入非国有股东制衡度的线性项,一般得到不显著的结果。但是同时加入其线性项和非线性项,总是可以得到显著结果,这说明股权制衡度与企业绩效之间存在着倒U形关系。

从理论上讲,股权制衡有正面和负面两种作用。当股权制衡度较低时,非国有股东对国有股东起到了监督、制衡的作用,非国有股东有助于改善经营机制,提高经营效率。当股权制衡度过高时,大股东对于企业发展战略的争议可能导致较低的决策效率,甚至引起控制权争夺,从而降低企业绩效。在国有企业中,股权制衡的两种作用并存。根据回归方程(4)—(6),国有企业的最优股权制衡度为50%—80%。

表 7　民营企业的股权制衡度与公司绩效

	7	8	9	10	11	12	13
	民营 全体	民营 全体	民营 全体	民营 非混合	民营 非混合	民营 混合	民营 混合
	Q	Q	Q	Q	Q	Q	Q
名义制衡度 1	−0.032						
	(0.122)						
名义制衡度 1 的平方项	−0.020						
	(0.030)						
名义制衡度 2		0.037					
		(0.148)					
名义制衡度 2 的平方项		−0.056					
		(0.057)					
非关联股东制衡度			−0.397	−0.279**	−0.422	−0.051	0.131
			(0.231)	(0.137)	(0.265)	(0.293)	(0.737)
非关联股东制衡度的平方项			0.107		0.102		−0.094
			(0.141)		(0.162)		(0.348)
总资产(对数)	0.466***	−0.464***	−0.472***	−0.48***	−0.481***	−0.46***	−0.399***
	(0.055)	(0.055)	(0.055)	(0.060)	(0.060)	(0.137)	(0.141)
风险	−0.593***	−0.584***	−0.587***	−0.553***	−0.554***	−0.722**	−0.719**
	(0.113)	(0.114)	(0.113)	(0.123)	(0.123)	(0.297)	(0.299)

续表

	7	8	9	10	11	12	13
	民营 全体	民营 全体	民营 全体	民营 非混合	民营 非混合	民营 混合	民营 混合
	Q	Q	Q	Q	Q	Q	Q
成长性	0.008 3***	0.007 9***	0.008 1***	0.008 0***	0.007 9***	0.010 9**	0.010 9**
	(0.001 7)	(0.001 7)	(0.001 7)	(0.001 8)	(0.001 8)	(0.004 9)	(0.004 9)
负债率	−0.012 3***	−0.012 2***	−0.012 1***	−0.012 0***	−0.012 0***	−0.013 2*	−0.013 5*
	(0.002 5)	(0.002 6)	(0.002 6)	(0.002 8)	(0.002 8)	(0.006 8)	(0.006 9)
行业	控制	控制	控制	控制	控制	控制	控制
样本量	925	924	925	841	841	84	84
Adj−R 值	0.303 5	0.301 5	0.304	0.302 6	0.302 1	0.291	0.281 7

注：*、**、*** 表示估计系数在 10%、5%、1%置信度水平显著。

表7仅仅报告了对托宾Q的回归结果。笔者尝试过对其他经营绩效指标进行回归,结果都不显著。

如回归方程7、8、9所示,当最终控制人为民营企业的时候,股权制衡对于企业绩效的影响不确定。为此我们对民营非混合类和民营混合类分别回归。回归方程(10)—(11)表明,非控股民营股东对于民营企业控股股东的制衡效果是负面的。这说明,民营企业中的股权制衡往往导致控制权争夺,从而降低经济绩效。根据回归方程(12)—(13),政府股东对于民营企业的制衡效果不确定。

五、总结

本文的第一个创新点在于首次建立了中国上市公司股权结构和股东性质数据库,这是下一步实证研究的基础。

第二,本文基于混合所有制的内涵提出了更为科学的混合所有制企业的定义,在充分考虑关联关系(血缘关系、控股关系、一致行动人关系)、股东性质(是否为国有,是否为财务投资者等)和持股比例的基础上,提出了四种刻画股权制衡度的办法。通过案例分析和实证研究发现,传统的名义制衡度不能很好地描述股权制衡的实际情况。本文提出的非关联股东制衡度和非国有股东制衡度的理论基础相对坚实,实证结果也更为丰富。

第三,本文考察了中国上市企业的混合所有制发展现状,发现:1. 从企业数量上看,17%的上市企业实现了广义的混合所有(国资与民营资本、外资的混合),10%实现了狭义的混合所有(国资与民资混合)。2. 剔除金融类企业以后,在总资产为27万亿的非金融类上市企业中,狭义的混合所有制企业共有资产13 843亿元,只占5.1%。实现混合所有的中央国有企业只占全部央企资产的1.14%,远远低于地方国有企业资产的混合比例(9.55%)。3. 混合所有制企业的混合度在0.56左右。

第四,混合所有制对于国有企业的经济绩效存在倒U形影响,非国有股东对于国有股东的适当制衡有利于企业绩效的提高。混合所有制对于民营企业的影响不确定。

本文有如下几点不足:

第一,本文只建立了2013年的横截面数据库。如果能够建立从2003年至今的面板数据,则更有利于控制内生性,并且研究成果也会更为丰富。当本文使用其他股东出席比例作为工具变量进行内生性检验时,有些结果变得不太显著。

第二,当我们把股权集中度指标(用前N大股东持股比例之和)或者国有股比例加入回归分析以后,虽然没有影响股权制衡度的实证结果,但是股权集中度的影响单调为正,这并不完全符合以往的实证结论。国有股的影响呈现倒U形关系,这与著名的田利辉(2005)的正U形结论恰好相反,这个结果难以解释。

第三,约定回购式交易使得企业可以通过证券公司账户持有股权,[1]本文的数据库没有处理这一类账户。

第四,没有详细研究混合所有制与企业具体公司治理的关系。例如,混合所有制企业的董事会、监事会和高管组成有什么特点?董事的尽职情况和企业的决策机制是怎样的?

总之,本文的实证研究表明,混合所有制有利于改善国有企业的经济绩效。简单的股权多元化不等于混合所有制,国有股东间的相互持股并不能有效改善公司治理,只有非国有股东的有效制衡才能提高企业绩效。对于国有企业而言,最优混合比例为50%—80%。但是从上市公司数据来看,混合所有制企业还只是上市企业的一小部分,其比例在近年来没有显著提高。特别是在央企当中,混合所有制的发展非常缓慢。

---

〔1〕 在山东地矿股份有限公司的案例当中,安徽丰原集团(国有)利用三个回购账户持有山东地矿约9%的股份。

参考文献

1. 白重恩、刘俏、陆洲等:“中国上市公司治理结构的实证研究”,《经济研究》2005 年第 2 期。
2. 曹廷求、杨秀丽、孙宇光:“股权结构与公司绩效:度量方法和内生性”,《经济研究》2007 年第 10 期。
3. 陈晓、江东:“股权多元化,公司业绩与行业竞争性”,《经济研究》2000 年第 8 期。
4. 胡一帆、宋敏、郑红亮:“所有制结构改革对中国企业绩效的影响”,《中国社会科学》2006 年第 4 期。
5. 李广子、刘力:“上市公司民营化绩效:基于政治观点的检验”,《世界经济》2010 年第 11 期。
6. 李颖琦、俞俊利:“股权制衡与内部控制有效性——基于 2008—2010 年酿酒类上市公司的案例分析”,《会计研究》2012 年第 2 期。
7. 刘星、刘伟:“监督,抑或共谋? ——我国上市公司股权结构与公司价值的关系研究”,《会计研究》2007 年第 6 期。
8. 宋敏、张俊喜、李春涛:“股权结构的陷阱”,《南开管理评论》2004 年第 1 期。
9. 孙永祥、黄祖辉:“上市公司的股权结构与绩效”,《经济研究》1999 年第 12 期。
10. 田利辉:“国有股权对上市公司绩效影响的 U 型曲线和政府股东两手论”,《经济研究》2005 年第 10 期。
11. 魏明海、程敏英、郑国坚:“从股权结构到股东关系”,《会计研究》2011 年第 1 期。
12. 吴淑琨:“股权结构与公司绩效的 U 型关系研究——1997—2000 年上市公司的证实研究”,《中国工业经济》2002 年第 1 期。
13. 夏立军、方轶强:“政府控制,治理环境与公司价值”,《经济研究》2005 年第 5 期。
14. 徐莉萍、辛宇、陈工孟:“股权集中度和股权制衡及其对公司经营绩效的影响”,《经济研究》2006 年第 1 期。
15. 徐晓东、陈小悦:“第一大股东对公司治理、企业业绩的影响分析”,《经济研究》2003 年第 2 期。
16. 叶勇、蓝辉旋、李明:“多个大股东股权结构与公司业绩研究”,《预测》2013 年第 2 期。
17. 张文魁:《中国混合所有制企业的兴起及其公司治理研究》,经济科学出版社2010年版。
18. 左晶晶、唐跃军、眭悦："第二类代理问题，大股东制衡与公司创新投资"，《财经研究》2013年第4期。

（郝阳，北京大学光华管理学院）

混合所有制对民营企业的影响——以A信托公司为例

刘海北　蒋　承

一、引言

2013年中共十八届三中全会后，发展混合所有制经济成为中国基本经济制度的重要形式，既鼓励国有经济走向混合所有制，也鼓励民营经济走向混合所有制。从公司层面来看，发展混合所有制经济包括鼓励国有企业参股民营企业、民营企业参股国有企业以及同类所有制企业之间相互参股等。对于中国这样一个处在双重转型阶段的新兴经济体，面临着增长和就业的双重压力，而民营经济在拉动增长和解决就业方面发挥着重要作用。如何更好地发展民营经济，使国有经济与民营经济实现双赢，将是新时期中国宏观经济的重要问题，而发展混合所有制经济能很好地解决这一问题。

国有企业的参股，对不同规模的民营企业带来的影响不尽相同。对处于发展初期规模以下的民营企业，引进国有资本在解决资金不足问题的同时，还能够为民营企业带来相对完整的企业制度和较为成熟的管理理念，对于规范企业经营起着重大作用；而对处于上升期规模以上的民营企业，引入国有资本可以使企业资本充足率上升，同时也提高了民营企业经营稳定性的预期，吸引更多人才加入到民营企业中来，从而提高企业人力资本的竞争力。对于国有企业而言，参股民营企业使国有资本更具活力，提高了资源配置的效率，同时参股不同行业也扩展了国有企业的经营范畴，实际提高了国有资本在宏观经济中的支配能力。

机遇与风险并存，国有企业参股民营企业对于双方也存在风险和不确定性。对于民营企业来说，国有资本的进入可能会加大行政干预力度，在组织人事方面有更多的限制，企业原有的决策模式和经营模式也面临着被改变的风险。而对于国有企业来说，参股民营企业意味着风险共担，如果民营企业发生亏损，则会导致国有资本减值。

现有的文献与研究热点更多集中在民营资本参股国有企业的问题上，对于国有企业参股民营企业的研究案例较少。本文以一家股权发生过变更的金融企业为案例，分析民营企业引入国有资本后对企业的影响。

二、文献回顾

20 世纪 70—80 年代以来发展起来的产权理论在中国受到了经济学家们的普遍重视，所有权的转变被视为是转变激励机制进而提高企业绩效的最根本方式，因为私有产权可以克服公有产权的天然劣势(如产权利益排他性不足、多重代理关系、更多的行政干预、管理者投资积极性低等)。一般认为,国有股的产权往往存在不明晰、不可流通性等缺陷,可能会引发道德风险。但一些学者(陈晓和江东,2000)认为,高的国有股比例也同时意味着企业获得政府保护、享受税收优惠待遇的可能性上升,当这一影响大于道德风险成本时,国有股比例也可能与企业的业绩正相关。

国际上,20 世纪 80 年代中期以后伴随着世界各国的私有化浪潮,经济学界对公有制度企业改革的研究十分活跃。20 世纪 90 年代东欧和俄罗斯的经济转轨更是为经济学家研究企业产权制度提供了前所未有的契机。梅吉森和内特(Megginson & Netter,2001)的文章回顾了世界各国尤其是西欧发达国家过去近二十年的国有企业私有化绩效;而德加科沃和默雷尔(Djankov & Murrel,2002)的文章仅限于转轨国家的企业私有化产权改革。就总体绩效而言,除独联体国家外,企业私有化促使企业采取了更多改进经营的措施,企业的业绩有较大提高。

相对于其他转轨国家,无论国际还是国内经济学界对我国企业产权改革的实证研究都是相当缺乏的,基于企业微观数据讨论我国产权改制绩效的实证分析寥寥无几。一些学者(Zhang, Zhang and Zhao,2001)分析了上海市近两千家各种类型所有制的企业从 1996 年到 1998 年的数据。他们发现外资企业与港澳台企业的效率最高,国有企业的效率最低,乡镇和集体企业居中;相对于市场竞争程度而言,所有制对企业效率更具决定性的影响。但他们只是将企业按照国家统计局的所有制分类方法进行分类。他们的论文中并没有考虑 1996—1998 年企业所有制的变更,因而这种静态的比较并不能用来分析产权改革的影响。

一些学者(Chun, McCall and Wang,2003)研究了江苏无锡 80 家乡镇企业从 1984 年到 1993 年的经营情况。他们发现,当产权不变时,仅仅通过经理人激励合同对企业绩效虽然有正面的影响,但这种影响在统计学意义上并不显著，而经过股份制改造，股权结构清晰的企业的经营绩效明显好于传统的乡镇企业。由于数据的局限，他们未能讨论不同的股权结构对企业经营效率的影响，尤其是经理人持股的影响。

有学者（Song & Yao，2004）使用世界银行的数据发现，国有企业民营化对企业利润率的提高有显著影响，但对企业单位总收入的成本（成本除以企业收入）和劳动生产率（企业收入除以员工人数）没有显著影响。

杰斐逊等人（Jefferson et al.，2005）利用1994—1999年22 000家大中型国有企业产权改革前后的数据进行了实证研究，发现民营化提高了这些企业的生产率。董晓媛等人（Dong et al.，2006）利用南京市及其周边地区165家农村和城镇企业的面板数据，发现20世纪90年代末期的公有企业产权改革显著提高了企业（特别是乡镇企业）的生产率和赢利能力。李和罗泽尔（Li & Rozelle，2004）利用1994—1997年江苏和浙江两省的88家民营化后的乡镇企业数据进行了研究，发现产权改革显著提高了乡镇企业的劳动生产率。一些学者（Ho et al.，2003）利用2000年江苏和山东两省的45家乡镇企业的数据进行了实证研究，发现产权改革显著提高了企业效率，他们还发现产权改革使得经理对企业资产的运用更加谨慎和负责，而且改革后的企业有了更为明确的利润最大化目标。

上述研究都各自利用独特的数据库，研究了公有企业产权改革对效率或绩效的不同效应，他们的结论基本是一致的，那就是产权改革提升了公有企业的效率或绩效。陆挺和刘小玄（2005）利用五个城市、四个行业的企业抽样调查数据，分别考察不同产权改革模式对企业效率或绩效的不同影响，他们发现，向私有产权方向改制的企业效率得到显著提高；不同的改制模式是改制绩效的重要决定因素，经营者持大股具有最优的绩效效果。

赵世勇、陈其广（2007）利用中国五个城市的制造业改制企业数据，侧重研究了公有企业的产权改革模式与企业技术效率之间的关系，回答了到底哪些产权改革模式才能真正提升企业效率的问题。他们发现，并不是所有的产权改革模式对企业效率都有显著的正效应，只有三种产权改革模式对企业技术效率具有显著的正效应，它们是：经营者（一把手）个人控股或收购；管理层集体持股或收购；与外商合资或被外商收购。这表明只有将公有企业的产权转移到私人企业家手中，才能产生明显的效率提升。研究还发现，企业规模越大、市场环境和政府环境越好、企业越年轻，技术效率越高。

关于股权结构与公司经营效率的研究有两种观点，麦康奈尔和瑟韦斯（McConnell & Servaes，1990）在研究对比拥有不同股权结构的公司后，认为股权结构与公司绩效是有显著的相关性的。而霍尔德内斯和希恩（Holderness and Sheehan，1988）则认为公司绩效与股权结构无关。

厉以宁（2004）认为，混合所有制的好处在于法人治理结构更容易健全、完善和发挥作用，还可以提高资源配置的效率，使民间资本源源不断地进入混合所有制企业。不仅国有企业要转向混合所有制，民营企业也要转向混合所有制。民营企业的优势在于机制灵活、自负盈亏，更富有创新精神；而国有企业的优势在于资本雄厚、技术设备好、优秀人才多。混合所有制企业恰恰能将两种企业的不同优势结合起来。

关于国有资本控股比例的问题，厉以宁认为民营企业控股和国有企业控股都是可以的，无论所有制有什么差别都是中国的企业，不需要规定国有参股比例一定在50%之上，相对较低的持股比例，不仅可以提高资源配置的效率，也增加了国有资本在经济活动中的支配能力。

厉以宁（2004）认为民营经济与国有资产是平行的，有民营经济介入后，国有资产就得到了重组，在新的基础上有更大的发展，实现国有资产增值；此外民营经济在就业问题上发挥着主要作用，民营经济出现下降趋势或是停滞不前,直接就业和间接就业都会受到严重影响。

厉以宁(2013)认为国有企业与民营企业之间的相互竞争与合作是必然的。如果没有民营企业挑战国有企业在某一行业的垄断地位,行业整体就不会进步;同样,如果没有民营企业在产业链上下游的支持,单一的国有企业也较难完成生产。

厉以宁(2004)认为国有资产重组并不是私有化,中国由计划经济体制转轨到市场经济体制的过程中,国有资产重组是必然的,可通过引入民营资本成为混合所有制、职工持股等方式建立新公有制。

厉以宁(2014)认为建立混合所有制企业不是简单的投资主体多元化问题,目前多数国有企业都已完成股份制改革成为上市公司,但完善法人治理结构才是关键性问题;国有资本的实力不在于国有资本的存量,而在于国有资本的控制力,国有资本减持到相对控股状态,实际上意味着国有资本的控制力增大了。

三、行业案例分析

研究选取的企业案例为国内某信托公司,以下简称 A 信托公司。该公司的典型性在于:公司原控股股东为民营企业,2010 年股权发生变更,被国有企业控股。发展至今,信托资产规模和赢利能力在行业内已属前列。笔者通过对目标公司进行访谈调研和数据搜集,分析国有资本控股后公司的变化。在企业案例分析前,我们先对信托行业整体现状与困局进行分析,事实证明行业现状与困局也正是 A 信托公司引入国有资本的原因所在。

(一)中国信托行业的发展与现状

我国的信托制度最早诞生于 20 世纪初的上海。1921 年 8 月,在上海成立了第一家专业信托投资机构——中国通商信托公司,

1935 年在上海成立了中央信托总局。到 1936 年，实有信托公司 11 家，还有银行兼营信托公司 42 家。当时这些信托机构的主要经营业务有：信托存款、信托投资、有价证券信托、商务管理信托、保管信托、特约信托、遗产信托、房地产信托、代理信托等。但在当时中国处于半殖民地半封建社会的情况下，信托业得以生存与发展的经济基础极其薄弱，信托业难以有所作为。我国信托业的真正发展开始于中共十一届三中全会以后。随着国民经济的调整和实行改革措施，我国出现了多种经济并存、多层次的经济结构和多种流通渠道，财政分权，企业发展，国民收入的分配比例发生了变化，这对资金的运作方式和供求关系产生了重大影响。经济体制的变革促使多样性的信用体制的形成，金融信托作为一种重要的信用形式开始发展。1979 年 10 月，中国国际信托投资公司在北京成立，揭开了信托业发展的序幕。但由于信托行业经营并不规范，从 20 世纪 80 年代至今，信托行业经历了 6 次整顿，从事信托业务的金融机构数目也随着行业政策不断变化。

信托业历经多次大调整后，依然保持高速发展态势。2008 年该行业资产规模突破万亿元规模，此后每年以万亿元级别的增幅增长。截至 2012 年 11 月底，信托业资产规模达 6.98 万亿元，超过了保险业，一跃成为第二大金融子行业。2013 年末，信托行业经受住了宏观形势严峻和资产管理行业竞争激烈的双重考验，全行业受托管理资产规模达到 10.9 万亿元，同比增长 46%，继续保持了第二大金融子行业的地位。从图 1 可以清楚地看到信托行业总体的资产规模近年来还在不断增长，但增长速度从 2009 年开始逐渐放缓。

尽管 2013 年经济、市场和政策环境多变，但得益于信托业务在制度安排上的灵活性以及理财市场的成长性，信托行业继续保持良性发展态势。从经营收入看，2013 年信托全行业经营收入总额 832.60 亿元，同比增长 30.43%；68 家信托公司平均每家经营收入 12.44 亿元，同比增长 30.54%。从赢利能力看，全行业实现利润总

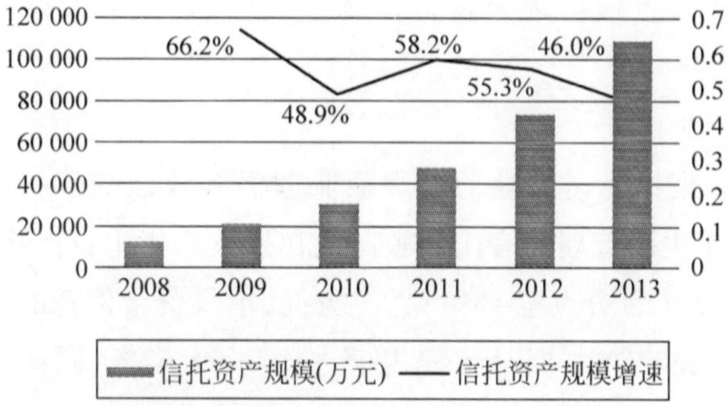

数据来源:中国信托业协会,http://www.xtxh.net/xtxh/。

图1　2008—2013 年信托资产规模

额 568.61 亿元,同比增长 28.82%;平均每家实现利润 8.36 亿元,同比增长 26.86%;全行业实现的净资产收益率为 22.25%,同比增长 0.53 个百分点。

(二)信托行业面临的困局

1. 宏观经济因素

第一,资金利率冲高。自从银监会出台政策规范银行理财业务以来,很多机构将信贷资产包装成同业资产,这使得银行同业拆借市场活跃,同时银行同业资产负债的期限错配问题进一步突出,造成了今年同业市场利率持续飙升的局面,并传导给债市、理财等其他市场。2013 年年底银行同业市场流动性再度告急,同时银行年末为达到存贷比监管指标而大量高息揽储,使得市场利率水平全面冲高。

第二,资金面紧张导致股市下行。市场资金面紧张是导致股市下行的主要原因。据统计,2013 年 12 月股市有 1 100 亿元的资金净流出。一方面,11 月 30 日,证监会发布《关于进一步推进新股发行制度改革的意见》,短期内新股的集中上市预期对市场资金造成分流;另一方面,银行理财及货币市场基金收益持续走高,不少资金退出股市，改投银行理财及货币基金产品，也导致大量股市资金流出。

2. 行业因素

第一，信托公司对被动管理型业务仍有较强的依赖性。一方面，2013 年主动管理的信托余额占比在过去三年中首次出现下降，同比下降 9 个百分点至 55%；另一方面，单一资金信托的比重也有所提升，2013 年单一资金信托规模占比为 69.62%，同比小幅提升 1.32 个百分点。由于单一资金信托多数为通道业务，因此信托公司仍未打破对低端业务的依赖，仍需进一步提升自身的主动管理能力。

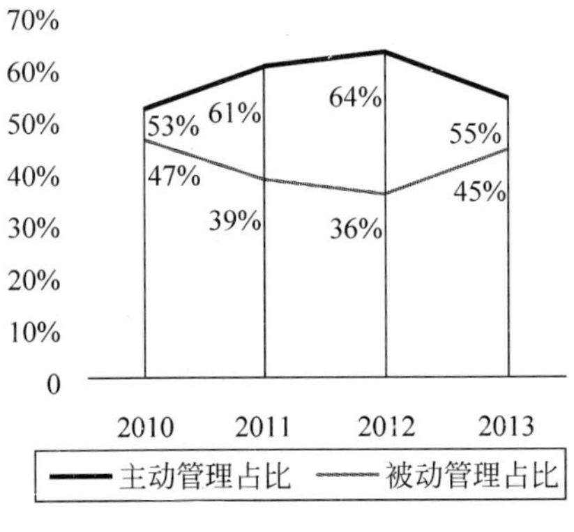

数据来源：中国信托业协会，http://www.xtxh.net/xtxh/。

图 2　主动与被动管理信托资产规模占比

第二，信托报酬率受到挤压，2011—2013 年，全行业信托业务报酬率（信托业务收入/平均信托资产）分别为 0.88%、0.77% 和 0.67%，呈逐年下降趋势。这是由于信托业务报酬率受到了信托资产收益走低和信托产品发行成本高企的双重挤压。一方面，近年来商业银行理财业务和同业业务爆炸式增长，新三板、私募债等直接融资的大力发展，拓宽了企业融资渠道，导致信托资金投向的收益降低。与此同时，以银行理财产品和货币基金为代表的投资产品更

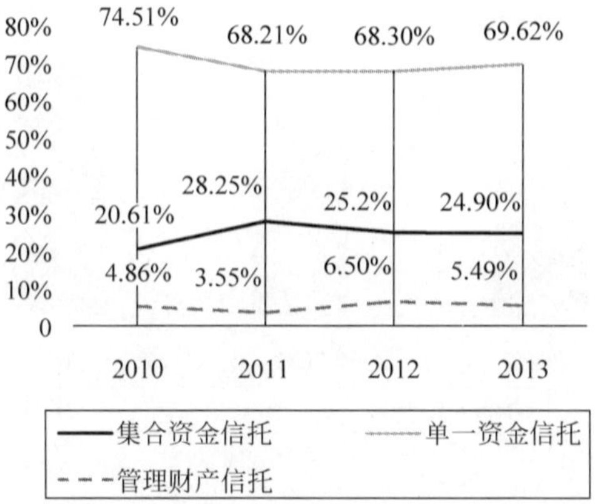

数据来源:中国信托业协会,http://www.xtxh.net/xtxh/。

图 3　信托资金来源构成

是以市场化的定价抬高了整个理财市场的收益率,造成信托产品发行的预期收益率未能随信托资产收益率的下降而同步下调,因而信托业务赢利空间受到压缩。另一方面,多数信托公司项目发行仍高度依赖金融机构代销,这也使得信托项目发行成本高企,进一步压缩了信托业务的赢利空间。

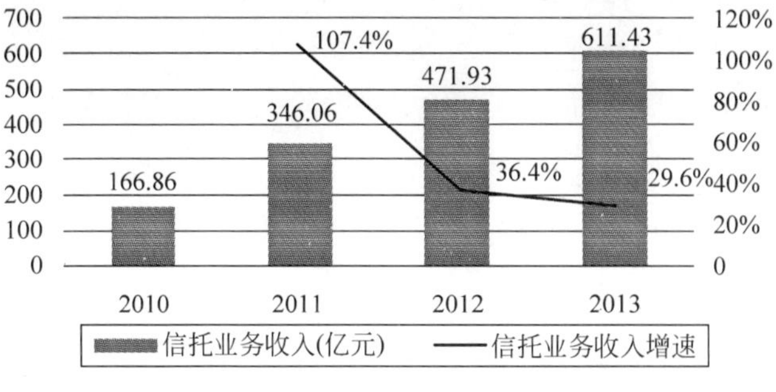

数据来源:中国信托业协会,http://www.xtxh.net/xtxh/。

图 4　2011—2013 年信托全行业信托业务收入及增速

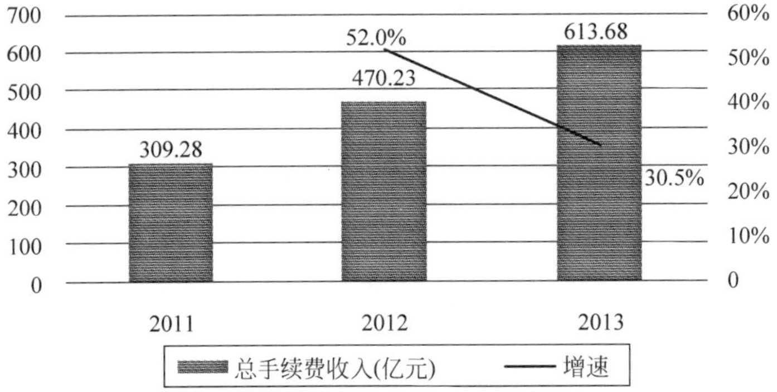

数据来源:中国信托业协会,http://www.xtxh.net/xtxh/。

图5　2011—2013年信托全行业总手续费收入及增速

四、企业案例分析

(一)A信托公司的发展现状

A信托公司是经中国银监会批准设立的金融机构,成立于1987年。截至2013年四季度末,A信托公司总资产为95.83亿元,净资产为75.58亿元,公司净资本69.48亿元,净资本覆盖率143.81%。

公司主要经营业务包括:资金信托;动产信托;不动产信托;有价证券信托;其他财产或财产权信托;作为投资基金或者基金管理公司的发起人从事投资基金业务;经营企业资产的重组、并购及项目融资、公司理财、财务顾问等业务;受托经营国务院有关部门批准的证券承销业务;办理居间、咨询、资信调查等业务;代保管及保管箱业务;以存放同业、拆放同业、贷款、租赁、投资方式运用固有资产;以固有财产为他人提供担保;从事同业拆借;法律法规规定或中国银行业监督管理委员会批准的其他业务。

A信托公司资产管理规模自2006年以来快速发展。2006—2007年,随着中国股权分置改革的实施,二级市场进入最繁荣的时期，A信托公司是首批大规模开展打新股业务的信托公司之一，公司受托管理资产规模由2006年的不到50亿一举增至2007年的664亿，大幅扩张近14倍。2008年，A信托公司开始大力拓展异地业务，将办公总部迁至北京，并在上海、深圳等地设立办公场所。2010年以来，A信托公司经历五次增资，至2014年6月30日，公司注册资本达到60亿，公司业务空间得以有效释放，业务规模得到了快速提升。截止到2013年底，公司信托资产规模为4 785亿元，8年间增长近100倍。A信托公司目前监管评级为2C级，拥有股指期货交易业务资格、特定目的信托受托机构资格（资产证券化业务），即将取得受托境外理财资格（QDII）。

（二）A信托公司股权变化过程

A信托公司的股权变更发生在2010年，在此之前企业的控股股东为中植集团，2010年1月27日，经纬纺机在停牌多日后，公布了收购A信托公司股权的方案，根据双方签署的《股权转让协议》，经纬纺机斥资12亿元收购中植企业集团有限公司持有的A信托公司36%的股权，成为A信托公司第一大股东。经纬纺机为一家主业为纺织机械制造的国有上市公司，其第一大股东恒天集团为国务院国有资产监督管理委员会监管的国有独资大型企业集团。

表1　A信托公司股权结构变化

主要股东	2009年	2010年	2013年
第一大股东	中植集团(67.7%)	经纬纺机(36%)	经纬纺机(37.5%)
第二大股东	哈尔滨投资集团(24.6%)	中植集团(31.7%)	中植集团(33%)
第三大股东	大连新星房地产(7.69%)	哈尔滨投资集团(24.6%)	哈尔滨投资集团(21.5%)

数据来源：A信托公司2009、2010、2013年年报。

该股权交易方案于2010年6月30日收到了银监会批复，并于2010年8月17日完成董事、监事变更的工商登记手续。A信托公司2009年净资产和净利润分别为6.94亿元和3.27亿元，此次收购对A信托公司的估值为33.33亿元，对应PB和PE分别为4.8倍和10.2倍，估值相对合理。

此次收购完成后，A信托公司的股权结构发生了一定的变化，无单一股东持股超过50%，股权相对分散可以使股东之间形成制约，有利于现代企业制度的建立。在现代企业制度中，股东会、董事会与经理层各司其职，分工负责，这是公司良性运转的前提。此外，股东相对分散也会使得各利益方的权力相互制衡，减少“关键人”滥用权力的机会，在一定程度上避免因股东至上而导致的忽略相关者利益的问题，又可弥补外部市场监督机制软约束问题，进而达到资源要素的优化配置，实现经济主体的效率最大化。

（三）国有资本控股对A信托公司的影响

1. 资产规模得到提高

引入国有资本之后，A信托公司资本充足，资产和信托管理规模都有了阶段性的提高。在新股东增加注册资本之前，A信托公司的净资产规模在信托行业中处于中下游位置，2010年9月中国银监会出台《信托公司净资本管理办法》，将信托公司的信托资产规模与净资本挂钩，并对信托公司实施以净资本为核心的风险控制指标体系。因此A信托公司急需通过增加股东来补充净资本。经纬纺机入股A信托公司后多次定向增发，A信托公司净资本得以补充，在一定程度上填补了A信托公司在快速发展过程中的净资本缺口。在经纬纺机入股A信托公司的2011、2012和2013年，A信托公司净资本分别为29.06亿元、43.41亿元和69.48亿元，净资本较为充足是A信托公司这几年业务快速发展的基础。

2011年以来A信托公司净资本快速提升，这为公司信托业务发展释放了一定空间,2012 年公司信托资产管理规模从 2011 年的 1 741 亿元上升到 2 997 亿元,2013 年进一步上升到 4 785 亿元。公司总资产也从经纬纺机入股前的 8 亿元,上升到 2013 年的 96 亿元,四年间 A 信托公司总资产增长超过 10 倍。

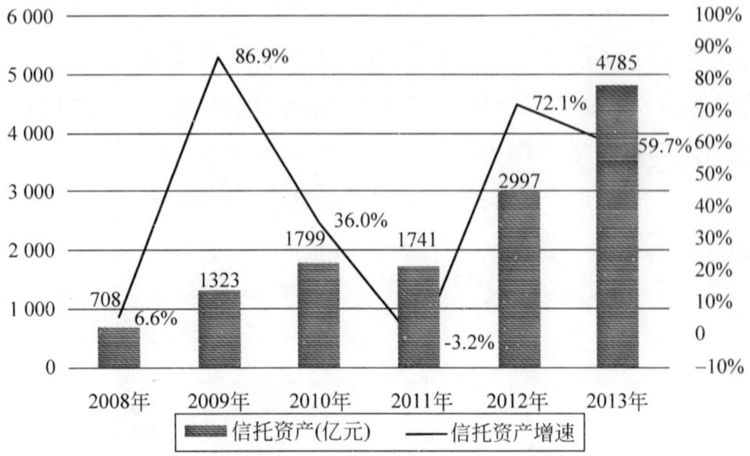

数据来源:A 信托公司 2008—2013 年年报。

图 6　A 信托公司资产管理规模及增速

2. 公司业绩表现突出

经纬纺机自 2010 年成为 A 信托公司第一大股东后,A 信托公司营业收入出现了较大幅度的增长,从 2009 年的 6.98 亿元增长到 2013 年的 48.96 亿元,年均增长 62.7%,而信托行业自 2010 年以来,营业收入年均增长约为 43%,A 信托公司明显快于信托行业收入增长速度,营业收入排名也从 2009 年的第 9 位上升到 2013 年的第 2 位。此外,A 信托公司净利润从 2009 年的 3.27 亿元提升到 2013 年的 20.92 亿元,年均增长 59%,2013 年信托公司平均净利润水平约为 6.5 亿元,A 信托公司明显好于行业平均水平,A 信托公司 2013 年净利润排名从 2009 年的行业第 13 名上升到第 2 名,同比增长 38.09%,明显好于全行业 29% 的同比增速。

2009 年以来，A 信托公司净利润率一直保持在 35% 以上的较高水平，2012 年以来更是在 40% 以上。从净资产收益率来看，A 信托公司自 2011 年以来，一直明显好于行业平均水平，2013 年净资产收益率为 27.68%，而行业平均水平仅为 19.3%。净资产收益率是衡量信托公司为股东创造价值的重要指标之一，A 信托公司该指标明显好于行业平均水平，说明在混合所有制的背景下，较好的治理结构帮助公司建立了现代管理体系，并运用信息技术、精细化管理等手段，节约日常工作中的沟通成本和行政成本，这些措施都有助于 A 信托公司完善成本控制，提高了公司业务的赢利能力。

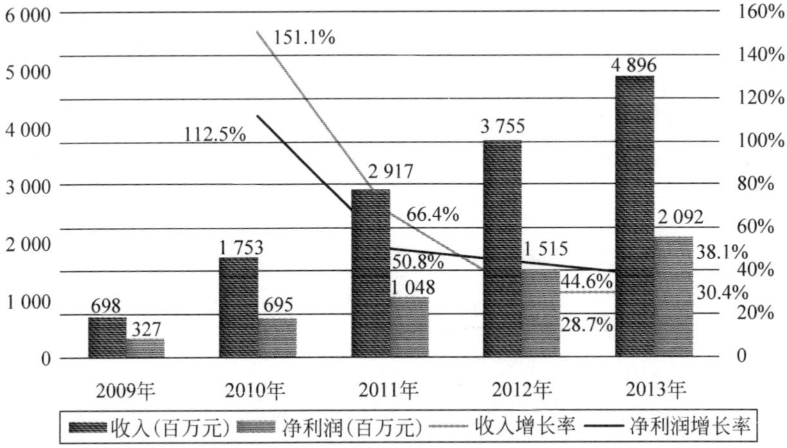

数据来源：A 信托公司 2009—2013 年年报。

图 7　A 信托公司 2009 年以来赢利情况

3. 人力资本得到有效提高

随着 A 信托公司资产规模和经营业绩的快速成长，公司人员数量以及高学历人员比例有了比较明显的提升。截止到 2013 年底，A 信托公司共有正式编制人员 1 620 人，其中硕士研究生及以上学历人员占比达到 46.7%。

表2 经纬入股前后A信托公司高学历人员变化情况

	员工人数	硕士比例	博士比例	合计
2008年	121	29.80%	0.80%	30.60%
2009年	247	36.5%	0.40%	36.90%
2010年	788	30.2%	0.30%	30.50%
2011年	1 151	30.3%	0.52%	30.84%
2012年	1 221	41.6%	0.49%	42.09%
2013年	1 620	46.0%	0.73%	46.72%

数据来源:A信托公司2008—2013年年报。

4. 公司的品牌形象有所提高

金融机构能否发展壮大很大程度上取决于能否获得投资人的信任。鉴于国有企业资本实力雄厚,在政策上通常能获得更多的支持,加上有政府信用背书,相对民营企业而言,更容易获得投资人的认可。经纬纺机控股A信托公司,将A信托公司的企业性质从民企变为国企,提升了A信托公司在公众和广大投资者心中的可信赖度,有利于A信托公司品牌形象的树立。

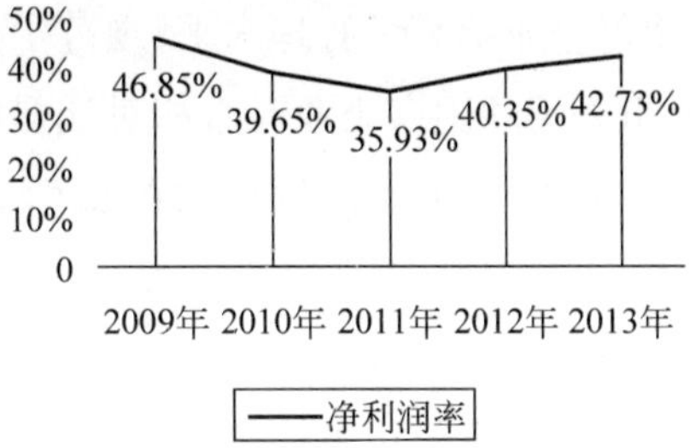

数据来源:A信托公司2008—2013年年报。

图8 A信托公司净利润率

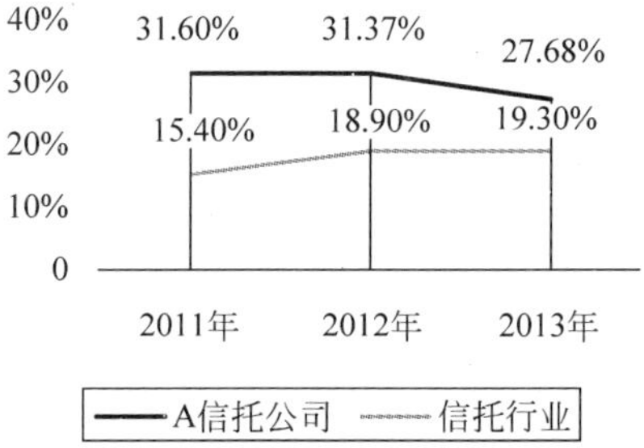

数据来源:A 信托公司 2011—2013 年年报。

图 9　净资产收益率

五、结论与启示

(一) 结论

首先,A 信托公司引入国有资本,提高了企业的资本充足率。在资金实力得到补充后,企业的业务范围得到有效扩展,既能发挥作为民营企业对业务拓展的积极性和创新性,也提高了参与入股的这部分国有资本的收益,使得资源配置效率得到显著提高。其次,国有资本控股后使得企业提高了管理水平,规范了公司制度。相比民营企业,作为上市公司的国有企业有着相对成熟的管理理念和更加规范的公司制度,这是处于快速发展中的民营企业所迫切需要的。随着企业规模的扩张,业务范围的扩大,传统家族式的管理体系将会受到挑战,只有完善现代法人治理结构才能使企业持续良性地发展下去。借助管理咨询公司等外部研究机构,也只能在理论层面提高企业管理者的认识,而引入上市公司作为股东,将在操作层面提高企业的管理水平。

在企业调研过程中,我们也了解到国有资本的进入会提高企业的市场地位和公司形象。在目前国内的金融领域,无论作为合作伙伴的是企业还是居民,均对国有企业的信任度相对较高,所以企业如果拥有国有资本的背景,对于开辟新市场、拓展新业务都会在企业形象上具有优势。公司形象的提高不仅影响业务的开展,对人力资本也会产生深远影响,作为国有上市公司的控股子公司,在人才引进方面更具优势。金融行业的发展速度决定了行业的知识更新速度,近年来国内的金融行业处在高速发展的变革期,这使得传统的金融体系不断遇到新的挑战。引进掌握最新金融理论、熟悉实务操作的人才成为每一个金融机构的重要目标。国有资本控股公司无论在经营还是员工待遇上都给人更稳定的预期,有助于吸引更多人才加盟到企业中来。

(二)启示与建议

信托公司应该把创新发展作为转型期的根本动力,在房地产金融等传统业务领域很难再有新突破,且在当前的经济形势下继续发展房地产金融的风险很大,应该在新业务模式、新领域寻求突破,抢占市场先机。首先,公司的创新研发部门应发挥新业务研究和创新业务推动的积极作用,在行业监控、重大交易对手跟踪、同业新产品研究、战略市场研究上给予新业务直接的信息支持和技术支持。其次,公司可以在类资产证券化业务、土地流转业务方面进行积极探索。最后,应深入研究和推进政策性基金化产品(REITS 信托、城市发展基金、产业基金信托)和事务信托业务(公益信托、遗产信托等),进一步完善公司产品线。在创新的同时,应该完善企业内部的风险管理机制,推进风险管理机制创新,积极推进"独立审查人制度",形成了 IT 系统、法律合规监控、项目监督、研发职能配合的全面风险管控体系和日常项目管理体系,保障项目的正常安全运作。

混合所有制企业不仅仅局限在投资主体多元化,更重要的是完善公司法人治理结构。需要明确董事会的领导职责、监事会的监督职责,以及各高级管理层人员的具体管理职责。进一步完善公司信息系统建设,加强信息系统培训工作:在互联网金融快速发展的今天，应前瞻性地探索适应企业自身特点的线上业务；此外，完善企业内部的管理信息系统对于提高工作效率、改善业务流程也有重要意义。

参考文献

1. 陈晓、江东："股权多元化、公司业绩与行业竞争性"，《经济研究》2000 年第 8 期。
2. 厉以宁：《厉以宁改革论集》，中国发展出版社 2008 年版。
3. 厉以宁："关于民营经济的几个问题"，《经济学动态》2004 年第 8 期。
4. 厉以宁："论新公有制企业"，《经济学动态》2004 年第 1 期。
5. 厉以宁："国企和民企如何在改革中双赢"，《资源再生》2013 年第 10 期。
6. 厉以宁："创新驱动经济转型"，《中国流通经济》2014 年第 1 期。
7. 厉以宁："中国道路与混合所有制经济"，《中国市场》2014 年第 23 期。
8. 陆挺、刘小玄："企业改制模式的改制绩效——基于企业数据调查的经验分析"，《经济研究》2005 年第 6 期。
9. 张文魁：《中国国有企业产权改革与公司治理转型》，中国发展出版社 2006 年版。
10. 赵世勇、陈其广："产权改革模式与企业技术效率——基于中国制造业改制企业数据的实证研究"，《经济研究》2007 年第 11 期。
11. Boardman, Anthony E., Vining, Aidan R., "Ownership and Performance in Competitive Environments: A Comparison of the Performance of Private, Mixed, and State - Owned Enterprises," *Journal of Law and Economics*, vol. 32, 1989.
12. Coase, Ronald H., "The Nature of the Firm," *Economic*, IV, 1937.
13. Demsetz, "Towards a Theory of Property Rights," *America Economic Review*, vol. 5, 1967.
14. Djankov, Simeon, Murrell, Peter, "Enterprise Restructuring in Transition: A Quantitative Survey," *Journal of Economic Literature*, vol. 40(3), 2002.
15. Dong, Xiaoyuan, Louis Putterman, and Bulent Unel, "Privatization and Firm Performance: A Comparison between Rural and Urban Enterprises in China," *Journal of Comparative Economics*, vol. 34(3), 2006.
16. Ho, Samuel, Bowles, Paul, Dong, Xiaoyuan, "Letting Go of the Small: An Analysis of the Privatization of Rural Enterprises in Jiangsu and Shandong,"

Journal of Development Studies , vol. 39, 2003.

17. Ito, Junichi, "Economic and Institutional Reform Packages and Their Impact on Productivity: A Case Study of Chinese Township and Village Enterprises," *Journal of Comparative Economics*, vol. 34(1),2006.
18. Jefferson , Gary H. , Su , Jian , Yuan , Jiang , Yu , Xinhua , "The Impact of Shareholding Reform on Chinese Enterprise Performance ,1995 - 2001," in Nellis, John, Birdsall, Nancy (Eds.), *Reality Check: Assessing the Distributional Impact of Privatization*, Center for Global Development, Washington , D. C. ,2005.
19. Megginson , William , and Jeffry Netter, "From State to Market : A Survey of Empirical Studies on Privatization ," *Journal of Economic Literature* , vol. 39 (2), 2001.
20. Song, Ligang and Yang Yao, "Impact of Privatization on Firm Performance in China," *China Center for Economic Research*, Working Paper Series. No. E2004005,2004.
21. Zhang, Anming, Yimin Zhang and Ronald Zhao, "Impact of Ownership and Competition on the Productivity of Chinese Enterprises," *Journal of Comparative Economics*, vol. 29, 2001.

(刘海北,北京大学光华管理学院;蒋承,北京大学教育学院/教育经济研究所)

图书在版编目(CIP)数据

中国道路与混合所有制经济/厉以宁主编. —北京:商务印书馆,2014
(中国道路丛书)
ISBN 978-7-100-10791-4

Ⅰ.①中… Ⅱ.①厉… Ⅲ.①中国特色社会主义—社会主义建设模式—研究 ②中国经济—混合所有制—研究 Ⅳ.①D616 ②F124.24

中国版本图书馆 CIP 数据核字(2014)第 236717 号

中国道路与混合所有制经济
厉以宁 主编
程志强 副主编

商 务 印 书 馆 出 版
(北京王府井大街36号 邮政编码 100710)
商 务 印 书 馆 发 行
北 京 冠 中 印 刷 厂 印 刷
ISBN 978-7-100-10791-4

2014 年 11 月第 1 版　　开本 787×1092 1/16
2014 年 11 月北京第 1 次印刷　　印张 22¼
定价: 48.80 元